Het leven van de Bri de Terán (Londen,
haar enorme reislus
huwelijken woonde z
Italië, Venezuela en S
echtgenoot en haar twee kinderen woont ze
momenteel in een *palazzo* in Umbrië. Haar
eerste roman *Joanna* verscheen in 1990 en werd
gevolgd door *Op doorreis – Belevenissen van een
treinverslaafde* en *De stoptrein naar Milaan*.
In 1995 verscheen haar autobiografische roman
*Een huis in Italië – De vele seizoenen van een
villa in Umbrië.*

Lisa St Aubin de Terán

De stoptrein
naar Milaan

Vertaald door Ellen Beek en Aad Nuis

Rainbow Pocketboeken
Meulenhoff Amsterdam

Rainbow Pocketboeken® worden uitgegeven door
Uitgeverij Maarten Muntinga bv, Amsterdam

Uitgave in samenwerking met
uitgeverij J. M. Meulenhoff bv, Amsterdam

Eerste druk 1993, derde druk 1995
Oorspronkelijke titel: *The Slow Train to Milan*
Copyright © 1983 Lisa St Aubin de Terán
Copyright Nederlandse vertaling © 1993 Ellen Beek,
Aad Nuis en J. M. Meulenhoff bv, Amsterdam
Omslagontwerp: Mariska Cock
Foto voorzijde omslag: Harry Cock
Foto achterzijde omslag: Robert Barber
Typografische verzorging: Studio Cursief, Amsterdam
Zetwerk: Stand By, Nieuwegein
Druk: Ebner Ulm
Uitgave in Rainbow Pocketboeken januari 1996
Alle rechten voorbehouden

ISBN 90 417 1009 4   CIP   NUGI 301

Voor O.B.M.

I

Bijna tien jaar ben ik nu weg uit Italië, en ruim drie jaar ben ik weg uit de Andes, maar nog steeds komen er soms onbekenden op me af, in Parijs of Londen of Caracas. En die zeggen: 'U was toch een van die vier?'

En ik weet wat ze bedoelen, en soms knik ik ja en soms niet meer, maar in mijn hart denk ik altijd: We waren niet echt met z'n vieren, we waren met z'n vijven: Cesar, Otto, Elias en ik, en de stoptrein naar Milaan. Die stoptrein was de rekenlat van ons bestaan, vaak zelfs de reden ervan. Zonder hem had onze ballingschap geen doel. Ik vraag me af of we het wachten, de spanning en het falen doorstaan zouden hebben als er niet de weelde was geweest van het verder trekken.

Ik leerde Cesar kennen toen ik zestien was. Als zovele anderen werd ik door hem gefascineerd. Ik denk dat ik kan zeggen dat ik hem beter ken dan wie ook, en toch is hij nog dezelfde vreemdeling van onze eerste dagen, heeft hij nog dezelfde schuwe, wrede glimlach. Later is me gevraagd waarom ik het heb gedaan. Als ik erover nadenk, kan ik niets anders ontdekken dan een soort rusteloosheid. Ik ging met hen mee uit verveling en bleef vervolgens hangen. Het begon allemaal in Londen, daarna kwamen we in Italië terecht, later reisden we heen en weer van Parijs naar Milaan en soms naar Bologna.

Cesar was de eerste die ik ontmoette, hoewel je het niet echt ontmoeten kunt noemen, ik liep letterlijk tegen hem op. Ik had vlug wat boodschappen gedaan voor het weekend en was op weg naar huis, de ronde tenen mand van mijn moeder met beide handen tegen me aangedrukt als een geïmproviseerd schild tegen de wind. Toen ik de hoek van mijn straat wilde omslaan, doemde Cesar voor mij op, onmetelijk lang, en precies in mijn baan. Ik keek op, bereid om elke verklaring af te wijzen die mocht worden aangeboden, maar voor ik mijn gedachten helemaal bij elkaar had zei Cesar, die toen een volslagen onbekende was: 'Zuid-Amerika,' en ik zei: 'Ja,' en nog steeds weet ik niet precies wat hij bedoelde.

Hij pakte mijn mand en ging naast mij lopen. Ik verwachtte dat hij nog iets zou zeggen en het duurde een paar minuten voor ik doorhad dat dit alles was. Ik woonde met mijn moeder in een rommelige flat in het zuiden van Londen. Zij was het weekend weg en ik zat te werken voor mijn toelatingsexamen voor Cambridge, waarvoor ik uit Clapham naar mijn repetitor op Eccleston Square sjouwde. Ik stond stil voor het rijtje kale, geknotte lindebomen, in de hoop zo mijn huis voor hem verborgen te houden. Maar het was begin januari en erg koud zodat ik toch maar naar de ingang van het flatgebouw liep. Ik probeerde van Cesar af te komen bij het hek, aan de deur, op de trap, en ten slotte bij mijn eigen deur. Maar telkens knikte hij en liep weer achter me aan. Het drong tot me door dat hij geen Engelsman was, al zag hij er wel zo uit, en zijn 'Zuid-Amerika' begon wat meer betekenis te krijgen. Toen al mijn afscheidswoorden hun uitwerking misten, gaf ik het op en deed ik de deur voor zijn neus dicht, om tot de ontdekking te komen dat zijn voet ertussen zat.

Zonder een woord drong hij de flat binnen. Ik versperde de weg naar de zitkamer, dus liep hij naar de keuken en ging zitten. Heel stil zat hij daar te zwijgen met zijn armen over elkaar. Ik deed een paar pogingen om met een grapje een verklaring van hem los te krijgen en vroeg hem ten slotte te vertrekken. Cesar nam niet meer notitie van mij dan van de stofjes die boven het fornuis zweefden. Hij wilde niet praten en ook niet gaan.

Ik had heimelijk plezier in deze gang van zaken. Ik was net terug van een reis met mijn vader door Canada en langs de Caribische eilanden en ik vond Londen vervelend. Er zat voor mij iets deprimerends in het nerveuze groeten van academici. Het hoogtepunt van onze reis was een avond in Barbados. Er was een soort receptie waar wij de eregasten waren, met het gewone gedoe van jurken en champagne en het eindeloos vragen en voorstellen. Toen kwam ineens mijn vader, Serge, achter me staan, en fluisterde dat ik naar het erkerraam achter in de kamer moest lopen. Dat deed ik, en we glipten naar buiten, het gerimpelde strand op dat naast de campus lag, en liepen over het zand in de maneschijn naar Bridgetown, met zijn piratenmasten en zijn Mount Misery. Ik had toen besloten dat ik graag door meer ramen naar buiten wilde stappen. En hier, in de keuken, zat een rijzige vreemdeling die niet op iemand leek die ik ooit had ontmoet.

Ik verwierp het idee om de politie te bellen, of zelfs een van de buren te roepen, omdat Cesar weliswaar ongenood was, maar mij niet lastig viel. Dit laatste deed mij echt besluiten de zaken op hun beloop te laten, want ik was (en ben nog steeds) erg benauwd voor types à la Jack the Ripper. Het leek de gewoonste zaak van de wereld dat Cesar daar in de keuken zat en ik alleen was en dat ik geen idee had wie hij was.

Ik liep om hem heen, zoals je in een museum zou doen. Ik bekeek hem uit verschillende hoeken. Hij was heel mooi op een vreemde, passieve manier. Ik moest denken aan Buster Keaton, of aan een Grieks beeld. Zijn ogen hadden de goudbruine kleur van een arend en de lijn van zijn neus was volmaakt recht. Later merkte ik dat hij heel trots was op die lijn en op zijn trots zelf, die hij met zich meedroeg als een Siamese tweeling. Langzamerhand wilde ik hem wel iets horen zeggen. Hij hield echter zijn mond. Ik probeerde hem te verleiden met andere talen, met Frans en Nederlands en Russisch, ik haalde zelfs mijn gebrekkige Latijn erbij. Hij toonde zijn goede wil, hij glimlachte toegeeflijk. Hij was als een berg die boven mijn tafel uittorende. Ik bood hem eten aan. Hij schudde zijn hoofd, wees vervolgens op zichzelf, als een Tarzan in ribfluweel, en sprak: 'C'est ça.'

Ik vond het prachtig. Ik realiseerde me niet dat het zijn naam was: Cesar. Hij zweeg weer en ik liet hem alleen om in bad te gaan. Ik sloot mezelf in, goot een buitensporige hoeveelheid van mijn moeders badzout in het water en ging liggen dagdromen en nadenken, in die volgorde.

Toen ik terugkwam in de keuken was hij verdwenen. Ik had de voordeur niet gehoord, wat betekende dat hij waarschijnlijk nog in de flat was. Ik had weinig zin om te kijken waar hij was. Ik bedacht dat hij weleens een mes bij zich zou kunnen hebben. Ik besefte dat ik eerder iets aan hem had moeten doen. Als ik probeerde ervandoor te gaan, zou ik toch een keer terug moeten komen en dan zou hij me misschien opwachten; hij zou trouwens ook, zo redeneerde ik, op de trap kunnen zitten. Ik kwam tot de conclusie dat mijn positie hopeloos was en dat ik een risico moest nemen. Misschien was hij alleen zijn benen aan het strekken.

Ik vond hem in de zitkamer met een gehavende atlas op zijn schoot. Hij bestudeerde Italië. Opgelucht ging ik zitten en vroeg me af waarom ik niet eerder had gemerkt hoe verlopen hij eruitzag. Hij probeerde het weer: 'C'est ça, c'est ça.'

Hij keek droevig en hij had kringen onder zijn ogen. Ik maakte de haard aan en deed de deur dicht. Cesar sprong op, deed hem open en ging met een verontschuldigend gebaar weer zitten. Het leek raar wat hij deed. Ik had hem al eerder mijn naam genoemd, maar hij leek niet tot hem te zijn doorgedrongen. Ik probeerde het nog eens. Deze keer schudde hij nee. Hij leek het geen mooie naam te vinden. Daar kon ik toch niet veel aan doen, dus herhaalde ik hem. Deze keer zei hij met kracht: 'Nee.'

Ik moest lachen. 'Wat nou nee? Toevallig heet ik echt Lisaveta.'

Maar voor hem heette ik blijkbaar niet zo, want hij schudde opnieuw het hoofd en richtte zijn aandacht weer op de atlas. Het begon donker te worden en ik zat me af te vragen wat ik met hem aan moest, toen hij opstond en de kamer uitliep. Even zelfverzekerd als hij was binnengekomen liep hij nu door de hal naar buiten en verdween de trap af. Ik staarde in het vuur zonder zelfs maar te proberen te begrijpen wat er gebeurd was en ik bevond me nog steeds in die staat van geroosterde mijmerij toen op de deur werd geklopt.

Het was Cesar, met een grote kartonnen doos die hij in mijn armen drukte. Ik wankelde onder het gewicht. Er zat een verzameling boeken en platen in, waar ik toen niets aan vond, maar waarvan ik later begreep dat ze zijn geliefdste bezittingen waren. Bij de doos hoorde een briefje in het Frans, in spichtig schuinschrift. Het was aan mij gericht en geschreven door een vriend van hem. Uit die brief maakte ik op dat Cesar een Venezolaan was die net in Londen was aangekomen, dat hij mij al de boeken en de rest wilde geven, dat hij geen Engels sprak, en dat hij me graag zou willen bezoeken. Het laatste leek onder de gegeven omstandigheden een vreemd verzoek.

We waren nog niet gaan zitten of Cesar probeerde me iets te zeggen. Het was de eerste van onze vele moeizame pogingen elkaar te begrijpen.

'We gaan pop?' vroeg hij, en keek me aan alsof hij een antwoord verwachtte. Ik herhaalde zijn woorden op een toon van ongeloof, en hij herhaalde ze hardnekkig. Hij keek naar me met een zweem van teleurstelling in zijn blik. Het was een blik die ik vaker te zien zou krijgen. Het leek of ik iets verkeerds had gedaan waar hij liever niet verder op inging. Hij had een klein woordenboekje in zijn zak, dat hij trok als een pistool en op mij richtte. Vervolgens bladerde hij door het gedeelte Spaans-Engels tot hij bij 'we gaan' kwam.

'Veta,' zei hij, want blijkbaar had hij besloten dat dat mijn ware naam was, 'Veta, we gaan pop.'

Ik pakte zijn woordenboekje en zocht op mijn beurt het zinnetje op dat het nuttigste uit de hele taal zou worden: 'Wat betekent dit?'

'Wat betekent "pop"?' vroeg ik.

Na een lang, uitputtend gevecht van tekens en verwijzingen ontdekte ik dat ik werd uitgenodigd om iets te drinken in een pub, en we brachten de rest van de avond door in een rumoerig café in namaak-Edwardiaanse stijl. Geen van beiden zeiden we veel, en wat we zeiden werd niet begrepen. Cesar vroeg me voor hem te zingen. Ik begon te wennen aan zijn vreemde verzoeken en zong een paar maten, nogal zachtjes vanwege de mensen aan het volgende tafeltje. Hij bracht me naar huis, kuste me licht op mijn voorhoofd en liet me voor het flatgebouw achter. Ik had me schrap gezet voor een gevecht, en voelde me een beetje teleurgesteld dat ik mijn puriteinenvlag niet had hoeven hijsen.

Cesar kwam de volgende dag terug met een bos anjers. Hij had een driedelig pak aan, begaf zich rechtstreeks naar de zitkamer en zette zich naast de haard, waar hij de rest van de dag bleef zitten. Het vreemdst vond ik dat hij niet at. Alles wat ik aanbood aan thee en koffie en hapjes sloeg hij af, terwijl hij toch de hele dag bleef. Mijn moeder zou de volgende morgen uit Loughborough terugkomen, en ik aarzelde een beetje wie ik het eerst over de ander zou inlichten, haar of hem. Ik kwam tot de conclusie dat zij fatsoenshalve als eerste hoorde te weten dat een vreemde man een mysterieuze wake zat te houden in haar zitkamer, en dus belde ik haar op bij mijn zuster.

We wisselden ons nieuws uit en stonden op het punt weer op te hangen toen ik de woorden vond om haar over Cesar te vertellen. Ze leek ongeruster dan ik had verwacht. Ik kon haar vragen niet bijhouden.

'Hoe ziet hij eruit?'

'Oud.'

'Hoe oud?'

'Erg oud.'

'O.' Dat laatste heel teleurgesteld, maar niet versagend.

'En wie is het, liefje?'

'Ja, dat weet ik niet.'

'Maar waar ben je hem tegengekomen?'

'Gewoon op straat.'

'O god. Hoe bedoel je, gewoon op straat, waar op straat?'

'Op Abbeville Road.'

'Op Abbeville Road!' Dit laatste was te veel voor haar en haar stem ging omhoog. Waarom die straat zoveel erger was dan een andere weet ik niet.

'Nu ja, het geeft niet, liefje.' Ze had zichzelf en de situatie weer in de hand. 'Morgen ben ik terug. Wacht maar rustig tot ik er ben, goed? Waar is hij nu eigenlijk?'

'Hij is hier.'

'Hoe bedoel je, hier?'

'Hij is hier, in de flat, in de kamer.'

'O mijn god. Waarom heb je hem binnengelaten?'

'Nou, eigenlijk is hij binnengedrongen.'

'Ik begrijp het, je bent alleen in de flat met een erg oude Venezolaanse man die je nooit eerder hebt gezien en die zich de flat heeft binnengedrongen en die daar nu twee dagen zit en niets eet en kringen onder zijn ogen heeft en jouw naam veranderd heeft in Veta maar die verder niets zegt, is dat het zo'n beetje?'

'Ja, dat is het wel ongeveer.'

'Ik begrijp het. En denk je,' mijn moeder koos haar woorden heel zorgvuldig, 'dat hij je zou kunnen aanvallen? Ik bedoel, ik denk dat ik de politie moet waarschuwen.'

'O nee, hij kan geen kwaad, hij is heel ouderwets.'

'Dat was Jack the Ripper ook.'

'Waarom kom je niet naar hem kijken, dan kun je zien wat je vindt. Hij doet niets, hij is er alleen maar.'

We spraken af dat ik me nauwelijks zou verroeren tot zij terug was, wat een paar uur zou duren, en dat de zaak dan geregeld zou worden. Het zag er lelijk uit voor Cesar in zijn leunstoel. Mijn moeder was directrice van een tuchtschool in Londen-Zuid en haar stem had met de jaren aan autoriteit gewonnen. Soms gaf ze mensen de indruk dat ze een tiener waren die niet wilde deugen. Cesar zat de rest van de avond uit in onwetendheid van de storm die boven zijn hoofd zou losbarsten. Het ging hier niet alleen om mij, maar ook om de territoriale rechten van mijn moeder. Hij zat in haar kamer.

Ik besloot de scène te verduren door net te doen of ze er niet was, zoals een aardbeving die je niet kunt ontlopen en waarbij je het beste stil kunt blijven zitten, omdat naar buiten gaan een wisse dood betekent, en binnenblijven ook. Cesar beweerde altijd dat het noodlot ons bijeen had gebracht. Wat het ook was, het was een buitengewoon sterke kracht, die alle hindernissen op ons pad wegvaagde. Toen mijn moeder thuiskwam, moe en verkleumd van de reis, geïrriteerd dat ze een dag eerder had moeten terugkomen, was ze niet in de stemming voor gekheid.

Ze was zichtbaar opgelucht dat ik er onbeschadigd uitzag en het meubilair niet in stukken lag. Ze was binnen, de deur was niet gebarricadeerd, ik was geen gijzelaar, al die dingen verzachtten haar woede. Ze vloog de zitkamer in als een draak met uitgeslagen klauwen, klaar voor het gevecht. Cesar was naar het raam gelopen toen hij de klop op de deur hoorde, en tuurde de straat in om zichzelf gerust te stellen. Mijn moeder staarde hem even aan en zei toen: 'Maar hij is prachtig, liefje,' en gaf hem een hand. Cesar klakte met zijn hielen als een Pruisische officier en ze glimlachten erbij als bij de ondertekening van een of ander verdrag.

'Ga zitten, ga zitten,' zei ze, 'u zult wel moe zijn.' Al haar eigen vermoeidheid was verdwenen. Mijn moeder heeft altijd een passie gehad voor zielepoten en een groot respect voor echte droefheid; zelf is ze een heel mooie vrouw, en ze bewondert die kwaliteit in anderen. Cesar kwam naar haar huis als een heilig symbool, droevig en mooi tegelijk. Hij was voor haar de wereld zoals ze hoorde te zijn, de droom van een estheet.

Op de derde dag nadat ik Cesar had ontmoet, vroeg hij me ten huwelijk. We stonden bij de bushalte aan de rand van Clapham Common. Ik schudde nee. Zijn gezicht was altijd erg bleek, maar soms verloor het alle uitdrukking en werd het bijna spookachtig. Toen ook.

'Waarom nee?' vroeg hij.

'Ik ken je niet.' Ik worstelde met zijn zakwoordenboekje en bracht uit: 'Misschien later, *tal vez luego*.' Hij zei een paar woorden in het Spaans die ik niet verstond maar die ik me later herinnerde. Hij zei: 'Je zult me nooit kennen,' en toen weer: 'Trouw met me, *vamanos a Italia*.'

Ik werd gered doordat onze bus kwam.

Na de eerste week gingen we uit met Otto erbij. Cesar stelde Otto voor als 'een broer'. Maar algauw begreep ik dat hij met broer bedoelde dat ze elkaars beste vriend waren, onafscheidelijk, maar geen familie. Anders dan Cesar, die duidelijk iets Germaans over zich had, zag Otto eruit zoals iedereen zich hier een Zuidamerikaan voorstelt, een soort oudere Zapata, of een ietwat verlepte Mexicaanse *ranchero* in een film uit de jaren veertig. Hij had donkere, doordringende ogen, die snel verschoten van weemoed naar boosheid, hij was klein en tenger en zijn royale snor contrasteerde met de bleekheid van zijn gezicht. Ook had hij iets propers over zich, overdreven verzorgd, als een Fransman.

In directe tegenstelling tot de luie kalmte van Cesar was Otto ongedurig. Er zat een soort elektrische vonk in zijn nervositeit waardoor het bijna angstig werd met hem te praten, zo agressief briljant was hij. Vanaf de allereerste dag probeerde Otto me te interesseren voor het intellectuele aspect van hun groepje, en mijn voortdurende treurige tekortschieten in wat hij met me voor had, was een bron van vele uren smalende plagerij. Eerst was hij heel aardig voor me, hij vertaalde en legde Cesars eigenaardigheden uit, maar mijn verlegenheid maakte hem woedend. Op de tweede avond dat ik hem ontmoette, vroeg hij me een gedicht van Lorca hardop voor te lezen in het Engels, zodat hij kon horen hoe het klonk in vertaling. Ik las: 'Groen, hoezeer wens ik je groen...', intussen almaar blozend, tot Otto het boek midden in een versregel van me afpakte en pinnig vroeg: 'Wat kun jij eigenlijk wèl lezen?'

De volgende zes maanden ging het, in Otto's ogen, steeds slechter met me. Toch begonnen we een groep te vormen. Ze kwamen samen bij me op bezoek, en samen maakten we reisplannen. Ik had al veel gereisd, ik heb er ook altijd van gehouden. We stippelden een route uit over de Alpen, naar Milaan en Bologna.

Ik vroeg: 'Waarom naar Bologna?'

'We hebben daar vrienden.'

'Wanneer gaan we?' vroeg ik steeds aan Otto, maar hij zei dan: 'Eerst moeten we op Elias wachten.'

'Wie is Elias?' vroeg ik dan, en hij gaf altijd hetzelfde antwoord: 'Elias is een heel ernstig man.'

Weken gingen voorbij, het werd een maand. Cesar werd mager en bleek, Otto zag er echt ziek uit.

Nooit heb ik iemand gekend die zo weinig in beweging was als Cesar. Zijn passiviteit was het enige echt onnatuurlijke aan hem. 's Morgens vroeg kwam hij naar de flat, wachtte tot ik klaar was en kwam dan bij me in de kamer zitten, de hele dag, afwezig starend naar dingen die ik niet kon zien. We gaven hem een kamer waar hij 's middags een dutje kon doen, een soort wintersiësta die geleidelijk langer duurde naarmate zijn vertrouwen in onze vriendschap groeide, totdat hij het grootste deel van de dag sliep, dan een beetje las, dan in slaap viel voor de televisie en dan naar huis ging. Het ging in die laconieke, seksloze stijl door tot begin maart, toen Otto aankondigde dat ze naar Amsterdam moesten 'voor zaken'. 'Voor zaken' werd een stopwoord. Ik ontdekte dat 'voor zaken' niets anders betekende dan 'iets doen dat jouw zaak niet is', en in principe werd gebruikt voor van alles en nog wat, van het kopen van een brood tot het zoeken van een nieuw huis.

Ik zag Cesar met spijt naar Nederland vertrekken. Hij was maar een week weg, maar dat was genoeg om te beseffen dat ik met hem mee wilde als hij de volgende keer ergens naar toe ging. Ik was op een vreemde manier gehecht geraakt aan zijn aanwezigheid. Veel later, toen de rechter me vroeg waarom ik met hem getrouwd was, bedacht ik dat ik het eenvoudig had gedaan omdat hij er was. Hij stuurde me een briefkaart: 'Amsterdam is mooi, ik hou voor altijd van je, Cesar.' Hij had nooit eerder gezegd dat hij van me hield, en ik was blij dat hij het toegaf.

Met zijn gewone, raadselachtige kalmte had Cesar me een pakje gegeven om tijdens zijn afwezigheid te bewaren.

'Het is geld,' had hij gezegd.

Ik dacht dat hij een grapje maakte. Hun doen en laten was moeilijk te volgen en het leek me eenvoudiger me niet te bemoeien met de details van ons bestaan.

Afgezien van de overstap naar Zuidamerikaanse Geschiedenis voor een van mijn scripties, deed ik dan ook geen concessies aan hun onconventionele gedrag.

'Niet verliezen,' had Otto nog uit de taxi geroepen, en ik had de papieren zak willen opbergen in de laatjes met vergeelde brieven en papieren, onder in de versleten boekenkast van tante Connie in de zitkamer. Maar uiteindelijk vergat ik dat en begon daarmee een loopbaan van slordigheid in geldzaken. Cesar en Otto kwamen een week later terug, om drie uur 's nachts. Om een of andere reden arriveerden ze gewoonlijk na twaalven en belden altijd op onchristelijke tijden op. Ze waren allebei erg dronken en kwamen schaapachtig binnen, beladen met cadeautjes en excuses, waarna Cesar op het kleed in elkaar zakte.

Ik gaf hun hun papieren zak terug. Er zat zestienhonderd pond in, in bundeltjes van tweehonderd. Ze verdeelden het geld, Cesar gaf me zijn helft in bewaring, en zo werd ik voor altijd zijn kashoudster. Na Amsterdam ontdekten we de Embankment Gardens, met de concerten en de rustige bankjes en het monument voor het Kameelrijderskorps. We begonnen aan wat een zalige zomer beloofde te worden. Ik werkte mijn zes uurtjes in de week bij de repetitor terwijl Cesar op me zat te wachten op Charing Cross; hij sliep door de fanfarekorpsen heen, hij sliep op de bankjes, in de bus en in bed. Ik las dan een boek, en ving hem op tussen de siësta's in, en Otto liep in en uit, tot ook hij vaak even ging liggen.

Toen ik op een dag hun flat opruimde, ontdekte ik een portefeuille vol paspoorten, elk met dezelfde foto en vingerafdrukken, maar een andere naam. Omdat ik vrijwel elk ogenblik met hen samen was, wist ik dat ze in Londen niet veel konden uitvoeren, maar ik begon me af te vragen wat ze elders deden. Otto's gedrag was niet zomaar excentriek, begreep ik, hij was niet gewoon paranoïde zoals ik dat een beetje was, hij hield zich echt schuil. En toen kwam de dag dat Otto werd opgepakt. We zaten alle drie te drinken in hun flat, wat we nogal vaak deden, toen er aan de deur werd geklopt. Het was de politie. Cesar en Otto waren allebei heel rustig, bijna berustend. Voor het eerst merkte ik hoe Cesars bewegingen in een soort vertraging terechtkwamen die ik als zo typerend voor hem zou leren kennen. Otto deed open, terwijl Cesar bleef zitten waar hij zat, op een lage bank onder het raam.

'Goedenavond meneer,' zei een van de agenten, en meteen daarop, alsof hij geprogrammeerd was om zijn verhaal af te draaien zonder te stoppen: 'Ik geloof dat hier een meneer Orlando García Rodrigues woont.' Otto wilde antwoorden, maar de agent vervolgde, bijna buiten adem van haast: 'Ik ben bang dat we slecht nieuws voor u hebben, meneer.' Allebei torenden ze met kop en schouders boven Otto uit, terwijl ze langzaam door de deur naar binnen schoven.

'Mogen we misschien even binnenkomen?' zeiden ze, de kamer en Cesar en mij monsterend. 'Ik veronderstel dat u weet waarvoor we komen,' opperde de eerste, met een zweem van tegenzin in zijn stem, alsof hij liever niet zou doen wat hij moest doen.

'Misschien,' voegde hij eraan toe, 'wilt u dit liever alleen bespreken,' en hij keek ons veelbetekenend aan.

Ook Otto was traag geworden met antwoorden, maar hij zei 'ja', en keek Cesar aan met echte aandrang; dit was zijn kans om alleen op te treden en Cesar vrijuit te laten gaan. Ik begreep niet wat er gaande was, maar ik voelde dat er iets definitiefs gebeurde. Cesar verroerde zich niet.

'U krijgt nog gelegenheid uw vriend te spreken voor we hem meenemen,' zei een van de twee.

Toen stond Cesar op om weg te gaan en trok mij zachtjes aan mijn mouw. Terwijl we de deur uitliepen hoorde ik er een tegen Otto zeggen: 'We hebben u opgespoord via een van de mobiele controle-eenheden, uw geval heeft de hoogste prioriteit gekregen, we zullen u begeleiden tot Oxford en u daar overleveren aan de autoriteiten.' Otto bleef zwijgen zolang het gesprek duurde. Het was een klein flatje, en zelfs nadat we de kamer uit waren gegaan konden Cesar en ik de knauwende Zuidlondense stem door de muren heen horen.

'We begrijpen dat dit een schok voor u moet zijn, hoewel u het natuurlijk elke dag moet hebben zien aankomen. Dit is geloof ik niet voor het eerst... Parijs, Caracas, Maracay, het is een wonder dat u nog rondloopt,' zei hij peinzend.

Hierop volgde een lange stilte.

'Ik ben bang dat u nu met ons mee moet,' bromde de stem verder, 'pak wat spullen bij elkaar en neem afscheid, we wachten beneden op u. Natuurlijk,' voegde hij er halverwege de trap nog aan toe, 'komt u in het isolatieblok.'

Tot dan toe had ik geluisterd in een staat van verblufte verontwaardiging, beschaamd dat Otto zo vlak bij mijn huis werd weggesleept. Ik was geschokt door die stem, die wel sympathie bood maar geen rechten, geen waarschuwing, geen hoop. Maar toen ik hem zo kalmpjes en terloops dat isolatieblok hoorde noemen, kwam ik tot mezelf en liep de hal in. Ik was heel kwaad. 'Wat wilt u daarmee zeggen, isolatieblok?' vroeg ik op hoge toon.

'Tja, in zijn geval kunnen ze niet anders,' legde een van de agenten uit.

'En welk recht hebt u om hem mee te nemen?' vroeg ik.

'Zo staat het in de wet,' zei hij schouderophalend. 'Niemand kan zomaar blijven rondlopen met een besmettelijke ziekte. Laat mij u nou vertellen dat het een wonder is dat uw vriend nog op zijn benen kan staan, hij zit vol met t.b.'

'Met t.b.?'

'Ja,' zei hij, 'er is een ziekenhuis in Oxford dat hem vanavond nog opneemt. U kunt zich beter zelf ook zo vlug mogelijk laten doorlichten.'

Otto had het woord ziekenhuis opgepikt en probeerde de rest van hun woorden te ontcijferen zonder zijn geluk te durven geloven. Hij begon te pakken, Cesar weigerde weg te gaan. Ik vroeg hem in het Frans of hij naar een mobiele controle-eenheid was geweest voor een röntgenfoto, en hij zei dat Cesar en hij daar allebei heen waren geweest om te zien hoe dat ging. Daarop gaf hij het nieuws door aan Cesar, die zich ontspande, een sigaret opstak en glimlachte. Het leek allemaal heel onwaarschijnlijk, maar je kon beter daarin geloven dan nergens in, dus deden we het maar, en Otto vertrok, voorlopig verlost van de arrestatie die hij had gevreesd; toen hij onder escorte naar de politiewagen liep, zag hij er vreugdevol uit. Wij bleven achter met het adres van een ziekenhuis aan de rand van Oxford en met de uitputting van de anticlimax, terwijl we voorzichtig door de irissen en de afgevallen goudenregen naar de voordeur liepen en naar de trap en de dozen vol spullen van Otto, waaronder die met de stapel paspoorten waaraan er nu een ontbrak, aangezien Orlando García Rodrigues was vertrokken.

'Zo heet hij toch niet echt?' vroeg ik Cesar. Hij zei 'nee', sloot de deur en viel in slaap.

2

Cesar werd ongedurig van Otto's afwezigheid. Na onze aanvankelijke opluchting over zijn ziekte bleek het er somberder uit te zien. De aanval was ernstig. Otto had eerder t.b. gehad, drie keer zoals de agenten hadden gezegd, in Parijs, Caracas en Maracay. Eén keer heel erg, toen hij studeerde aan de Sorbonne. Hij had toen een heel jaar in een Franse kliniek gelegen. Hij had zelfs een theorie dat de beste mannen in Frankrijk samen een bond van tuberculosepatiënten konden vormen.

'Wij waren het middelpunt van Frankrijk,' beweerde hij als hij over zijn jaar in de kliniek sprak. Het was waar dat de lijst met namen van zijn medepatiënten klonk als een literair appel. Inmiddels waren zijn longen bijna te veel beschadigd om een infectie van deze omvang aan te kunnen. Alles lag onder de schaduw van zijn ziekte.

Cesar trok bij mij in, in de flat van mijn moeder, maar dat leek een onbelangrijke stap, want we waren al samen. April ging voorbij, het werd mei, Elias kwam maar niet opdagen en de hele sfeer was rusteloos. Cesars verwachting van het leven was vervuld van onheil. Het was een heel precies onheil. Het leek hem weinig te kunnen schelen of hij bleef leven of doodging, hij kreeg de naam van zijn land niet over zijn lippen. Hij was diep gekwetst door zijn verbanning en meed zijn landgenoten als de pest. Maar zijn sokken moesten uit een bepaalde winkel in Edinburgh komen. Toen ik hem vroeg waarom, zei hij: 'Mijn sokken zijn daar altijd vandaan gekomen.'

'Zelfs in Venezuela?'

'O ja, en de sokken van mijn vader ook.'

Ook moesten de slippen van Cesars overhemden een bepaalde lengte hebben, langer dan welk hemd ook dat je kocht in een winkel. Hij was een lastig mens om cadeautjes voor te kopen. Een van de dingen die het meest in zijn smaak vielen van alles wat ik voor hem kocht, was een doos met vijfhonderd paarlemoeren knoopjes. Een ander soort kon hij niet verdragen. Hij had ook iets met schoenen. Schoenenverkopers in Londen en Oxford vervielen zichtbaar tot wanhoop. Ze lieten hem precies zien waar hij om vroeg, maar altijd weer sloeg hij zijn armen over elkaar, sprak zijn inmiddels karakteristieke 'nee' en waren we terug bij af. En het ergste van alles was zijn horlogebandje. Hij droeg een heel mooi Longines-horloge met een bandje dat perfect leek te passen. Cesar beweerde echter dat het bandje een fractie van een millimeter verkeerd zat. Hij probeerde elke horlogemaker in elke stad waar we doorheen kwamen, van Engeland tot aan de Adriatische Zee, en nog steeds was er niet één goed. Vaak werd het een erezaak voor een juwelier om het juiste bandje te leveren, er een bij te slijpen, er een te laten maken. Maar elke keer liet Cesar het liggen, of hij nam het mee en gooide het in een doos die hij er voor dat doel op na hield. Ze waren nooit goed.

Otto besloot elke brief uit het ziekenhuis met 'o ja, heb je je horlogebandje al?' Het was een vaste grap. In Cesars leven moest alles precies zijn zoals het hoorde. Otto zei altijd: 'Hij is net een prins, weet je, hij heeft een soort koninklijke kriebel in zijn bloed. Deze ballingschap is voor hem erger dan voor ons allemaal. Wij zijn ons land kwijt, maar hij is zijn koninkrijk kwijt.'

In juni ging ik naar Ierland met mijn moeder en een vriendin. Ik had die vakantie het jaar tevoren afgesproken en het leek onaardig om dat nu te veranderen. Ik kon niet uitmaken of Cesar het vervelend vond of niet, het leek hem niet te raken. Hij zei dat het wat hem betreft in orde was, hij moest toch voor de was zorgen. Hij had net de automatische wasmachine ontdekt en hij had er eindeloos plezier in. Hij stond mijn moeder vaak op de vingers te kijken als ze de wekelijkse was deed en vroeg soms of hij ook eens mocht. Zelf had hij de gewoonte zich twee keer per dag van top tot teen om te kleden en dan alles te laten wassen en strijken bij een echte wasserij. Maar hij begon te experimenteren met de machine en bracht vervolgens elke dag een aantal uren door met telkens weer zeepsop en spoelwater over zijn kleren te laten gaan. Toen ging hij een stap verder door alle kleren van iedereen te wassen, en daarna door ook het beddegoed te 'doen'. Soms haalde hij eenvoudig de droogkast leeg en waste alles nog eens voor het gedragen was, alleen omdat hij zo graag een was deed. De keuken werd een hol van drogende kleren en handdoeken, maar het hielp tegen zijn rusteloosheid.

Ik ging naar Ierland en Cesar bleef achter. In Ierland begon ik hem te missen, en ik speelde met de gedachte onze relatie te verbreken voor ze nog ingewikkelder zou worden. Het was maanden geleden dat ik naar Yale was geweest om mijn vader op te zoeken, en mijn eigen universiteitsplannen raakten verloren in het tumult van de gebeurtenissen.

In juli kwam Otto uit de kliniek. Hij kreeg nog steeds elke ochtend en avond een injectie van een wijkverpleegster, of verpleegsteres zoals hij haar hardnekkig bleef noemen. Cesar en ik verhuisden naar Oxford om bij hem te zijn. We huurden een suite op de bovenste verdieping van een hotel vol dakkapelletjes, met gotische ramen in de kleedkamers en torentjes op onverwachte plaatsen. Iemand had 'William Butterfield was hier' geschreven op de schuine wand in onze badkamer; het hotel was een mengelmoes van getrouwe kopieën van de ontwerpen van die man. We begonnen aan ons nogal woelige verblijf daar, ingekwartierd achter lagen marsepeinen metselwerk. Het was woelig om verschillende redenen. In de eerste plaats was Cesar een beetje veranderd, hij sliep minder en praatte meer, en Otto was jaloers op onze vriendschap in zijn afwezigheid. Toen ze gegroeid was onder zijn zorgzame bescherming, was hij trots als een tuinman geweest op die verhouding, maar nu we het zonder hem afkonden, voelde hij zich buitengesloten. Bovendien had hij in het ziekenhuis genoeg Engels geleerd om vloeiende gesprekken met mij te voeren, en ik had op mijn beurt mijn Frans opgehaald. Die gesprekken ontwikkelden zich meer en meer tot bitter geredetwist.

Telkens als een auto hem nat spetterde op straat was dat mijn schuld: het was een Engelse auto, ik was ook Engels, dus ik had het gedaan. Otto had een stel hersens als een visfileermes, hij haalde het lemmet onder je argumenten door en deed ze weg als een verdwaalde graat. Hij was een van de briljantste mannen die ik ooit heb ontmoet, en ik bewonderde hem. Ik wist dat ik bijna altijd zwak stond als ik met hem van mening verschilde. Maar om de een of andere reden had hij een hekel aan mij gekregen, en nu zocht hij ruzie over de kleinste kleinigheden. Hij wilde me onderuithalen en pakte dat aan met dezelfde vastberadenheid waarmee hij zijn campagnes had voorbereid en uitgevoerd toen hij in opstand was gekomen tegen de regering van Rómulo Betancourt. Ik vocht terug omdat ik niet wilde opgeven, maar ik deed nooit veel meer dan de ergste hitte van zijn toorn afweren.

Eén keer zei ik tegen Cesar dat Otto mij niet meer mocht. Hij wachtte even voor hij antwoord gaf, een slecht teken, en sprak toen: 'Otto *aanbidt* je.'

Om de een of andere reden was het onmogelijk Cesar tegen te spreken als hij eenmaal tot een conclusie was gekomen. Soms zei hij niet dat iets zo was, hij deelde het je mee. In al zijn vriendelijkheid, en hij was een heel vriendelijk heer, zat een voortdurende ondertoon van tirannie. Hij had de minzaamheid van een dictator. Otto en ik gingen door met onze guerrilla van 'aanbidding'. Op een keer, toen hij op bezoek was bij mijn oudste zuster in Loughborough, dreef Cesar zijn resoluutheid te ver. Overal waar we naar toe gingen raakten de mensen zeer onder de indruk van zijn bescheiden optreden: theejuffrouwen en busconducteurs, douanebeambten en vrienden waren allemaal weg van hem. Iedereen vond hem 'charmant'. Ik bekeek hem vaak met nieuwe ogen na zulke loftuitingen. Alleen als hij 'nee' zei werd de kracht van zijn karakter duidelijk. Hij had een speciale manier van nee zeggen, waarbij zijn gekruiste handen uit elkaar vlogen als de flits van een onzichtbaar wurgijzer.

We zaten aan de zondagslunch in Loughborough en hadden net een heel lekkere eerste gang van gebraden lamsvlees verorberd; mijn zuster liep de lange eettafel rond met het vlees om te vragen of iemand nog een stukje wilde. Toen ze bij de plaats kwam waar Cesar zat, vroeg ze dat ook aan hem. En Cesar sprak zijn gebruikelijke 'nee', met dat snelle gebaar van zijn handen. Mijn zuster schrok zo van zijn reactie dat ze, in de veronderstelling dat hij haar wilde aanvallen, achteruitsprong en door de openstaande deuren de tuin in wankelde. De arme Cesar begreep niet wat er aan de hand was. Mijn zuster Gale was het eerste lid van de familie die rechtstreeks de angstwekkende gezichtsuitdrukking had opgevangen die hij vertoonde als zijn gedachten negatief waren. Ze had zijn fanatisme betrapt op een onbewaakt moment.

Cesar heeft dat fanatisme ooit verklaard uit religieuze oorzaken. Hij vertelde me dat hij atheïst was, maar dat hij katholiek was opgevoed en opgeleid op een jezuïetencollege.

Hij zei: .'Ik heb nooit iemand gekend die bij de jezuïeten heeft gezeten en niet leefde in uitersten.'

Cesar leefde zeker in uitersten. In hun gezelschap werd ik de verlegen toeschouwster bij de bacchantische uitspattingen van hem en Otto. Mijn gêne bij zulke gelegenheden was zo hevig, mijn afkeer van het schouwspel zo intens, dat ik wegkromp in een hoekje terwijl restaurants in een chaos veranderden. Terwijl ik mijn weg zocht over gebroken glas en langs omgekiepte tafels, hoopte ik tegen beter weten in dat niemand zou merken dat ik bij hen hoorde. Ik kan me niet eens alle keren herinneren dat ik liever dood had willen zijn dan al die blikken te moeten trotseren.

Otto had een vriendin, Elba, die ook bij ons woonde in Oxford. Hun relatie had het punt bereikt waarop alles misgaat en er geen redden meer aan is, maar ze waren nog sterk op elkaar gericht en klemden zich uit alle macht aan elkaar vast. Er ging geen dag voorbij of ze hadden wel een ruzie of zoiets. Otto is een erg moeilijk mens om mee te leven. Hij leeft in de stratosfeer van de neurasthenie. Zijn geest is veeleisend, uitputtend. Hij heeft, kortom, veel ondeugden, maar in vergelijking met zijn vriendin was hij de onschuld zelve. Het werd steeds moeilijker om alles wat brak voor de hoteldirectie verborgen te houden. We draaiden onze platenspeler zo hard mogelijk om het geschreeuw en gescheld te overstemmen als die twee elkaar achternazaten door al de kamers van ons appartement. Het meubilair was grotendeels Victoriaans, stevig in elkaar gezet uit houtsoorten als mahonie en notehout, maar Elba had geen consideratie met het vernis. Overal kwamen krassen op van haar lange, spits gevijlde nagels. Cesar en ik hielden ons zoveel mogelijk koest en slopen op onze tenen door onze kamer in de hoop niet op te vallen. Maar in de ogen van Elba waren we net zo schuldig als Otto.

Sommige dagen waren erger dan andere. Gelukkig gaf ze daarvoor een waarschuwingssignaal, want ze kleedde zich op een bepaalde manier wanneer ze weer eens wraak had gezworen.

Ze had een bijzonder kleurige katoenen beddesprei, gemaakt door de Guaojira-Indianen uit Venezuela, en daar had ze een split in geknipt. Telkens als ze in een kwade bui was, trok ze dat kledingstuk over haar hoofd en bond er een koord omheen. Om die reden werd Elba achter haar rug om de Guaojira genoemd. Otto was verknocht aan haar, en zij aan hem, maar samen waren ze onmogelijk.

Ik wist op dat moment niet zeker of Cesar illegaal was, maar ik wist wel dat Otto voortvluchtig was en voortdurend in angst zat voor zijn arrestatie. Hij was, nog niet hersteld van zijn aanval van t.b., voor een dagje naar Londen gegaan en was daar een oude vriend en landgenoot van hem tegengekomen die bij de BBC werkte. Die man, Luis, was op een zebrapad door een auto aangereden en had zijn been op drie plaatsen gebroken. Hij zat in het gips en was praktisch niet opgewassen tegen dagelijkse werkjes zoals boodschappen doen. In een vlaag van edelmoedigheid had Otto die vriend uitgenodigd onze suite te delen en een paar weken uit te rusten in Oxford.

Toen Otto terugkwam met zijn vriend op sleeptouw, begonnen onze moeilijkheden pas echt. Het was zijn schuld niet, maar de arme kerel kon niet alleen beneden komen, zodat hij dag in dag uit binnen zat, met een humeur zo slecht dat alleen Elba eraan kon tippen. De extra belasting van nog iemand in onze groep bracht allen tot een crisis.

Op een dag trok Elba Otto een handje haren uit en Otto nam wraak door haar grammofoonplaten in een enorme pan borsjt te stoppen, waarop Elba overging tot het verbranden van Otto's boeken en papieren in de gaskachel in de zitkamer. Het kleed vatte vlam, en onze aan zijn stoel gekluisterde gast schroeide zijn gipsen voet. Vervolgens gaf Elba in haar woede Cesars *De verovering van Peru* van Prescott aan de vlammen prijs, wat Cesar zo kwaad maakte dat hij alle dure geurtjes van Elba in een halfvolle fles bleekmiddel in de badkamer kiepte.

Nadat er voor de schade was getekend en het hotelpersoneel was gekalmeerd en iedereen een borrel had genomen, werd duidelijk dat Otto niet meer sprak tegen Elba, die niet meer sprak tegen ons of tegen Otto, die wanhopig bezig was zoete broodjes te bakken met Luis, die vanaf dat moment tegen helemaal niemand meer wilde spreken, maar met zijn geblakerde gipsvoet op de grond zat te stampen uit pure woede. Net toen geprobeerd werd een ander onderkomen voor hem te vinden, kwam er een telefoontje van de receptie om te melden dat Elias was aangekomen.

Elias was de enige van de drie die ik had gekend als legende voor ik hem ontmoette als persoon. Ik had heel iemand anders verwacht, iemand die haast bovenmenselijk was, dus was ik verbaasd en teleurgesteld toen ik een rustige, verlegen man zag met scherpe gelaatstrekken en lichte suède schoenen. Alleen zijn auto, een splinternieuwe Mercedes, beantwoordde aan het beeld dat ik mij van hem had gevormd. Zodra hij het aantal mensen in onze suite had gezien, nam hij twee kamers voor zichzelf op een andere verdieping. De komst van Elias verdreef het algemene gevoel van rusteloosheid en spanning uit het hotel. Die eerste twee weken van augustus hing er iets feestelijks in de lucht. Cesar had zich aangewend door de kamers te ijsberen en somber uit het raam te staren, waarbij hij zijn vingers liet knakken, maar hij vrolijkte op toen Elias kwam.

Ik begon op de achtergrond te raken. Ik dreef bij hen weg. Cesar, Otto en Elias leken een perfecte eenheid te vormen. Samen waren ze op hun best.

Ik kon veel volgen van wat er in het Spaans werd gezegd, al deed ik of ik er nog even weinig van snapte als vroeger. Ze zaten vaak tot laat in de avond te praten in de kamers van Elias. Ik wilde meer weten over hun politieke opvattingen en hun verleden, over wat ze in hun schild voerden en waarvoor ze op de vlucht waren, maar vreemd genoeg hadden ze het daar nooit over, althans niet zo dat ik er wijs uit kon worden. Ik begon elke dag de deur uit te gaan om Oxford te bekijken of gewoon langs de oever van de rivier te wandelen. De stad lag er zonder de studenten verlaten bij en werd alleen bezet gehouden door binnenvallende troepen toeristen. Terwijl ik onder het dorrende fluite-kruid lag te turen naar de zon die tussen de stengels doorfilterde, dacht ik voor het eerst na over wat ik aan het doen was, en het leek een zinloze warboel. Ik was nog steeds pas zestien, ik kon hen nog aan hun lot overlaten. Ik had naar mijn moeder thuis kunnen gaan, maar ik had het vervelend gevonden daar aan te komen zonder iets te hebben bereikt. Aan de andere kant, ik had van mijn vader genoeg geld gekregen om overal heen te kunnen gaan en een nieuw begin te maken. Zelfs Cambridge was nog een mogelijkheid. Uren achter elkaar lag ik daar zo te denken, tot de warmte en het stuifmeel me in slaap susten. Dan ging ik terug naar het hotel om er Elias te observeren en te proberen zijn persoonlijkheid te doorgronden zoals ik dat ook met de anderen was gaan doen. Hij werkte als een katalysator op Otto en Cesar, en ik merkte dat hij ook als een katalysator werkte op mijn gevoelens. Het is vrijwel onmogelijk om Elias te leren kennen, en haast even onmogelijk om hem te beschrijven. Misschien is zijn opvallendste eigenschap dat hij zich aan alle beschrijvingen onttrekt. Zijn gezicht heeft de passieve onaandoenlijkheid van een Maya-beeld, de volmaakte Indiaanse trekken van een Atahualpa, zoals je die kunt zien op de kleimodellen die in het British Museum onder de algemene benaming Zuid-Amerika de ene vitrine na de andere vullen. Er was iets van gebeeldhouwde schoonheid in Elias' gezicht, iets wat zo anoniem was dat hij iedereen had kunnen zijn. Ondanks zijn gebronsde huid en zijn haar dat glom als antraciet uit Wales, zag hij zelfs in Oxford kans een onopvallende indruk te maken. Misschien was het gewoon de rust die hij uitstraalde die de mensen op hun gemak stelde, maar altijd als iemand vroeg: 'Hoe ziet Elias eruit?,' hoorde ik het antwoord: 'Gewoon, hij ziet eruit als Elias,' wat niet als uitvlucht bedoeld was. Ik heb nooit geweten hoe oud hij precies was, maar ik denk dat hij zowat halverwege tussen Cesar en mij in zat. Hij ging altijd informeel gekleed, op zijn lichte suède schoenen na, die volgens hem *de rigueur* waren.

Ik begon mezelf uit de groep los te trekken. Voor mijn gevoel hadden zij zich allemaal bewezen, terwijl ik niets anders had gedaan dan reizen en naar school gaan. Ik vond dat ik niet voldeed aan de toelatingseisen, en ik wilde het lot tarten om te zien of we niet vanzelf uit elkaar zouden drijven. Het leek erop dat zij elkaar nodig hadden, maar mij niet. Ik was vastbesloten te voorkomen dat ik hen nodig zou hebben. Ik deed alleen mee voor de aardigheid. In dat opzicht stonden we tenminste quitte.

Het begon koud te worden, en de wind die opstak bracht het gevoel mee dat de tijd voorbijging. Op een avond zei ik tegen Cesar dat ik terugging naar Londen. Hij zei onmiddellijk dat hij meeging. Ik had me erop voorbereid hem te vragen dat niet te doen, maar op het laatste moment besefte ik dat het mij weinig uitmaakte. Ik ging, het kon me niet schelen wat een ander deed.

De volgende morgen brachten we door met koffiedrinken in de bar van het hotel, waarbij een van Otto's rare woordspelletjes werd gespeeld. Mijn Spaans was bij lange na niet goed genoeg om zelfs maar te doen alsof ik die spelletjes meespeelde en ik had er geen aardigheid in om alleen maar toe te kijken en opgezadeld te worden met al de panden die er blijkbaar mee verbeurd konden worden, zodat ik bij het raam ging zitten naast een vaas met dode anemonen, waar ik deed alsof ik een brief aan mijn moeder schreef, terwijl ik naar een oude man keek die bij de deur patience zat te spelen. Ik was enorm blij om weg te gaan. Ik begon me aangetrokken te voelen tot de man bij de deur. Het was bijna tijd om te gaan, ik stond op om mijn jas te halen. Onze koffers stonden in de hal. Ik wist dat 'zij' niet in tijd geloofden. Ik besloot me die dag niet druk te maken of we de trein haalden of niet.

Toen ik hem voorbijliep, zei de oude man bij de deur iets tegen me.

'Jij bent heel mooi,' zei hij.

Ik kon het niet helpen, ik vond hem nog aardiger, en bleef staan om te horen wat hij nog meer te zeggen had.

Hij zei: 'Ik heb je nodig,' of 'Ik vind je niet te geloven,' ik kon hem niet precies verstaan. Het was een buitenlander. Hij klonk zo dringend, dat ik hem liever niet vroeg het nog eens te zeggen, zodat ik met een gevoel van vaagheid vertrok.

Cesar en ik lunchten in de trein. Toen de wielen begonnen te draaien, besefte ik dat het niet de mensen waren van wie ik genoeg had, maar de plek. Ik wilde me bewegen van de ene plek naar de andere. Ik was altijd in beweging geweest, van thuis naar het ziekenhuis en terug, en later naar het buitenland. Ik genoot van het reizen op zichzelf. Ik wilde niet naar deze of gene plek in het bijzonder, ik had eenvoudig geen rust, en ik wilde ook nergens in het bijzonder blijven. De gedachte kwam in mij op dat dat het misschien was wat Otto mankeerde. Misschien moest hij ook wel in beweging blijven. Voor hen in hun ballingschap moest het nog erger zijn. Ik was zeer tevreden over mezelf. Ik had niet alleen de sleutel ontdekt tot hun veiligheid, maar ook de sleutel tot onze geestelijke gezondheid. Afgezien van Otto's ziekte, bedacht ik, zaten ze aan Engeland vast vanwege mij. Geen wonder dat Otto mijn hele bestaan vervloekte, ik hield hen tegen. Van nu af aan zouden we door het buitenland gaan reizen. Al hun waarschuwende preken tegen het gebruik van de telefoon voor belangrijke of zelfs onbelangrijke zaken ten spijt, belde ik Otto die avond uit Clapham om te zeggen dat ik klaar was om te gaan.

Ik had me voorgesteld dat mijn bereidheid onmiddellijk ons opbreken ten gevolge zou hebben. Er gebeurde echter niets, behalve dat Cesar voorstelde om met vakantie naar Parijs te gaan. Ik was nog nooit met Cesar het land uit geweest en ik maakte me een beetje zorgen over wat er kon gebeuren aan de overzijde van Het Kanaal. Ik denk dat ik me een Jekyll en Hyde-achtige gedaanteverwisseling verbeeldde. Maar aangezien ik inmiddels echt wilde weten wie en hoe hij werkelijk was, stemde ik toe, en we maakten ons klaar voor onze reis.

3

Kort voor dit reisje naar Parijs hadden Cesar en ik onze eerste echte onenigheid. Achteraf heeft het iets wil-
lekeurigs, maar toen het gebeurde was het heel reëel.
Ik denk nu dat ik voor alles in de aanval ging tegen het
gevoel van onwerkelijkheid, niet tegen Cesar zelf. Ik
had leren aanvaarden dat we in de trein altijd moesten
wachten met uitstappen tot het laatste ogenblik, als
om te ontkomen aan een onzichtbare achtervolger.
Ergens op bezoek gaan betekende altijd eerst het hele
blok rondlopen en dan snel de deur induiken. Opbel-
len was verboden. De sfeer van geheimzinnigheid was
zo verstikkend dat ik het er benauwd van kreeg, terwijl
ik nergens gevaar kon bespeuren. Toen Cesar dus zei
dat we later naar Parijs zouden gaan om twee pistolen
mee Het Kanaal over te kunnen nemen, begreep ik dat
niet.

Oscar had die pistolen niet nodig. Otto of Elias
trouwens ook niet, want zij bleven in Engeland. Ik
ging met duidelijke tegenzin de eerste ophalen. Dat ik
daarvoor naar Richmond moest, was de laatste druppel. Ik begreep niet dat het uitgerekend Richmond
moest zijn, langs Balham en Tooting en die eindeloze
rij autohandels, een van de saaiste wegen van Londen.
Otto merkte mijn ergernis en maakte eruit op dat ik
bang was.

'Het komt wel goed,' probeerde hij me gerust te
stellen.

'Waarom wij?' wilde ik weten.

'Gewoon een kleine vriendendienst,' zei Otto. 'Ze zouden voor mij hetzelfde doen.'

De anderen waren heel ontspannen. Ik liet dat zo, de hele middag en de hele avond. Ik wachtte mijn beste moment af. De gedachte aan de boottrein die door het donker gleed kon ik niet van mij afzetten: het was mijn trein, die ik gemist had door hun dolzinnige ideeën. Van Richmond tot aan West End ging ik Cesar en zijn vrienden met steeds meer afkeer bezien. Die zaten daar mooi weer te spelen met de inhoud van mijn koffer. Ik had de Smith and Wesson in watten gewikkeld in mijn tas zitten; het ding voelde aan als dood gewicht onder de schimmel.

Otto had een nieuwe eetgelegenheid gevonden. We hadden een lijst van restaurants die hij voor elke stad in Europa samenstelde. Maar de beste van Londen, die met de sterretjes voor uitmuntendheid, waren allemaal doorgestreept, of er stonden in potlood speciale waarschuwingen bij als 'voorlopig onmogelijk'. Dat waren de plaatsen waar Elba ruzie had gemaakt en alle rijen klaarstaande flessen had stukgegooid, of een ober had aangevallen, of alleen maar een glas had gebroken en de scherpe rand ervan boven de hand van een verblekende klant had gehouden tot die had toegegeven dat hij de enige was die haar begreep. We waren nog niet in ongenade gevallen bij Simpson en bij Fortnum en dit nieuwe ding van Otto bij het Strand. Het was zo'n gelegenheid waar je een vast bedrag betaalde, waarvoor je onbeperkt kon eten. We gingen daar vooral heen ter wille van Cesar, want die kon meer varkensvlees op dan wie ook die ik ken. Cesars eetlust had een zekere achttiende-eeuwse grootsheid. Hij had geen geduld met garnering of groente: 'Ik ben geen konijn,' zei hij, zodra hij iets groens ontwaarde, of hij gooide er jam over en deed of het pudding was. Ik had hem nieuws te melden: ik zou bij hem weggaan als hij niet meeging naar Frankrijk zoals afgesproken, die avond, de 3de september, en niet de 4de of de 5de. Er deed zich maar steeds geen gelegenheid voor om het hem te vertellen, met alle anderen erbij. Dus keek ik koeltjes toe hoe hij het ene bord gebraden vlees na het andere naar binnen werkte.

Na zijn eerste drie wandelingen naar het buffet hield ik op met hopen dat hij in elke hap zou blijven en begon te kalmeren. Otto was die avond bijzonder aardig, aandachtig en vriendelijk. Het was een welkome afwisseling van zijn gewone pesterij. Toen we, veel later, het restaurant verlieten, voorspelde een van de verbaasde serveersters dat Cesar 'er vast last van zou krijgen, van al dat vlees'. Laten we het hopen, dacht ik, terwijl we arm in arm over het Strand liepen, voorbij het hek van de Embankment Gardens waar al groene besjes aan de hulststruiken begonnen te komen, naar de Ondergrondse. In de trein naar Clapham-Zuid en mijn moeders flat zat ik tegenover het drietal en observeerde hun gewoonten met de distantie van een socioloog. Ik kwam tot de conclusie dat ik hen alle drie aardig vond, maar dat ik van geen van hen hield. Cesar hield van mij, dat was alles.

Ik vond dat ik nu wel lang genoeg achter de schermen op mijn kans had zitten wachten en wilde nu mijn boodschap brengen met het grootst mogelijke effect; ik wachtte nog tot de anderen naar bed waren en zei het toen tegen Cesar alleen. Hij zei: 'Onzin, Veta, je bent moe.'

Ik was niet moe, wel vastbesloten. Ik was niet eens meer boos.

'Ik meen het, Cesar, of we vertrekken morgenochtend meteen, of ik ga bij je weg.'

'Wat bedoel je,' vroeg hij in het Spaans, 'met bij me weggaan?'

'Ik bedoel dat ik dan alleen ga, en dat ik niet terugkom.'

We wisselden meer samenhangende woorden en meningen dan we ooit eerder hadden gedaan. Het was het moment van mijn zegepraal. En toen werd Cesar langzaam groen. De kringen om zijn ogen werden donkerder, er stonden zweetdruppels op zijn lange bovenlip. Hij begon met zijn handen door zijn haar te woelen, zodat het als een golvende lijst om zijn hoofd stond. Hij staarde me aan en ik dacht: hij wil naar de deur. Hij keek of hij in de val zat. Hij wankelde de deur uit, de lange gang door naar het toilet. Ik zat half tegen de kolenkachel aan in mijn kamer te luisteren hoe hij stond over te geven. Hij riep me niet, en ik kon horen dat hij de deur had gesloten door de gedempte geluiden die erachter vandaan kwamen. Ik had nog nooit iemand zo misselijk horen zijn. Het krampachtige gespetter werd afgewisseld door doffe bonzen als hij tegen de deur en de wanden aanviel en zich weer overeind werkte.

Otto kwam te voorschijn, zei iets tegen Cesar die niets terug kon zeggen, en sprak mij aan.

'Wat is hier aan de hand?' vroeg hij op hoge toon.

'Het is dat varkensvlees,' zei ik.

'Cesar wordt nooit misselijk van varkensvlees. Hij kan het eten tot het zijn oren uitkomt.'

'Nou, het komt op dit moment zijn oren uit.'

Een tijdje stonden we elkaar aan te staren. Toen liep Otto terug naar Cesar, na me te hebben toegevoegd: 'Denk erom dat jij hem niet ziek maakt.'

Ik ging naar bed zonder me iets van de opschudding aan te trekken. Joanna, mijn moeder, kwam binnen.

'Cesar is erg ziek,' zei ze.

'Ik weet het, dat komt wel goed.'

'Je begrijpt het niet, hij is flauwgevallen, hij wordt helemaal koud.'

'Hij overleeft het wel, denk ik, we hebben gewoon ergens ruzie over gehad, dat is alles.'

'Denk erom dat jij hem niet ziek maakt,' zei ze. Ik begon me af te vragen of hij soms een beschermde diersoort was. Ik lag in bed te luisteren naar het knetteren van de kooltjes in het vuur en begon me over de hele zaak een beetje ongerust te maken. Ik kon mijn moeder horen volhouden dat er een dokter moest komen en ik hoorde de stem van Otto die zei: 'Joanna, geen ziekenauto, geen politie.'

Cesar kwam bij voor een van de twee had gewonnen; hij kwam naast me liggen en zei dat het goed met hem was. Hij zei dat het kwam door het varkensvlees. Otto sprak dat tegen, maar Cesar ontkende iedere andere oorzaak.

Zijn huid voelde erg koud aan en hij rook naar Old Spice-aftershave. Hij had zich ermee afgeboend en het over zich heengeplensd in zijn passie voor properheid. Joanna kwam binnen om te vragen wat ze met zijn kleren moest doen. Weggooien, zei hij. We lagen lange tijd te zwijgen en uit te kijken op de puntige achtergevels van de grillige Victoriaanse huizen aan de overkant. Sommige lichten bleven daar de hele nacht branden; met drie kussens onder mijn hoofd kon ik ze net zien zonder te bewegen. Ik veegde Cesars haar uit zijn ogen en vroeg: 'Gaat het goed met je?' Het was een nietszeggende vraag, maar de stilte werd erdoor gebroken, en ik was moe. Cesar begon langzaam tegen me te praten, in het Spaans. Ik kon dat ondertussen aardig verstaan.

'Ik wil dat je blijft. Verlaat me alleen als ik doodga. Mijn vrienden wacht de kogel. Misschien hoeven ze niet lang meer te wachten. Voor mij ligt het anders. Mijn familie behoort tot de elite, ik beschik over de macht en de bescherming van mijn familienaam. Wij hebben honderden jaren in Venezuela geheerst. Ik ben bijna de laatste van mijn geslacht, mensen zoals ik schieten ze niet dood, maar innerlijk voel ik me heel oud. Jij bent nu mijn leven. Ik dacht dat je dat begreep.'

'Ik blijf bij je,' zei ik, meer om hem gerust te stellen dan om iets anders. 'Ga nu maar slapen.'

'Maar hoe kan ik dat zeker weten?' vroeg hij.

Dat leek me een goede vraag, ik dacht erover na en wist niet echt wat ik erop zeggen moest. Voor mij was het duidelijk dat ik op een dag, misschien zelfs iedere dag, tot een nieuw ultimatum zou kunnen besluiten. Mijn gevoelens waren vluchtig van aard. Ik wilde op reis. Verder wilde ik niet zoveel. Andere zaken kwamen en gingen zoals het viel.

'Ik zal je zeggen hoe je het kunt weten,' zei ik, 'ik zal met je trouwen.'

'Je bent een kind.'

'We doen het voor de burgerlijke stand.'

'Je bent een kind,' herhaalde hij suf.

'Dat heeft je tot nu toe nooit gehinderd,' herinnerde ik hem.

Cesar was uitgeput van al dat praten. Hij was idioot verkwistend met geld, maar zuinig met woorden.

'Morgenochtend Parijs,' was al wat hij zei.

41

We haalden de trein op Victoria; ik denk dat het de laatste trein was die ik echt haalde, in de zin van niet missen. Nadien begon tijd als zodanig er steeds minder toe te doen. Toen we eenmaal begonnen te reizen met als enig doel niet op dezelfde plaats te blijven, was elke trein goed genoeg. We reisden altijd met de trein of de auto, omdat er dan minder kans was door iemand herkend en gearresteerd te worden.

Bij deze eerste keer bleken we slecht op de reis voorbereid. Om te beginnen had ik de gewoonte enorme hoeveelheden bagage mee te nemen. Cesar waarschuwde me dat dit ons kon hinderen, maar ik hield vol. Ik kon me geen reis voorstellen zonder mijn boeken en papieren om mij heen. Eén bijzonder stevige, leren koffer was helemaal voor die boeken bestemd. Je had er in het beste geval een sterke kruier in een goede bui voor nodig. In een andere koffer gingen mijn jurken mee. Het waren geen gewone jurken, ze waren gemaakt van meters en meters fluweel. Mijn kleren waren net zo extreem als Cesars levensbeschouwing. Ze waren óf zo kort dat zelfs andere meisjes grote ogen opzetten, óf zo overdreven Edwardiaans dat de mensen dachten dat ik van een filmopname kwam en er zo weer naar toe zou gaan. De minijurkjes waren allemaal van suède, de laarzen en sieraden en tassen en hoeden werden erbij gepropt om het gewicht vol te maken dat we meezeulden Het Kanaal over.

Het werd een reis waar geen zegen op rustte, maar het idee ervan stond mij aan. We hadden geen geld voor Parijs, althans niet vóór het eind van de maand. Ik had opgeschept tegen Cesar: 'Maak je geen zorgen, we hoeven geen hotel te betalen, alleen ons eten en uitgaan. Ik ken daar mensen. Ik heb er gewoond.'

Het was mijn beurt om als gastvrouw op te treden.

Ik stuurde een telegram naar Amerika met de vraag of mijn volgende cheque rechtstreeks naar Parijs kon worden gestuurd. Maar toen we aankwamen, bleek de flat waar ik altijd logeerde en waar ik ooit had gewoond na mijn laatste bezoek te zijn afgebroken. In tegenstelling tot de winderige herfst die we in Londen hadden achtergelaten, was het in Parijs een hete nazomer. De straten lagen erbij als in een spookstad die aan een filmploeg is overgelaten, zoals wel vaker gebeurt als de toeristen er rondzwerven maar de inwoners de boel op slot hebben gedaan en vertrokken zijn. Cesar dreigde mijn koffers onder de tram te gooien. En ik moest aanhoren hoe hij zijn Engels oefende, met zo'n drang naar perfectionisme dat hij nog bijna geen woord sprak, maar de woorden die hij zei sprak hij wel heel goed uit. Hij was bezig het woord 'vegetable' uit te proberen. Vedgetable, vedgetibble, vegetibble, vechtubble, vechetebull. Het woord galmde door mijn hoofd. Het was helemaal meegekomen van Victoria. Het werd uitgesproken met tussenpozen van ongeveer een minuut. Ik werd er gek van.

We zochten ons een weg door het puin, het enige dat was overgebleven van de square Charles-Laurent aan één kant. Cesar keek me alleen maar aan, door een nevel van rood steenstof.

'Hier was het,' gilde ik boven het gedreun van de kranen uit. 'Ik zat op de vierde etage. Ik zal zien of ik de conciërge kan vinden.'

'Laat maar,' zei hij schouderophalend, terwijl hij wegliep met gespannen nekspieren door het gewicht van mijn koffers. Ik liep achter hem aan, vol vertrouwen dat een van mijn andere vrienden Cesars kwaadheid zou wegtoveren.

We namen een taxi en gingen op zoek naar de popzanger, de kernfysicus, de professor, de acteur van de Gramont en de man van Agence France Presse die altijd at op de hoek waar ook de maffia at. Dit reisje naar Parijs was mijn eerste kans om wat leven in de brouwerij te brengen, maar geen van die vrienden was thuis. De meesten waren de hele zomer weg. Ik zocht mijn adresboekje door en vond nog één vriend, in Versailles.

'Laat maar,' zei Cesar en haalde even zijn schouders op, die nu doorbogen onder mijn boeken. We namen weer een taxi, en Cesar zat tobberig te wrijven over de striemen in zijn stijve vingers. De chauffeur had gevraagd: 'Waarheen?'

'Zie maar,' had Cesar gezegd, de chauffeur was in de houding gesprongen en deed nu wat hem gezegd was, doelloos ronddolend door het veertiende arrondissement.

'Noem me een hotel,' zei Cesar tegen mij.

Ik dacht wanhopig na. Ik haalde al mijn herinneringen overhoop. Ik wist geen hotel. De namen waren allemaal verdwenen. Ik was ooit op bezoek geweest bij een meisje bij het Luxembourg. Ik probeerde tijd te winnen.

'Rue de Vaugirard,' daar kon hij even mee voort. Hij hield van de klank van Frans, hij had het in de gevangenis geleerd.

'Trianon Palace,' schoot mij te binnen; ik hoopte dat dat goed was en wilde dat het op een betere plek lag.

Toen we bij de receptie kwamen, bleek dat we ons de moeite hadden kunnen besparen. Ik denk dat we ons nooit echt hadden gerealiseerd hoeveel we in leeftijd scheelden. De receptionist echter zag het meteen. Ik was minderjarig. Thuis in Londen hadden we onze werkster weggedaan om eventuele onaangenaamheden te voorkomen; elke keer dat Denis, mijn leraar Latijn, kwam om mij door mijn examens te loodsen, hield ik Cesar uit het zicht. Maar we hadden niet bedacht hoe moeilijk we het in het buitenland konden krijgen. Cesar was in werkelijkheid pas vijfendertig, maar hij zag eruit als zeker vijftig, en de twee jaar slechte behandeling in de gevangenis hadden hem bepaald iets verlopens gegeven. Bovendien zag ik er nog jonger uit dan ik al was.

Cesar had een intense hekel aan de Fransen. Hij beschouwde hen als een volk van verraders. Geen enkele voorspraak van mij, of van Otto die hen zeer bewonderde, kon hem ooit van gedachten doen veranderen.

'Ze hebben jullie in de steek gelaten in de oorlog,' zei hij dan bitter. De oorlog ging hem zeer ter harte. Het deed hem veel verdriet dat Londen zo weinig liet merken dat het er ook nog aan dacht. Ik was dankbaar dat zijn Frans niet goed genoeg was om de beledigingen te kunnen verstaan die ons naar het hoofd werden geslingerd toen we met onze bagage de aftocht bliezen door de klapdeuren. We gingen op een bankje in het Luxembourg zitten en begonnen plezier te krijgen in de pure narigheid van onze situatie. Cesar weigerde een restaurant in te gaan met mijn koffers. We zaten dus maar te kijken hoe de avond viel over de schilferende platanen.

Ten slotte stond Cesar op en liep weg; ik vroeg me af of het voor altijd was. Maar hij kwam terug met een fles melk en een baguette. Door heel het gedoe van die dag heen was het mij gelukt er onberispelijk te blijven uitzien in een nieuwe, lange, witte, linnen jurk, heel bewerkelijk gesmokt tot aan de taille. Hij was met veel liefde door mijn moeder gemaakt, ik wist dat ze er meer dan een jaar over had gedaan. Ik had hem voor het eerst aan. Ik pakte de fles en begon te drinken, zonder te bedenken dat Franse melkflessen van zacht plastic zijn gemaakt. De fles begaf het in het midden. Daar zat ik; terwijl het over mij heen stroomde en drupte wist ik dat het een pracht van een vakantie zou worden.

We namen onze intrek in een heel goedkoop hotel, met schone lakens maar zonder bad. Het was zowat het enige dat ons hebben wou. We leverden het ergerlijke pistool af op een adres in de buurt van de boulevard St.-Michel. 'Je gaat er gewoon naar binnen, vraagt naar Juancho, zegt dat je uit Londen komt en als hij dan "Machette" zegt, geef je hem het pistool en verdwijnt.'

'En als hij dat niet zegt?' vroeg ik.

'Dan geef je het niet,' zei Cesar. Hij was geïrriteerd.

'Waarom moet ik het doen?' vroeg ik, deze keer om hem te plagen.

'Omdat ze er twee willen,' zei hij, 'en jij weet waarom er maar één is.'

Cesar had een lijstje in zijn hoofd van alle nederlagen en schandelijkheden van de Fransen in de oorlog. Hij sprak taxichauffeurs aan met de vraag waarom ze geen eergevoel hadden. We gingen op zijn voorstel naar de Arc de Triomphe. Hij zei dat hij daar iets te doen had. Het bleek dat hij altijd de ambitie had gehad de eeuwige vlam te doven, als teken van protest tegen het verraad van de natie. Zijn verbittering groeide met elke dag die we opgesloten zaten in de hitte en de leegte van ons armoedige hotel in de rue Cambronne. Na tien dagen kwam ik tot het besluit dat we terug moesten naar Londen, daar trouwen en dan verder trekken. We vertrokken luidruchtiger dan we gekomen waren: Cesar was woedend dat de mensen op straat zijn Frans niet verstonden. Hij sprak het redelijk vloeiend.

'Ik zou weleens willen weten,' zei hij, 'waarom ze me niet verstaan. Ze zijn altijd heel goed geweest in talen. Ik heb films van ze gezien uit de oorlog. Elk woord dat de nazi's zeiden, begrepen ze als bij toverslag. Ze hebben er blijkbaar aanleg voor. Ik heb Duits bloed,' zei hij dan, 'waarom willen ze mij niet verstaan?'

We namen de trein op gare du Nord. Cesar was nog steeds aan het donderen tegen een kruier die bijzonder onbeschoft tegen mij was geweest, lang nadat de trein het lange perron had verlaten en het donker was ingereden.

Ik was blij toen ik heelhuids in Oxford terug was. Dit keer maakten we allemaal samen plannen om naar Italië te gaan. Om de een of andere reden was Italië ons Mekka geworden.

4

Ik had Serge, mijn vader, al maanden willen vertellen van Cesar, maar het goede moment leek zich maar niet voor te doen. Serge zou naar Japan gaan voor zijn volgende Yaletournee, en als gewoonlijk nodigde hij me uit met hem mee te gaan. Sinds mijn tiende hadden we die lezingentournees samen gemaakt, zodat ik weigeren heel vervelend vond. Het was al erg genoeg dat ik moest zeggen: nee, deze keer niet, zonder eraan toe te voegen dat ik waarschijnlijk nooit meer met hem mee zou gaan. De huwelijksformaliteiten zelf betekenden toen heel weinig voor me. Misschien had ik daarom zo makkelijk aangeboden me aan Cesar te binden. Wat mij betrof was ik al aan hem gebonden, en aan alle drie, sinds de nacht dat Cesar zo ziek was geweest in de flat van mijn moeder.

Het geval wilde dat ik Serges handtekening of toestemming niet nodig had om te trouwen, omdat Joanna mijn wettige voogd was volgens de voorwaarden van hun echtscheiding. En zo kwam het er niet van hem te vertellen van het huwelijk, en daarna werd het steeds moeilijker er iets over te zeggen. Pas toen hij later dat jaar zelf overkwam, kreeg hij het te horen.

We trouwden op het bureau van de burgerlijke stand in Lambeth, op 2 oktober. Ik weet nog dat het invullen van de formulieren enige moeite kostte. Eerst nam de ambtenaar onze namen op. Hij vroeg eerst de mijne, toen die van Cesar. Ik noemde Cesars naam. Ik deed toen meestal het woord voor hem, vanwege zijn gebrekkige Engels in combinatie met zijn aangeboren zwijgzaamheid.

'Is dat uw volledige naam?' vroeg de ambtenaar. Cesar keek hem eens aan en zei toen: 'Nee, maar dit is genoeg.'

'O, het spijt me,' zei de beledigde ambtenaar, 'maar we moeten uw volledige naam hebben. Al uw namen.'

Cesar haalde zijn schouders op, haalde diep adem en begon: 'Cesar Alejandro Diego Rodrigo...' en de namen ontrolden zich in een doffe litanie van Spaanse klinkers, die zich keer op keer herhaalden totdat ze hun einde vonden in een laatste '...de Labastida' en Cesar weer adem kon halen.

De ambtenaar van de burgerlijke stand keek hem strak aan, keek vervolgens naar mij en weer naar hem. 'Is dat ernstig bedoeld?' vroeg hij.

Ik knikte en we begonnen de reeks namen te ontcijferen die zojuist was opgedreund. Voor mij was het een openbaring, want ik had ze nooit allemaal gehoord.

Toen we bij de rubriek 'beroep' gekomen waren, bleven we weer steken. Voor de eerste keer besefte ik toen dat ik geen idee had van Cesars beroep. Ik wist dat in zijn paspoort 'zakenman' stond. Maar toen ik hem eerder had gevraagd waarom, had hij opzij gekeken op zijn gewone manier en had gezegd: 'Zo is het leven makkelijker.'

'Zullen we gewoon "zakenman" zetten?' vroeg ik.

'Nee!' Kort en scherp, met het bekende handgebaar.

'Het is heel eenvoudig,' legde de ambtenaar uit. 'U zegt gewoon wat voor werk u doet.'

'Hij werkt niet, als zodanig,' opperde ik.

'Nu, dat is dan makkelijk, hij is zonder werk.' De

49

ambtenaar maakte aanstalten om, in zijn zorgvuldige schoonschrift, 'zonder werk' op te schrijven.

'Nee!' zei Cesar. 'Zonder werk' riep voor hem het beeld op van een leegloper en hij beweerde altijd dat leeglopers tegen de muur gezet en doodgeschoten dienden te worden, bij voorkeur door hem persoonlijk. Het feit dat hijzelf het grootste deel van de tijd lag te slapen was blijkbaar iets anders.

'Ik begrijp het,' zei de ambtenaar sussend. 'Wat doet u dan, meneer?'

'Ik doe niet iets,' zei Cesar, 'ik ben iets.'

'Wat bent u dan?'

'Ik ben een *hacendado*.'

We zochten het woord op in mijn inmiddels erg versleten zakwoordenboekje; hij was landeigenaar. Dat was ook nieuws voor mij, en het stelde me op een vreemde manier gerust. Ik wist niet precies wat mijn drie vrienden deden, maar ik was er behoorlijk zeker van dat het tegen de wet was. Nu zou ik tegen mijn grootmoeder en tegen Bridie, de werkster, die weer terug zou komen, en tegen Jonah, mijn leraar Engels, kunnen zeggen wat Cesar was. De mensen zouden tevreden zijn met het antwoord. Het zou eindelijk eens niet klinken als een uitvlucht.

Joanna was de ene getuige, en David, mijn zwager, de andere. De trouwfoto's kwamen in het familiealbum terecht en zagen er na alle andere foto's van de vier huwelijken van mijn moeder helemaal niet bijzonder uit, afgezien van de anjers op onze revers en de bontmantel en de Russische muts die ik droeg terwijl het duidelijk een zonnige dag was. Het leek niet erg op een echte trouwpartij, zoals die van mijn zuster. Er was geen bisschop van Dover om de mis te celebreren, geen kant of oranjebloesem en geen samenscholing in

Westminster voor de receptie. Cesar had een afkeer van de Kerk, en mij maakte het niet veel uit, dus hielden we het bij het bureau van de burgerlijke stand, een glas champagne en 's avonds een bioscoopje.

Alles leek onwezenlijk die dag. Het weer was omgeslagen, het was vreemd warm. Cesar had zijn gewone ontbijt genuttigd, een bord gebakken eieren en een half pond aardbeienjam, en stond er nu op dat we een eind gingen wandelen. We liepen langs het moordenaarshuis, waar omstreeks de eeuwwisseling een Indische prins in een matras was gestopt en zo tot ontbinding overgegaan en waar ik voor de deur Cesar voor het eerst had ontmoet, en daarna verder door de slingerende achterstraatjes van Clapham. Het was elf uur, de trouwplechtigheid zou plaatsvinden om één uur.

'We gaan niet trouwen,' zei hij plechtig.

Ik tuurde in de etalage van het Indische winkeltje op de hoek en zei niets.

'Dat is beter,' vervolgde hij en liep door. Ik begreep dat hij me iets wou vertellen en het leek me het beste hem maar zijn gang te laten gaan. Ik deed dus mijn best om hem bij te houden en wachtte af wat er komen zou. Ik had het gevoel dat hij me iets over zichzelf ging vertellen dat ik niet prettig zou vinden. We liepen langs het hoge hek van het Zuidlondense vrouwenziekenhuis.

'*Estuve preso*,' zei Cesar, 'ik heb in de gevangenis gezeten.'

Ik knikte. Dat was de afgelopen maanden makkelijk te raden geweest. Zijn fobie voor dichte deuren, de littekens van schotwonden, in zijn nek en zijn been, zijn rusteloosheid, zijn geijsbeer, de manier waarop hij kreunde en rilde in zijn slaap hadden hem verraden.

'Je vindt het niet erg?' vroeg hij.

'Ik vind het erg,' zei ik, 'maar het geeft niet.'

'Otto, Elias en ik, wij geloven.'

Ik wist niet waarin ze geloofden, maar ik was blij te horen dat ze ergens in geloofden. Dus knikte ik weer, bemoedigend.

'Wij beroven banken,' zei hij.

Ik knikte nog eens. 'En wat nog meer?' vroeg ik losjes.

'Meer niet,' zei hij eenvoudig. 'Er was de guerrilla, Otto was, zeg maar, onze generaal, onze woordvoerder; Elias was de commando. Ik beroofde de banken.'

Als je het zo zei, klonk het allemaal heel recht door zee. Ze waren allemaal veel gewetensvoller dan ik had gedacht.

'Ik ben een rijk man,' ging Cesar verder, duidelijk vastbesloten alles op te biechten. 'Al het geld van de banken was voor de guerrilla. Dat begrijp je.'

Ik begreep het nu heel goed, ik voelde een grote golf van opluchting door mij heen gaan. Een man met principes, dat beviel me. Zelfs de grijze geverfde ramen van het ziekenhuis zagen er minder dreigend uit toen we verderliepen.

'We zijn nu een leger van drie man. We zijn verslagen. Er staat een beloning op het hoofd van Otto en Elias en ik ben een banneling. Er is geen enkele reden waarom je bij ons zou blijven. Je bent nog jong, Veta. Als je met me trouwt, ben je misschien nooit meer veilig.'

'Ik zou graag blijven,' zei ik. Hij keek me dof aan, alsof hij pijn leed.

We liepen een tijdje zwijgend verder, langs de beschadigde bunkers aan de rand van het park en de gapende toegang tot de ondergrondse. Toen zei Cesar: 'Mijn vader is dood.'

Het voorgaande was een soort opbiechten geweest, het ontlasten van zijn geweten. Ik had niet het gevoel dat hij de dingen die hij zei echt aan me wilde vertellen; hij wilde alleen niet dat ik ze niet wist. Het laatste dat hij gezegd had, was voor hem het belangrijkste.

'Mijn vader had je vast aardig gevonden.'

Zoveel lof gaf me een ongemakkelijk gevoel, ik probeerde van onderwerp te veranderen. 'Hoe lang ben je in de gevangenis geweest?' vroeg ik.

Het leek hem niet meer te interesseren, hij keek uit over het park.

'Twee jaar,' antwoordde hij. 'Waar is die spion ook weer vermoord?'

Er was een plek in het park, een hoekje aan de kant van de weg, waar in de oorlog het lijk van een Duitse spion was gevonden. Het ss-teken was in zijn wangen gesneden. Dat detail fascineerde Cesar, hij ging steeds vol verwondering op die plek staan en liet zich dan telkens weer het hele verhaal vertellen. Hij was altijd diep geroerd door alles wat de oorlog betrof.

'Hoe ben je eruit gekomen?' vroeg ik.

'Ik was ergens anders.'

'Wat bedoel je met ergens anders?'

'Ik heb twee jaar moeten wachten tot mijn zaak voorkwam, en toen het zover was bleek mijn alibi in orde te zijn, ik was ergens anders geweest. Ik heb vrienden bij de militaire politie. Die zeiden: "Je bent nu vrij, maar dit land staat op zijn kop, ze gaan je vermoorden. Duik een tijdje onder, dan komt alles wel weer goed. Iemand van de elite moeten ze niet vermoorden, ze weten dat dat gekkenwerk is. Als ze tot bedaren zijn gekomen, kun je terug naar je landgoederen." Ik heb me twee maanden verborgen gehouden op het landgoed van mijn oom en toen ben ik naar Londen gekomen.'

'Heb je daar die schotwond in je nek aan overge-
houden?'

Hij keek verbaasd.

'Nee, dat was een ongelukje bij het jagen.'

Ik voelde me een beetje voor gek staan, waardoor ik
een vraag stelde die ik anders zou hebben verzwegen.

'Ben je gemarteld?'

Cesar richtte langzaam zijn blik op mij en zei: 'Gemarteld!' met een verachtelijke grimas. 'Ze halen je
midden in de nacht uit je cel, binden je vast op de binnenplaats, halen er een priester bij. Er staat een execu-
tiepeloton, ze richten op je en schieten met losse flod-
ders en brengen je dan weer terug. Dat noemen ze
martelen,' zei hij heftig. 'Maar mijn oom ging dood.
De enige broer van mijn vader. Ik was er niet bij, zelfs
niet bij zijn begrafenis. Dat is martelen, een goede kerel alleen laten sterven.'

'Mijn oom,' zei hij nog eens in het vage.

We liepen verder in de richting van de spionnen-
hoek. We lieten elkaar los om tussen het verkeer door
te komen. Aan de overkant zei Cesar: 'Ik hou niet van
mensen die jammeren. Oorlog is oorlog. Toen ze mij
arresteerden, verwachtte ik geen feestje.'

Hij was weer streng geworden, elk spoor van zijn
biechtstemming was verdwenen.

'Als ze je arresteren,' zei hij heftig, 'ga dan achteraf
niet lopen klagen.'

Het was tien over halféén. We moesten ons haasten
om op tijd thuis te zijn. Voor de deur stond een taxi te
wachten met mijn zenuwachtige moeder erin.

'Ik heb je jas, liefje,' zei ze. 'Stap maar gauw in. Ik
heb je bontjas meegenomen voor als je het koud hebt.'

In plaats van een hele vertaling te leveren had ik Cesar geïnstrueerd om tijdens de plechtigheid gewoon 'ja, ja, nee, nee' en 'dat wil ik' te zeggen in antwoord op de vragen van de ambtenaar. Maar hij raakte de draad kwijt in zijn antwoorden en zei 'ja' toen de man naar zijn naam vroeg, en 'nee' toen hem gevraagd werd of dat zijn juiste naam was, en weer 'ja' dat hij daar zeker van was en 'nee' toen de ambtenaar vroeg of hij het begreep, waarna hij nog een hele reeks zinloze ja's en nee's afdraaide tot de plechtigheid werd afgebroken. Het bureau kon op afroep beschikken over tolken in elke denkbare taal, van Swahili tot Gaelic en van Bengaals tot Luxemburgs, maar er leek niemand te vinden die Spaans sprak. De ambtenaar van de burgerlijke stand was ervan overtuigd geraakt dat er een vuil spelletje werd gespeeld met Cesar als slachtoffer; hij weigerde beslist mij te laten vertalen. We moesten dus bijna twee uur wachten tot er een oudere heer uit Pimlico was opgevist om de honneurs waar te nemen. Ondertussen ontdekten we dat we geen ring hadden.

'Geeft niets,' zei Cesar, 'er komt een dag dat je prachtige ringen zult hebben.'

Maar het leek erop dat we er speciaal hier en nu eentje nodig hadden. Gelukkig schoot mijn moeder te hulp. Ze zei dat ze een voorraadje trouwringen in haar tas had, die ze om gevoelsredenen bij zich droeg.

'Als ik jou was,' zei ze, wijzend op een exemplaar van wit goud en platina, 'zou ik die nemen. Andrew heeft me die gegeven in 1947, en dat was veruit mijn beste huwelijk.'

Ik nam hem dankbaar aan en liet hem aan Cesar zien, die opgelucht was toen hij merkte dat ik het niet erg vond zo'n geïmproviseerd tweedehandsje te krijgen.

De dag na ons trouwen zaten we de hele middag in

de Embankment Gardens met de mussen en de wind en de vallende bladeren, waarna we naar Piccadilly wandelden om te gaan eten. Otto was er die morgen voor zaken op uitgegaan, zodat we elkaar zouden ontmoeten voor de Chandos, een pub aan het Strand. We spraken daar vaak af, en Otto was vaak te laat. Bij deze gelegenheid verdacht ik hem ervan dat zijn 'zaken' een bezoek waren aan de National Portrait Gallery, aan de overkant van de straat. Cesar en ik hadden een uitgesproken hekel aan wachten, dus gingen we in de rij staan voor de poste-restante in de William IV Street. Cesar had in alle maanden dat ik hem kende niet één brief geschreven, maar toch ging hij regelmatig op zoek bij deze en alle andere poste restantes in alle andere steden waar wij verbleven. Dit hoofdpostkantoor toonde Londen op z'n slechtst. Cesar had al zijn geduld en vindingrijkheid nodig om het duwen en voordringen en de ergerlijke lompheid van de beambten goed te praten; het enige dat hij wist te zeggen was dat de goede manieren die naar zijn mening iedere Engelsman aangeboren waren, op die plek waren aangetast door de voortdurende confrontatie met buitenlanders. Er waren geen brieven voor Cesar, die waren er nooit, en Otto was nog steeds niet komen opdagen. We stonden voor de pub te stampvoeten tegen de ingebeelde kou en werden steeds kwader.

'Ik had het kunnen weten,' zei Cesar hoofdschuddend. 'Ik had het kunnen weten.'

Hij stapte nu heen en weer van het steegje en de bioscoop naar de Chandos op een grote golf van ongeduld.

'Het heeft geen zin,' zei hij, terwijl hij zijn post voor de smalle ruitjes weer innam, 'er valt niet te leven met een man als Otto. Hij is onmogelijk. Hij heeft derdewereldmanieren.' Cesar was bleek geworden van kwaadheid.

'In zijn gedrag van vanavond zit iets uitgesproken Frans,' zei hij. 'Hij is geen man, hij is een straathoer!'

Cesar leek ineens verlegen met zijn eigen woede en verklaarde: 'De enige reden dat ik hier nog op dat zwijn sta te wachten is om hem eens goed de waarheid te zeggen.'

Op dat moment verscheen Otto in eigen persoon, maar Cesar was zo verdiept in zijn scheldkanonnade dat hij het niet merkte.

'Als ik dat miezerige teringlijdertje van een achterkleinzoon van een lichte vrouw in mijn handen krijg dan...'

'Oprechtheid, dat is wat ik waardeer in mijn vrienden,' lachte Otto, 'oprechtheid.'

We aten bij Simpson, waar iemand aanstoot nam aan Otto's kleding en hem niet zonder das wou binnenlaten. Deze keer was Otto echt beledigd.

'Kunt u goede kleren niet herkennen als u ze voor u hebt?' vroeg hij op geërgerde toon. Iemand van het personeel stopte iets in zijn hand. Het was een vaalbruine das.

'Ik wil die das niet,' zei hij bijna sprakeloos van verontwaardiging. 'Denkt u dat ik die vreselijke das hierbij ga dragen?' Hij streek liefkozend over de mouw van zijn dure hemd met open kraag.

Otto was in zijn kleding het kieskeurigst van ons allemaal. Hij was heel kwistig met tijd en geld om er perfect uit te zien. Cesar, Elias en ik hielden alle drie de deur in de gaten, berekenend wat onze beste kansen zouden zijn als het onvermijdelijke gevecht losbrak, toen Otto ineens zei: 'Goed dan. U hebt geen esthetische waarden, geen smaak, ik veracht u, maar u wint. Geef me uw das, en ik hoop dat de bediening de toets van uw eigen regels kan doorstaan.'

Hij glimlachte naar mij. 'Weet je,' zei hij, 'we sluiten vandaag wapenstilstand. Ik zal niet zo humeurig doen, en jij niet zo idioot.'

We hadden een gezellig, nogal lichtzinnig diner, dronken champagne, beklonken de vriendschap en brachten een toost uit op ons huwelijk. Otto zei dat de meeste mensen wel zouden vinden dat ik gek was om met Cesar te trouwen, maar hij vond dat Cesar gek was om met mij te trouwen.

'Hij probeert te zeggen dat hij je aardig vindt,' wierp Elias ertussen.

Otto wilde beslist een pot thee na het eten. Hij dronk altijd thee in plaats van koffie, bij voorkeur Chinese. Onze kelner verdween en kwam even later terug met zijn chef, die met een gepijnigde uitdrukking op zijn gezicht kennis nam van het verzoek. Hij gaf met kennelijke minachting toestemming voor de bestelling en wierp zo nu en dan een blik op ons, niet omdat onze tafel iets vreemds had besteld, maar met het dédain van iemand die zich boven het gewone heeft verheven.

'Je houdt nooit echt van iets totdat het je pijn doet,' zei Otto laconiek, 'ik hou van mijn lever.'

Toen de likeur op tafel kwam, dronk hij daar niettemin zoveel van dat de glaasjes als speelgoedsoldaatjes in het gelid rond zijn bord stonden.

'Is dat goed voor je lever?' vroeg ik.

'De liefde is wispelturig,' lachte hij, en bestelde nog drie benedictines.

Toen hij naar buiten ging, liet hij zijn das in een asbak vallen. Hij had hem eerst tussen zijn vingers gehouden als een bedorven paling. Otto ging diezelfde avond nog terug naar Oxford; Cesar en ik en Elias volgden een dag later.

Otto's afscheidswoorden waren: 'Nog even, dan gaan we ervandoor.' Ondanks zijn drinken zag hij er beter uit.

De laatste drie weken die we in Oxford doorbrachten waren veruit de rustigste die ik heb meegemaakt. Het ergste zomertoerisme was voorbij en van de studenten merkten we weinig, al waren de colleges net begonnen. Otto en Elba waren zeer in elkaar verzonken. Het hotel weergalmde niet langer van het radiolawaai dat hun ruzies moest verhullen en de meeste andere kamers waren leeg. Op sommige ochtenden hadden we de eetzaal voor onszelf alleen, wat Cesar genoegen deed, omdat hij dan zoveel jam kon nemen als hij wou, zonder het te hoeven vragen. Het begon weer koud te worden, de meeste bladeren waren gevallen en vormden een natte, vlekkerige spons op het pad. Ik bracht veel tijd in de tuin door.

Otto was verdiept in zijn taalkundige studies en in lange gesprekken met Elba; Elias bestudeerde de vliegkunst, hij was van plan in Italië een vliegbrevet te halen; Cesar was verzonken in een berg in leer gebonden delen over zestiende-eeuwse geschiedenis, die hij bij Blackwell gevonden had.

Ik was sinds mijn huwelijk aanzienlijk in status gestegen. Ik ging er nu ook 'voor zaken' op uit. Elke morgen om tien uur liepen Otto en ik naar een telefooncel en belden interlokaal naar de Midland Bank in Gracechurch Street in de City van Londen.

'Het is makkelijker voor jou, jij spreekt Engels,' legde hij uit. 'Vraag naar een telegrafische postwissel op mijn naam. De waarde is driehonderd veertigduizend

Amerikaanse dollar. Verder niets, vraag alleen of hij al is aangekomen.'

Ik belde braaf elke dag, en elke dag kreeg ik te horen dat er niets was binnengekomen.

Aan het eind van de eerste week liet ik het hen een of twee keer nakijken. Er kwam niets. Daarna belden we om de andere dag. Ten slotte, toen het al volkomen een mythisch bedrag leek te zijn geworden, gewoon een routinevraag en verder niets, zei een jongeman: 'Ja, er is hier een telegrafische postwissel.'

Toen ik dat tegen Otto zei, kuste hij me. We kochten een doos vol slagroomtaartjes om mee te nemen naar het hotel en iedereen werd heel dronken van aquavit gemixt met whisky, rum en wodka.

'Dat is een molotovcocktail,' zeiden ze, 'je vindt het vast heerlijk.'

Ik kon me de volgende morgen nauwelijks bewegen van de kater. Mijn hoofd was ijzig zwaar. 'We gaan naar Londen,' zei Otto. Cesar lag vrijwel buiten bewustzijn in bed. Ik wist uit ervaring dat het hem dagen kostte om te herstellen van een kater. Zijn nieren werkten niet zoals het hoorde, elke keer dat hij dronk liep hij een soort alcoholvergiftiging op die hem letterlijk lamlegde. Op de eerste dag verkeerde hij zo ongeveer in coma, op de tweede zwoer hij nooit meer te zullen drinken, op de derde verzamelde hij zijn krachten en op de vierde beweerde hij dat een man de sociale plicht had te leren drinken en dat hij een martelaar was voor de zaak van de goede manieren, waarop hij weer begon.

'Cesar kan in deze staat niet reizen,' zei ik, in de hoop er zelf ook onderuit te komen.

'Dan moeten we hem achterlaten. Het is toch maar voor een dag.' Otto verliet de kamer en kwam even later terug met een kan koud bier.

'Hier,' zei hij, 'drink op, dat brengt je weer in de eerste versnelling.'

Ik voelde me die hele dag erg misselijk, maar ik had de opdracht gekregen naar de bank te gaan en het geld te halen. Ik begreep niet waarom Otto dat zelf niet deed.

'Waarom ga jij niet?' vroeg ik.

Otto keek me dreigend aan, zoals altijd wanneer hij dacht dat ik met opzet idioot deed, zoals hij het uitdrukte. In de trein aten we gebraden kip voor de lunch; toen de wielen gingen draaien, begon ik plezier in het uitstapje te krijgen.

'Denk erom,' zei Otto telkens, 'zorg dat je niet gevolgd wordt als je naar buiten komt.'

We namen een taxi naar de city en Otto zette me voor de bank af in Gracechurch Street. We hadden afgesproken op een plek een eindje verderop. Ik voelde me nogal chique, met een grote muts van vossebont. Ik vroeg naar de jongeman die ik de laatste keer aan de telefoon had gehad en wiens naam ik had onthouden. Hij kwam naar me toe en zei iets onder het lopen.

'U luistert niet,' fluisterde hij.

Ik verontschuldigde me.

'Hebt u iemand anders gesproken op de bank?' vroeg hij. Ik schudde van nee, wat hem leek op te luchten.

'Ik heb met u gesproken aan de telefoon,' zei hij, 'ik merkte aan uw stem dat u een kind was.'

Nou zeg, dacht ik, en wilde dat ik er een beetje ouder uitzag.

'Ik weet niet welke rol u in dit alles speelt,' vervolgde hij, 'en ik wil dat ook niet weten. Maar ik wil u graag een kans geven. Ik zou u dit niet mogen zeggen, maar wie aan dat geld komt, krijgt moeilijkheden. Begrijpt u mij?'

Ik begon het te begrijpen, maar ik wilde hem niet zomaar geloven.

'Ik zou liever niet zien dat u hierbij betrokken raakte,' zei hij, keek langzaam de bank rond en toen weer naar mij. 'Ik vrees dat het geld van uw man is bevroren.' En na een korte pauze: 'Niemand hier weet wie u bent. Gaat u nu, alstublieft, en als u verstandig bent komt u niet terug. Er hoort een speciale instructie bij die postwissel, en uw man wordt daarin bij name genoemd. Het spijt me.'

Ik had het gevoel of ik zou gaan huilen. Ik wist niet precies waarom, behalve dat er iets van verraad leek te schuilen in wat ik te horen kreeg. Ik weet niet meer hoe ik de bank uitgekomen ben, ik geloof dat ik die man niet eens heb bedankt, ik was ook helemaal vergeten dat ik moest zorgen dat ik niet werd gevolgd.

Ik vroeg me af hoe ik het nieuws aan Otto moest vertellen. Het was mijn eerste opdracht, ik voelde me persoonlijk verantwoordelijk voor de mislukking ervan. Otto luisterde heel aandachtig toen ik mijn verhaal vertelde, en liet het me twee keer herhalen.

'Wat heeft het te betekenen?' vroeg ik.

'Het geeft niet,' zei hij; elkaar grimmig aankijkend liepen we naar de ondergrondse. Na een paar minuten barstte Otto in lachen uit.

'Waarom lach je?' vroeg ik.

'Soms is het zo erg dat je niet anders kunt,' zei hij.

5

Het bevriezen van het geld betekende het begin van een nijpend geldgebrek. Ik had mijn toelage van Serge nog, maar wat overdadig was voor één persoon, was veel te weinig voor vier mensen met extravagante leefgewoonten.

Elba en Otto waren weer aan het vechten geslagen. Die vechtpartijen waren altijd heel eenzijdig als het eenmaal op klappen uitliep. Otto hield stand, beslist maar zachtmoedig, met zijn handen voor zijn hoofd om de gevaarlijkste slagen af te weren.

'Elba,' zei hij dan op overredende toon, 'dat hoeft toch niet zo. Denk toch aan onze positie.'

Maar elk woord dat hij zei leek het alleen maar erger te maken; haar schoudertas van bewerkt leer zwaaide door de lucht en raakte hem elke keer in zijn gezicht of op zijn borst.

'Maar natuurlijk hou ik van je, Elba. Dat weet je toch,' zei hij dan sussend, terwijl hij als een ervaren bokser haar vuisten en haar tas ontweek.

'Maar Elba,' bracht hij dan, zo redelijk als zijn positie toeliet, in het midden, 'denk aan gisteravond. Denk daar nou aan, dan weet je toch dat ik van je hou.' Dan deelde Elba een venijnige schop in de lies uit, waardoor Otto op zijn voeten stond te wankelen.

Cesar en ik keken in afgrijzen toe. We begrepen niet waarom Otto zich niet verdedigde. We hadden die eenzijdige, bijna rituele gevechten al zo vaak gezien. Elba en Otto waren dan allebei erg dronken, de vechtpartijen eindigden meestal in dit stadium, waarop ze elkaar naar hun kamer hielpen en Elba in slaap viel en Otto riep: 'Ik heb er genoeg van, ik wil niets meer met die vrouw te maken hebben.' Dan liep hij de kamer rond, klopte zijn schouders af of hij elk spoor van haar aanraking van zich af wilde vegen, schonk zich een dubbele aquavit in en zei: 'Ik denk dat ik toch maar even ga kijken of ze geen overdosis heeft genomen.'

Dan ging hij hun kamer in en sloot de deur, waarna we hem soms wel twee dagen lang niet meer te zien kregen.

Toen Elba hem op een avond voor het Mitre Hotel aanviel toen we op weg naar huis waren, dachten we dat het om een van hun gewone robbertjes ging tot we schrokken van een reeks doordringende kreten. Het was Elba die gilde, Otto wankelde tegen een muur aan, zijn hoofd bedekt met bloed.

Voor we konden bedenken wat ons te doen stond, stopte een politieauto langs het trottoir, waar twee agenten uitsprongen. Een van hen greep Otto ruw bij de schouders. De agent had blijkbaar besloten dat het gevaar van hem kwam, terwijl de andere een arm om Elba heensloeg en haar kalmerend toesprak.

'Kom, kom, dame,' zei hij, 'het is alweer goed. We zorgen wel dat hij je niet te pakken neemt.'

Toen hij dat zei staarde hij Otto woest aan.

'Je moest je schamen,' zei de andere tegen Otto terwijl hij hem hardhandig de auto inwerkte. 'En het is je verdiende loon,' zei hij, doelend op de streepwonden op zijn gezicht waar het bloed uitstroomde. 'Een meisje alleen te grazen te nemen!'

Ze zaten allebei al in de politieauto toen een van de

agenten zijn aandacht richtte op Cesar en mij.

'Hebt u hier iets mee te maken?' vroeg hij.

Cesar trapte op mijn voet, met opzet.

'Nee,' zei ik, 'we zijn net op weg naar huis.'

'Nou, doorlopen dan.' Hij wilde blijkbaar het laatste woord hebben.

'Hij heeft haar niet aangeraakt,' voegde ik eraan toe, in een poging behulpzaam te zijn.

'Dat zeggen ze allemaal,' zei hij stroef en liep weg.

Elias had een afspraakje gehad, hij wachtte ons op in het hotel. We vertelden hem wat er gebeurd was, en hij liet op zijn karakteristieke manier zijn ogen rollen in gespeelde ontzetting. We besloten dat we het beste konden proberen uit te zoeken waar ze heengebracht waren, zodat we de volgende morgen konden proberen hen op te halen. Na drie vruchteloze telefoontjes vond ik het juiste bureau en informeerde naar het tweetal alsof ze mijn oom en tante waren. Er viel een onaangenaam lange stilte aan de andere kant van de lijn, waarin ik iemand hoorde zeggen: 'Er is hier iemand die naar die vent vraagt die zijn meisje heeft aangevallen.'

'Daar zullen ze vanavond niet veel lol aan beleven,' riep een andere stem honend terug. 'We hebben heel wat met hem te stellen gehad om hem in zijn cel te krijgen.'

'Hij komt morgen voor, openbare dronkenschap, ordeverstoring, obscene taal in het openbaar, verzet tegen arrestatie.'

We gingen allemaal de volgende dag kijken wat er zou gebeuren. Otto stond zielig in het beklaagdenbankje. Zijn gezicht was schoongemaakt, we konden de lange japen zien in zijn wangen. Ook had hij een opvallend blauw oog, en zijn kleren zaten vol scheuren.

'Wat denk je dat er in zijn cel is gebeurd?' zei Elias, die mij aanstootte.

De rechter had een zeer slechte dunk van Otto's gedrag. Hij gaf hem vijftien pond boete voor zijn overtredingen, en zei dat hij hem graag dwangarbeid had opgelegd voor het zo gemeen aanvallen en mishandelen van zijn vrouw.

'...En vanwege de feiten, en de loyaliteit van deze goede vrouw,' hij glimlachte naar Elba aan de andere kant van de zaal. Het was duidelijk dat hij haar aantrekkelijk vond. 'Ze is uw vrouw naar gewoonterecht, u dient haar te behandelen en te respecteren zoals dat hoort bij een wettige echtgenote. Ik weet niet wat u in uw land doet,' zei hij met diepe verachting, 'maar hier in Engeland kunnen wij dit soort onwaardig gedrag niet tolereren. U kunt hier niet zomaar een weerloze vrouw aanvallen, en daarom...' Hij liet een stilte vallen voor het effect. Otto zag er weer erg ziek uit, hij zocht steun door zich aan het hekje vast te houden. Ik denk dat hij niet eens kon horen wat de rechter zei en hij kon door zijn gezwollen oogleden vast niets zien. 'En daarom,' ging de rechter verder, 'geef ik u prijs aan spot en schande.' De leden van de rechtbank keken allemaal eens goed naar Otto, die er met zijn pas gehavende gezicht nauwelijks meer uitzag als een mens.

Elba werd vrijgelaten zonder dat haar iets ten laste was gelegd, de rechter sprak de hoop uit dat de 'beproeving' haar niet te zeer van haar stuk had gebracht.

De kosten waren voor Otto. Zodra we hem uit het gerechtsgebouw hadden, brachten we hem naar een dokter. Elba stond paf van wat ze gedaan had. Ze wreef almaar over haar lange, bijgevijlde nagels en zei in bewonderend ongeloof: 'Ik had nooit gedacht dat ze zo sterk waren. Het moet al die gelatine zijn die ik gegeten heb.'

Het duurde twee weken voor Otto's opengehaalde gezicht geheeld was, de littekens zouden nog jarenlang voren door zijn wangen trekken. Tijdens die twee weken was hij afschuwelijk kwaad. We maakten er grapjes over. Als we hem iets wilden vragen, vroegen we het eerst aan een ander, zodat die kon zeggen: 'Vraag het de tijger.' Otto zat dan te grauwen en woest te kijken met zijn enorme grijzende manen en de geelbruine strepen op zijn huid. Elba's gedrag werd met toegeeflijkheid bezien, omdat Elba, anders dan ik die onherroepelijk tot de idioten werd gerekend, tot de weinigen hoorde van wie gezegd werd dat ze zich 'goed gedragen' hadden op het strijdtoneel. Dat goede gedrag in haar verleden gaf haar een bijzondere dispensatie voor meer recente buitenissigheden. Het had geen zin te vragen waarom Elba zo onredelijk was, of waarom ze de kans zag nooit boodschappen of andere karweitjes te doen. Elba was 'serieus', dat zei iedereen, en zeker Otto was altijd geneigd eerder de heldin dan de lastpost in haar te zien.

Maar op een dag, toen we monopolie zaten te spelen op onze kamers, kwam Otto langs met een stapeltje briefkaarten in zijn hand.

'Even een brief posten,' zei hij en liep de deur uit.

We bleven de hele middag zitten spelen, tot Elba opmerkte dat Otto niet was teruggekomen. Ook 's avonds kwam hij niet opdagen, en de volgende middag begonnen we het ergste te vrezen. Onze kamers kwamen vol te liggen met de internationale pers. Elke krant waar we de hand op konden leggen slingerde wel ergens op de grond. We speurden de kolommen af, maar nergens was een verwijzing te vinden naar Otto onder een van zijn namen en vermommingen, geen arrestaties, geen dodelijke ongevallen, geen moorden. Hij lag in geen enkel ziekenhuis in Oxford of Londen. Hij was verdwenen.

Op de vierde dag kregen we een briefkaart uit Berlijn en daar stond op: 'Ik kon het niet meer uithouden. Ik schrijf nog, Otto.'

Vanaf dat moment was er, als we ons uit een lastige situatie moesten zien te redden of gewoon nodig weer eens verder moesten, altijd wel iemand die zei: 'Misschien moeten we even een brief posten.'

Elba was van ons allemaal het minst verbaasd over deze nieuwe wending. Ze hadden al besloten uit elkaar te gaan, de vraag was alleen geweest wanneer. Deze gelegenheid leek zo goed als een andere. We maakten ons klaar om te vertrekken.

Een dag of twee later kwam Elias ongewoon bedachtzaam binnen. We hadden afgesproken in het weekend te vertrekken. Het was pas woensdag, maar Elias zei: 'Laten we vanavond gaan.'

Ik had gemerkt dat Elias, anders dan zijn beide metgezellen, nooit met zonderlinge opmerkingen of onverwachte ideetjes kwam. Hij had een volstrekt rationele geest. Als hij zei, 'Laten we vanavond gaan,' dan had hij daar een goede reden voor, al was die reden maar zijn feilloze instinct tot zelfbehoud.

Elias overleefde door een soort meedogenloze doeltreffendheid. Hij liet zich nooit gaan, zelfs als hij dronken en half in slaap leek, was hij gespitst op elk geluid en elke beweging. Zelf bewoog hij zich bijna geruisloos op zijn lichte suède schoenen, zijn grote handen zwaaiend langs zijn zij als een speelgoedsoldaat.

Ik had ontdekt dat er verschillende gradaties zijn waarin je gezocht kunt worden, door de autoriteiten bedoel ik. De categorieën lopen door elkaar als in een ingewikkelde Schotse ruit. Ruwweg had je degenen die door Interpol gezocht werden en degenen die dat niet werden. Zo kon Cesar vrij door Europa dwalen, maar niet naar huis terugkeren, terwijl Otto en Elias echt 'voortvluchtig' waren. Otto echter werd 'gezocht ter ondervraging' en kon, in het geval dat hij die 'ondervraging' overleefde, rekenen op een onbeperkte tijd in de gevangenis. Elias daarentegen was bijna een categorie op zichzelf. We kenden een dikke man in Londen, die de afwas deed in een Duits wijnlokaal, en die, naar mij was verteld, dood of levend werd gezocht. Elias zochten ze alleen dood. Veel later, toen er vrede werd gesloten in Venezuela en alle guerrillastrijders hun straf kregen kwijtgescholden, bleef de prijs op het hoofd van Elias staan. Van alle levenden was hij de enige die buiten de wet bleef.

In de weken die we samen in Oxford doorbrachten had ik ontdekt dat Elias beschikte over wat Amerikanen de charme van de Oude Wereld noemen. Hij wekte vertrouwen bij de mensen. Oude dametjes op straat vertrouwden zich aan hem toe, vroegen hem vaak hen te helpen bij het oversteken of met hun boodschappen.

'Wat een aardige man,' was het algemene oordeel van buitenstaanders. Maar meer nog dan Cesar hield hij de wereld op een afstand. Hij bewoog zich langzaam en gestadig voorwaarts, nam alles wat om hem heen gebeurde in zich op en verwerkte het tot onderdelen van zijn allesomvattende plan.

Toen Elias daar in Oxford zijn plan wijzigde, wist Cesar dat er iets gebeurd moest zijn, en hij vroeg wat het was.

Elias haalde zijn schouders op. 'Ik heb iets tegen de stad gekregen.'

'Waarom?' vroeg ik.

Elias wierp mij een van zijn lange, ongelovige blikken toe, die betekenden: Je hebt daarnet een vraag gesteld.

Ik stelde bijna nooit vragen, dat vonden ze mooi; het werd als niet elegant beschouwd om het naadje van de kous te willen weten. Elias glimlachte naar me. 'Je bent net als mijn dokter, precies mijn dokter,' en hij schudde toegeeflijk zijn hoofd alsof zijn dokter een kruis was dat hij te dragen had. Hij zei vaak tegen me dat ik op zijn dokter leek. Ik begreep er niets van, maar het stemde hem altijd milder, het leek ons op een heel persoonlijke manier met elkaar te verbinden.

'Er zijn hier ratten,' zei hij ten slotte, en begon zijn koffers te pakken.

Later die avond vertelde Cesar me dat Elias herkend was in de stad. Het was volkomen bij toeval gebeurd, hij was aan het snuffelen geweest in de boekwinkel van Blackwell toen hij boven een plank een bekend gezicht had gezien. Hij had de man en het gevaar onmiddellijk herkend en was de winkel uitgelopen, maar de ander, een politiespion, was Elias gevolgd de straat op en had geprobeerd hem in te halen; hij was hem echter in de menigte kwijtgeraakt.

'Veel mensen weten nu dat hij in Oxford is,' zei Cesar somber.

Elba had het zo geregeld dat ze naar Londen zou gaan, ze zei dat ze daar een tijdje wou blijven om Engels te leren. Ik vroeg of ze terug zou gaan naar Venezuela nu zij en Otto uit elkaar waren. 'Ik zou wel willen,' zei ze, 'maar toen dat met Otto begon, zat ik al tot over mijn oren in de guerrilla. Ik had niets te verliezen toen ik met hem meeging. Het is alleen een kwestie van tijd voor ze ons te pakken krijgen. Ik wed dat jij de Andes eerder te zien krijgt dan ik.' Ze kuste me en vertrok in een taxi die afgeladen was met al haar bezittingen in koffers en dozen.

Later zou blijken dat ik inderdaad eerder dan zij in Venezuela aankwam; daar zag ik op een dag op de voorpagina van een krant dat ze haar 'te pakken' hadden gekregen, en haar naar de aftandse gevangenis aan de zee hadden gestuurd waar zelfs de zeemeeuwen wegblijven: in Catia la Mar.

Elias was klaar met pakken en vertelde ons wat we moesten doen. 'Ik ga vanavond weg uit het hotel, jullie tweeën morgen,' zei hij. 'Zorg dat alles een gewone indruk maakt. Cesar, jij maakt dat je in Parijs komt, ik zoek mijn eigen weg. Ik zal een poosje wachten, ze denken dat ik er als een haas vandoor ga.'

'En wat dan?' vroeg Cesar.

'Dan nemen we de stoptrein naar Milaan.'

Hij was geen afscheidnemer; toen ik hem ging roepen voor het diner was hij al weg.

Ik vroeg Cesar: 'Denk je dat hij het redt?'

Cesar leek zich niet erg ongerust over hem te maken. Er was die avond gebraden varkensvlees.

'Elias is een heel serieus mens,' zei hij.

Na het toetje was ik nog steeds bezorgd; Cesar keek me aan. Ik kon merken dat hij nu wel ongerust was... – dat ik zou gaan huilen. Hij had een afschuw van elk vertoon van emotie. Zijn schrik was genoeg om mij op te vrolijken, waarop hij opgewekter begon te kijken.

'En nu,' zei hij, alsof hij iets sensationeels ging aankondigen, 'de televisie!'

Cesar was buitensporig dol op televisie. Het kon hem niet schelen waar het over ging. Van streekprogramma's tot en met de avondsluiting, alles kon zijn aandacht vasthouden op een manier die ik nooit zou kunnen evenaren. Toen ik hem de eerste keer vroeg waarom hij zoveel keek, zei hij eenvoudig: 'Ik keek ernaar in het kasteel.'

Cesars antwoorden waren moeilijk hanteerbaar, zodat ik het gewoonlijk maar zo liet. Op een keer probeerde ik het bij Otto: 'Waarom kijkt Cesar zoveel televisie?'

Hij stak zijn lippen een beetje vooruit, een maniertje van hem waarbij zijn zwarte snor in de knel kwam. 'Ik denk dat hij ernaar keek in het kasteel,' zei hij.

Ik begon het kijken van Cesar te beschouwen als een onlosmakelijk deel van zijn bestaan. Het kreeg een bijna mythische status, en ik hield mijn oren open voor verder nieuws over dat geheimzinnige kasteel.

Toen Cesar buiten bewustzijn raakte in de hotellobby en er vier mannen nodig waren om hem naar boven te dragen en het zweet in stroompjes van zijn bovenlip stroomde, schudde Otto zijn hoofd en zei: 'Het kasteel.'

En opnieuw 'het kasteel' toen een hoge zoemtoon zich vastzette in Cesars oor en geen specialist een gehoorafwijking kon vinden, maar hij 's nachts rechtop in zijn bed zat en steeds harder door onze kamer stampte.

Zo zaten we op de laatste avond in Oxford televisie te kijken aan de ene kant van de lange zitkamer, terwijl aan de andere kant iemand piano zat te spelen. Cesar had een zeer lage dunk van elk televisietoestel dat ku ren vertoonde. Hij hield dan niet op met kijken, maar sprak het toe, dreigend, binnensmonds, terwijl hij zijn eigen houding aanpaste aan de onvolmaaktheden op het scherm. Zo had hij in Joanna's flat in Clapham een vaste tic ontwikkeld ter compensatie van het lopen van het beeld. Die avond in Oxford was het beeld goed, we hadden alleen te maken met de gebruikelijke uitbarstingen van beurtelings afkeer en woede, vooral om het ontbreken van actie of om kussen in het openbaar.

'Sufferd, stommeling,' zei Cesar dan handenwringend, 'schiet nou toch op!'

Cesar voelde zich altijd meer gekrenkt door wat er op de televisie gebeurde dan in de bioscoop. Het feit dat het zich allemaal bij hem thuis afspeelde, hoe tijdelijk ook, gaf hem een gevoel van persoonlijke betrokkenheid. Ik weet nog dat we naar de begrafenis van generaal De Gaulle keken en Cesar zich zeer kwaad maakte over de aanblik van de rouwende Fransen. Toen de kanonnen hun saluutschoten begonnen af te vuren, stond hij op, verliet de kamer en bleef koppig met zijn armen over elkaar in de hoteltuin staan tot alles voorbij was.

'Een kwestie van fatsoen,' zei hij. 'Ik kan me onmogelijk in één kamer ophouden met die laffe bavianen,' en hij nam zijn plaats weer in, dicht bij het scherm, en viel prompt in slaap.

We gingen de volgende morgen vroeg weg. De eigenaar leek ons vertrek erg te betreuren.

'Jullie begonnen een beetje familie te worden,' zei hij. De rekening was astronomisch. Bijna een vijfde was voor alles wat kapot was gegaan, veel was voor drank.

'Jullie willen er zeker niet over denken om hier te blijven,' zei de eigenaar, toen hij onze koffers naar de kale forsythia aan de straat bracht.

'Wat zegt u?' vroeg ik, terwijl ik voor het laatst rondkeek in de hal om me de plaats in te prenten van alle dingen met hun saaie verschoten kleuren.

Hij schraapte zijn keel en stond een beetje verlegen met zijn voeten op de tegels te schuifelen.

'Ik heb het niet eerder willen zeggen,' zei hij. In zijn stem zat iets van een Yorkshire-accent en een voorgewende vertrouwelijkheid. 'Maar ik heb wat moeilijkheden gehad.' Hij hield op en keek naar de vloer, waar hij met zijn voet over een doffe plek wreef of daar die moeilijkheden zaten.

'Ik had eigenlijk gehoopt dat we iets af konden spreken...' zei hij.

De gedachte aan chantage kwam bij me op, zodat ik iets beter ging luisteren.

'Ik zal het maar meteen zeggen,' zei hij, nog harder wrijvend over de doffe plek, 'ik heb een lijfwacht nodig.'

Cesar keerde zich af, dat was een woord dat hij kende, hij was opgelucht dat de man niets anders wilde. 'Ik heb afgelopen voorjaar wat moeilijkheden gehad,' hield hij aan. 'Ik liep naar mijn auto, en die vloog de lucht in.'

Hij was kleiner dan ik, hij keek naar me op om te zien of ik luisterde. 'De politie zei dat het een bom was. O, ik weet wie hem erin heeft gestopt, en zij weten dat ik het weet, maar ik word een beetje te oud voor die geintjes, en wat ik nu wil zeggen is...'

Hij schraapte zijn keel weer en ging verder: 'Ze hebben me niet meer lastig gevallen sinds jullie hier kwamen logeren. Ik weet dat het belachelijk is, maar zij denken dat ik jullie heb ingehuurd, en ik wil er best voor uitkomen dat ik dat niet heb tegengesproken.'

Ik bekeek hem met andere ogen. Ik kon me niet voorstellen dat iemand hem kwaad zou willen doen, zo onschuldig zag hij eruit, zoals hij daar zenuwachtig met zijn teen over de vloer stond te wrijven.

Ik aarzelde of ik zou glimlachen of iets zou zeggen. Onder de omstandigheden leek het me wel gepast een beetje sympathie te tonen en hem te ontzien. Maar helemaal zeker was ik daar niet van, dus liep ik langzaam in de richting van de voordeur.

'Ze hebben mijn collie doodgemaakt voor jullie kwamen,' zei hij nog droevig achter mijn rug toen ik de mozaïektreden afliep. 'Ze hebben het dooie beest op de mat bij de achterdeur gelegd,' voegde hij er bijna in zichzelf aan toe. Ik draaide me om voor een afscheidsgroet. Hij was me achternagekomen.

'Ga niet weg,' zei hij, 'ga alsjeblieft niet weg.'

Verontschuldigend keek ik achterom.

'Het spijt me,' zei ik, 'van de hond.'

'Ik zat vroeger in het gokwezen,' legde hij uit, 'maar ik word te oud voor die geintjes. Ik heb dit hotel gekocht voor mijn oude dag.' Hij grijnsde bitter. 'Ze kunnen nu elke dag weer terugkomen. Als je een keer bij een zaakje betrokken bent geraakt, kom je er nooit meer uit.'

Onze taxi was voorgereden en Cesar was onze koffers en jassen aan het inladen.

'Eentje van jullie zou al genoeg zijn,' zei de eigenaar, 'jullie zouden het om de beurt kunnen doen.'

Ik vroeg de chauffeur ons naar het station te brengen.

De oude man gaf het niet op, hij pakte het portier en hield het open.

'Ik zou het natuurlijk heel erg de moeite waard maken voor jullie.'

'Luister, het spijt me,' zei ik, 'maar we moeten weg.'

'Ik hoopte het alleen maar,' zei hij, 'begrijp je, ik heb bescherming nodig.' Ik had nu echt met hem te doen, maar ik werd ook ongeduldig.

'Hebt u de politie geprobeerd?' vroeg ik.

'De politie!' zei hij minachtend, terwijl hij een verdwaald eikeblad stuk wreef op de stoeprand, 'die maken genoeg heisa als ik eenmaal te grazen ben genomen, maar zolang dat nog niet zo is, interesseert het ze niet.'

'Ik hoop maar dat u toch iemand vindt,' zei ik beleefd, pakte het portier uit zijn hand en sloeg het dicht. Cesar leunde achterover in de kussens en zuchtte.

'Nu zijn we allemaal gek geworden,' zei hij.

De taxichauffeur schoof het tussenraampje open.

'Wat wil je nou?' vroeg hij.

'Een vlakte vol stilten,' zei Cesar.

'Wàt?'

'Gewoon naar het spoorwegstation alstublieft,' zei ik haastig.

'Waar zit hij nou over te prakkezeren?' vroeg de chauffeur terwijl hij met zijn duim naar Cesar wees.

'Ik denk dat hij aan het kasteel denkt,' zei ik.

'Nou, het beste met hem,' zei hij met een knipoog en reed weg.

6

In Londen lag een telegram op mij te wachten. Serge zou binnen een week arriveren. Ik belde hem in Yale, waar hij werkte, en vertelde hem dat ik getrouwd was.

Hij was meer dan onaangenaam verrast; niets dat ik te berde bracht leek hem ook maar in het minst gerust te stellen. We hadden een slechte verbinding, wat ook al niet hielp.

'Vergooi jezelf niet,' waarschuwde hij, alsof er nog geen definitieve stap was gezet.

'Ik sta op het punt om naar Italië te gaan,' zei ik, 'maar nu zal ik op je wachten.'

'Hoe moet dat met Cambridge?'

'Dat komt wel goed,' loog ik.

'Hoe oud ben je?'

'Vorige maand zeventien geworden,' zei ik. Ik wist dat hij dat al wist.

'Wat heb je nou toch gedaan,' zei hij twee keer, met matte, gebroken stem.

De lijn begon weer te kraken. Opgewekter zei hij: 'Kom me afhalen van Heathrow, ik stuur een telegram met de aankomsttijd.'

Toen klikte de telefoon, ik wist niet of hij uitgesproken was of dat de lijn het had begeven. Lang stond ik voor het raam met de zwijgende hoorn in mijn hand en keek met een ongemakkelijk gevoel naar de geknotte linden.

Het was begin november, herinner ik me, en de

aankomsthal hing al vol kerstversiering. Ik haalde Serge af van het vliegveld, als gewoonlijk was hij laat, maar even schitterend als altijd. Hij is een meter zesennegentig lang, hij was gewikkeld in bont en had zijn gebruikelijke gevolg achter zich aan. Cesar schudde hem de hand en bewees hem de verschuldigde eerbied. We reden samengeperst in twee taxi's naar het Hiltonhotel, waar hij had besloten zijn intrek te nemen. Twee nogal zwijgzame dagen reden we rond door Londen achter een chauffeur in een grijs uniform en we vulden de tijd met winkelen om niet te hoeven praten. Op de tweede dag vroeg mijn zuster Lalage ons allemaal op de lunch, waarna we de thee nuttigden op Serges hotelkamers. We bestelden thee voor drieëntwintig personen voor ons vieren; Lalage, die begiftigd is met een aanstekelijk soort vrolijkheid, vulde de kamer met haar geschater, en we aten ons door de cake en de sandwiches heen met iets van ons oude plezier. Maar Cesar bleef zwijgen. De aanblik van Lalage en mij leek hem verdrietig te maken. Wat we ook deden, er kwam geen glimlach op zijn gezicht. Hij en ik gingen als eersten weg.

Op de laatste dag kocht Serge voor Cesar een jas van zwart bisambont en voor mij een bruine leren jas tot aan de grond. Hij gaf ons nog veel meer cadeautjes, de sfeer was stroef welwillend. Ten slotte vertrok Serge weer, na een serie diplomatendiners en literaire ontvangsten en zijn gewone bliksembezoeken aan wat hij 'oude vlammen' noemde; zijn afscheidswoorden waren: 'Ik zoek je op in Rome.'

Zodra Serge weg was, namen Cesar en ik de boottrein naar Frankrijk. We hadden over drie weken in Rome met hem afgesproken, in Hotel Continental, en begonnen de reis naar het zuiden via een stel Venezolanen in Parijs, dat in de buurt van de Bastille woonde. We kwamen tegen middernacht aan, met strenge instructies om te voorkomen dat we gezien werden door de conciërge, die nog meer bezoekers in het huis had verboden.

Er verbleven blijkbaar al zoveel personen op de bovenste etage dat de aanblik van nog meer koffers tot gevolg zou hebben dat iedereen eruit werd gegooid.

Hoeveel mensen er ook waren, Elias was er niet bij. Als ik nog illusies had gehad over ontspannen reizen, dan verdwenen die wel tijdens de week die we in Parijs doorbrachten om op hem te wachten. Om te beginnen behoorde de flat waar we logeerden aan een man toe die aan zwarte magie deed en een verzameling had van voodoo-kunstvoorwerpen. Hij had ze opgeprikt en neergehangen op de meest duistere plekken. Er zaten vleermuisschedels in het eierrek in de deur van de ijskast en er bengelden reepjes vergelende huid aan de lampekappen. Er hingen speren en werpspiesen kruiselings in de gang en vreemde zwarte draperieën aan de wanden. De kruidenpotjes varieerden van nootmuskaat tot belladonna; op sommige potjes zat een etiket, op andere niet. Ik merkte dat in het potje waar gemberwortel op stond iets zat wat op kleine klauwtjes leek. Tegen die sinistere achtergrond stak de aanhoudende vrolijkheid van onze gastheren vreemd af.

Cesar en ik kwamen doodmoe aan. Cesar beweerde dat er een punt kwam waarop hij liever doodging dan nog langer wakker te blijven; dat punt was nu bereikt, hij ging naar bed. Ik wou hem achternagaan toen iemand tegen me zei: 'Jullie kunnen niet allebei al naar bed gaan. Jij blijft hier iets drinken.'

Niet drinken is onder Venezolanen zowat het ergste wat je kunt doen. Het geval wilde dat ik graag dronk, maar ik miste het uithoudingsvermogen voor hun marathonsessies van drie dagen. Toch liet ik het wel uit mijn hoofd nee te zeggen, welk uur het ook was en hoe vreemd de plaats, dus zei ik ja en ging met een geforceerde glimlach zitten.

Cesar beweerde altijd dat ik eruitzag als een ezel in een bootje als ik een glimlach forceerde. Ik besefte dat ik er nu ook zo uit moest zien, al wist ik niet hoe dat precies was, en probeerde dat te compenseren door twee grote glazen whisky naar binnen te werken. In een paar minuten was ik vreseliik misselijk.

'Als je toch een plasje gaat doen,' zei iemand, 'laten we dan Vitaliano even te pakken nemen.'

De moed zonk me in de schoenen. Ik wist niet eens wie die Vitaliano was. Ik werd in een gescheurd wit laken gehuld en kreeg een voodoomasker voor mijn gezicht. Ze gaven me een speer in mijn hand en zetten me voor het toilet in een donkere gang. Ik had niet willen zeggen dat ik zelf bang was in het donker, dus wachtte ik in stilte tot die vreemde man zou verschijnen. Mijn neiging tot overgeven was nog net zo sterk als eerst, maar er leek geen ontkomen aan deze malle vertoning.

Vitaliano was ook misselijk. Ik kon hem bezig horen op het toilet. Ik wachtte twee, vijf, acht minuten, tot mijn benen pijn gingen doen. De anderen vergaten me en deden de deur dicht. In het donker kon ik hen horen lachen. Ik leunde half in slaap tegen de muur; toen Vitaliano eindelijk te voorschijn kwam, schrok ik zo dat ik snakkend naar adem overeind schoot. Hij keek, haalde uit, gaf me een schop, merkte dat ik echt was en viel me vervolgens aan met al de kracht van een man die in het nauw zit.

Mijn reflexen waren zo traag geworden dat ik me nauwelijks verdedigde. Vitaliano raasde door. Door zijn vuistslagen viel ik op mijn speer, en toen kwamen de anderen.

'Dat is Lisaveta uit Londen,' legden ze uit.

Ik deed het masker af. Vitaliano was woedend. Mijn schenen en ellebogen deden pijn. Op het toilet zat ik mijn opengehaalde hand te deppen met papier en te wensen dat ik de moed had gehad niet mee te doen aan hun slecht gevallen grap.

Ik trok er een zo vrolijk mogelijk gezicht bij. Het gezicht van de ezel in het bootje.

De volgende morgen werd ik wakker met blauwe strepen en plekken aan een kant. Ik liet ze aan Cesar zien en vertelde wat er was gebeurd.

'Je overleeft het wel,' zei hij, en toen: 'Wees nou maar aardig tegen Vitaliano, hij heeft het heel moeilijk gehad.'

Ik hoopte dat Vitaliano dezelfde instructies zou krijgen ten aanzien van mij, kleedde me aan en ging de menigte trotseren. 's Morgens heerste daar altijd de kater. Ik dronk mijn koffie bij het geluid van de alom bruisende en sissende Alka Selzers. Melina, onze gastvrouw, zat in de keuken in een zijden kimono. Ze was heel mooi. Ze zag eruit als drieëntwintig maar haar haar was spierwit.

'Ik ben ook getrouwd toen ik zo oud was als jij,' zei ze, mij toeknikkend. Ik glimlachte. 'Heb je er al spijt van?' vroeg ze. 'Ze zijn allemaal geschift, weet je. Laten we ze een avondje dumpen en samen de stad ingaan.'

Ik vond Melina aardig. Ik liep graag met haar over straat, omdat zoveel mensen stilstonden om haar te bewonderen. Ze was erg bijziend, het verhaal ging dat ze bezig was blind te worden, hoewel ik haar dat nooit zelf hoorde zeggen. Ze liep zowat tegen alles op waar je tegenop kon lopen. Op de buurtmarkt stond ze stil bij de kaaskraam, enthousiast over de camembert en de brie.

'Maar wat ik echt zou willen,' zei ze, 'is een stuk van die daar. Heb je geld bij je?'

'Ik heb reischeques,' zei ik.

'Laat maar,' zei ze, terwijl ze haar vingers als een hagedissetong over de kaastoonbank liet flitsen. Voor ik wist wat er gebeurde had ze een kaas zo groot als haar vuist gepakt en handig in haar jaszak laten glijden.

'Waarom doe je dat nou?' vroeg ik.

'Omdat ik hem hebben wou, malle,' zei ze.

'Voel eens even,' stelde ik voor.

Ze stak haar hand in haar zak en rilde. Ze had de verkeerde kaas gepikt, haar jaszak was nu één natte, romige troep. Kalmpjes liepen we terug. Na een tijdje verbrak Melina het zwijgen om een passerende gendarme die was gestopt om haar aan te staren, na te roepen: 'Wie denk je wel dat je bent, Casanova?' Toen wendde ze zich weer tot mij.

'Die Fransen!' zei ze kwaad. 'Ze zijn allemaal hetzelfde. Alleen maar kijken, nooit wat doen!'

We liepen een straat verder en toen vroeg ze: 'Stink ik?'

'Een beetje,' zei ik tactvol en probeerde niet te denken aan de zwaar geurende kaas die door haar nieuwe mohair begon te siepelen. Melina werd ineens zo neerslachtig als ze eerst vrolijk was geweest en zei geen woord meer tot we bij de Bastille kwamen, waar ze alleen 'ciao' zei en me aan mijn lot overliet.

Die avond gingen we allemaal uit eten.

'We kunnen het geld maar beter uitgeven nu het er

nog is, en daarna stijlvol arm zijn,' had Cesar gezegd.

Terwijl we ons omkleedden, vroeg ik hem waarom Melina's haar wit was. Ik had het haar de hele dag willen vragen, maar ik had niet onbeleefd willen lijken.

'Waarom bleekt ze het?' vroeg ik.

'Dat doet ze niet,' zei hij, 'het is gewoon zo.'

'Maar hoe komt dat dan?' wilde ik nog steeds weten.

'Waarom lachen ze allemaal zo hysterisch en waarom spelen ze de hele dag monopolie en waarom zijn ze zo bang?' zei hij.

Hij stond zijn lichtbruine haar met zijn vingers achterover te kammen en zichzelf te bekijken in een manshoge spiegel met mahoniehouten lijst. Hij keek streng in het glas en sprong in de houding.

'Ben je soldaat geweest?' vroeg ik. 'Gewoon in het leger, bedoel ik?'

Cesar klikte zijn hielen tegen elkaar, zoals hij wel vaker deed, en zei langzaam: 'Na de jezuïeten ben ik op de militaire academie geweest. Maar daar liep ik steeds weg,' voegde hij eraan toe.

'Hoezo, was het dicht bij je huis?' vroeg ik.

'Duizend kilometer,' zei hij, 'maar ik had het er niet naar mijn zin.'

Ik bracht zoveel mogelijk tijd buiten die spookachtige flat door. Cesar en ik gingen elke dag naar de Tuilerieën en weefden ons vandaar een weg door het labyrint van Parijs. Het werd kouder, we stopten vaak voor een kop koffie om ons te warmen. Telkens als we een bar of café binnengingen, vroeg Cesar eerst om water, dan pas om koffie. Als het water geweigerd werd, zei hij triomfantelijk: 'Zie je wel, het gierigste land van Europa!'

In bont gewikkeld zaten we op bankjes in het park

en zagen er de plukjes Parijzenaars langsdrentelen. Cesar was onder de indruk van de architectuur. In verwondering staarde hij omhoog, en telkens als er iemand voorbijkwam zei hij: 'Stel je toch voor, Parijs, en dan zonder de mensen.'

Otto belde de derde dag en deelde me mee dat we elkaar zouden ontmoeten in Domodossola, net over de Italiaanse grens.

'Neem dinsdag de stoptrein uit Parijs,' zei hij, 'ik stap daar onderweg in.'

'En als je die mist?' vroeg ik.

'Dan lopen we elkaar mis,' zei hij en hing op.

We hadden niet veel in te pakken in Parijs; Cesar stond erop dat we niet te veel mee zouden slepen. Ik liet zelfs wat suède kleren achter in de flat bij de Bastille en stopte er boeken voor in de plaats. Cesar had plezier in Otto's plan ons in de trein te ontmoeten. Hij zei: 'Otto houdt van geheimzinnigheid. Als hij nergens anders heen kon, zou hij zich in een bezemkast verstoppen, alleen om er uit te voorschijn te kunnen komen.'

Soms dacht ik dat Cesar dat ook zou doen als hij maar even de kans kreeg.

Ondanks onze spaarzame bagage waren we toch zwaar beladen, met afscheidsgeschenken als Franse wijn, marrons glacés en chocolaatjes. Melina had ons uitgenodigd voor de kerst, maar Cesar had zijn zinnen gezet op Italië, zodat we het aanbod afsloegen. 'Pas op voor de Lambrusco,' riep Melina, terwijl ze meedraafde naast de trein.

'Wat bedoelt ze?' vroeg ik Cesar.

'Wacht maar af,' zei hij. 'Als je die eenmaal gedronken hebt, vergeet je het nooit meer.'

Heel de agitatie van het zoeken naar het juiste perron was verdwenen zodra we op de trein waren gestapt. We hadden een compartiment voor onszelf met rolgordijnen die het deden en heteluchtroostertjes aan onze voeten.

Ik had mijn jas nog niet uitgedaan of Cesar vroeg: 'En Veta, vind je het een aardige trein?'

Ik dacht even na en knikte toen. Ik kon niet uitleggen wat ik er zo aardig aan vond. Net toen ik mijn gedachten voldoende had geordend om ze aan Cesar te vertellen, merkte ik dat hij sliep. Het regelmatige gezoem van de trein hield hem het grootste deel van de reis in die staat. Ik las mijn boek, dacht aan alle treinen die ik had gekend en keek naar Cesar, die zwaar door zijn mond ademde.

Ik herinnerde me hoe Serge ons op de trein had gezet van Moskou naar Hoek van Holland toen ik tien was, met onze suite in de eerste klas, in het laatste rijtuig. Serge zelf was met de Daimler per schip teruggegaan; de tocht van dagen over de met keien geplaveide wegen was hem te lang. Joanna en ik gingen per spoor. Het diner op de eerste avond in het privé-rijtuig van keizerin Alexandra was een feestmaal geweest. We hadden gezien hoe de mensen de tweede- en derdeklascoupés binnendromden met hun tassen vol eten, gekookte kip en meloenen en kratten frisdrank. Zelfs de corridors roken naar vis en knoflook. We waren de enigen in het eersteklasrijtuig op een oude man na met een samovaar die thee verkocht voor een dollar per kop. Iedereen in de trein leek te weten dat de restauratiewagen werd losgekoppeld in Brest-Litovsk. Alleen mijn moeder en ik waren ingestapt zonder leeftocht voor drie dagen.

Het was ook in Brest-Litovsk dat we uit die mooie

trein hadden moeten stappen, die ze de West-Expres noemden, om bij de grenswacht ons geld in te wisselen voor Russische reischeques. Zelfs de berekenende theeman met zijn samovaar wilde die cheques niet aanpakken.

'Het is twee dollar in roebels, of een dollar in dollars,' legde hij uit.

Aan het eind van de tweede dag hadden we geen dollars meer over. Ik maakte tocht na tocht naar zijn hokje en ruilde sokken en pennen en handschoenen voor zijn bittere koppen thee met citroen. Onze trein gleed door een hittegolf, stopte in Warschau waar ik twee Poolse donuts kocht op het perron, betaalde uit mijn kistje met vreemde munten; stopte in Berlijn, waar grenswachten in grauwe uniformen binnenkwamen en hun bajonetten door de matrassen op onze bedden ramden. En waar ze ons in een rij op het perron zetten terwijl ze onze koffers doorzochten.

Er stond een conducteur voor me. Ik ging op zoek naar onze kaartjes en vond ze in mijn paspoort. De conducteur knipte ze en liep door, op die lichtelijk verveelde manier van Parijzenaars, die uitdrukt dat hun hart niet helemaal ligt bij wat ze doen, maar gereserveerd blijft voor een kunstwerk dat in de toekomst ligt. Ik volgde hem de gang in, leunde tegen het raam en tuurde de nacht in. De trein was versleten als een hotel aan zee dat zijn beste tijd heeft gehad. Hij rammelde voort met een soort bronchitisch gepiep, zo nu en dan heen en weer schuddend als zijn lange staart over de slingerende rails zwierde. Soms schoot er een exprestrein voorbij, die in zijn zelfvoldane doelmatigheid 'reuzevaart, reuzevaart' leek te gieren terwijl hij uit het zicht verdween.

Onze trein sprak met een andere stem. Hij fluisterde vol zelfvertrouwen onder het voortrollen, als een dronkaard met geld op zak. Overal waar een station was hijgde hij binnen en wachtte met zijn ijzeren voeten opgevouwen onder het perron, terwijl wolken stoom langs zijn flanken dreven. Een handvol passagiers stapte in en uit. Soldaten met verlof, een paar toeristen, een paar tieners en wat rustige particulieren. Sommigen kwamen in de gang staan om te roken of gewoon de nacht in te kijken, zoals ik. Telkens als de trein schudde of remde schoot iedereen een stukje achteruit. Alleen de conducteur zwaaide met dezelfde zekere pas de gangen op en neer. Ik begon te oefenen en probeerde het geslinger van de trein op te nemen in een eigen ritme.

Hij baande zich voorzichtig een weg door Melun en Fontainebleau, langs een doolhof van spoorwegborden en seinhuisjes en afgedekte rangeersporen buiten gebruik. Bij Dijon kreeg ik de bewegingen te pakken, ik bracht ze onder in mijn systeem, studeerde erop als op een nieuw geloof. In werkelijkheid waren er vele reizen nodig om dat zeemansloopje te vervolmaken, om door de gangen te kuieren van het ene rijtuig naar het andere, de deuren open te maken met één hand en een schouder en nooit te struikelen, te slingeren of tikkertje te spelen met alle deuren en ramen op je weg. Er waren maanden van oefening nodig om de zwarte flappen over te steken die de rijtuigen met elkaar verbonden, zonder angst te tonen terwijl de wielen zichtbaar knarsten onder mijn voeten. En het kostte een jaar oefenen om onze exacte positie in Europa te kunnen bepalen aan de hand van de stroom koude lucht die omhoogkwam uit het schilferige wasbakje in het damestoilet. Later evenwel bleek het mogelijk onze juiste plaats te berekenen door de hoogte en de tijd van het jaar erbij te betrekken als we door de Alpen ratelden.

Zelfs de jongens die koffie en keiharde broodjes verkochten, konden de trein niet helemaal baas. Plotseling afremmen kon ervoor zorgen dat ze morsten met hun prikdrankjes, en hun appels beurse plekken opliepen op de grond. Er was vaardigheid en concentratie nodig om de stoptrein te berijden. Mâcon, Lyon, Annecy, slingerend zocht hij zijn weg door al de grijze steden van Champagne en Bourgondië, langs hun doorploegde velden, de wachtkamers waar de tijd had stilgestaan, de grijze leisteenvlakken van hun stadhuizen.

Het ene land onderscheidde zich van het andere door de tijdschriften en de frisdranken die door de ramen werden aangeboden in verschillende talen en dialecten, met verschillende smaken al naar gelang de plaats waar we waren. Cesar sliep, werd wakker, sliep weer in, en leek vrolijker en jonger na elke ronde. Het eten werd steeds slechter. De broodjes werden nog harder, de ham droger, de appels en bananen beurser. Het was of al het brood een week voor ons vertrek was gesneden en zorgvuldig verdeeld over alle stations op onze route. Hoe dichter we dus bij Italië kwamen, hoe meer oudbakken de broodjes werden. We hadden onze eigen noodrantsoenen van chocolade en wijn, en Cesar had verscheidene potten aardbeienjam bij zich, waar hij uit at met een theelepeltje. Eenmaal per dag trokken we de trein door naar het restauratierijtuig. Het zou dertig uur duren voor we in Milaan waren, en nog eens het grootste deel van een dag om in Rome te komen. Cesar werd niet warm of koud van de gedachte aan Rome. 'De beste plek in Italië,' zei hij, 'is Bologna.'

7

In Domodossola keek ik uit naar Otto. Toen ik hem niet zag, wilde ik het perron opgaan om hem te zoeken.

Cesar zei: 'Doe maar geen moeite.'

Hij was een boek over de geschiedenis van Peru aan het lezen; zijn gebrek aan belangstelling voor onze afspraak maakte me woedend.

'Geef jij dan niks om Otto?' vroeg ik.

'Maar natuurlijk geef ik om hem,' zei hij, even opkijkend uit zijn boek. 'Hij komt alleen niet, doe maar geen moeite.'

'Hoe weet je dat hij niet komt?'

'Hij komt nooit,' zei hij, zonder deze keer van zijn boek op te kijken.

Ik had dat eigenlijk zelf ook wel opgemerkt, maar het nooit zo duidelijk onder woorden gebracht. Het kostte me even tijd om het helemaal te aanvaarden, maar ik voelde aan dat het de sleutel was tot Otto's karakter. In elk geval was het de sleutel tot het vermogen met hem samen te leven.

We reden door Milaan met zijn netwerk van convergerende spoorbanen en groezelige loodsen die naar het Stazione Centrale leiden. Aan elke beschikbare draad of schutting, op elke muur en telegraafpaal, zaten bordjes: '*è vietato... è pericoloso...*' Roken, praten, zitten, stilstaan, rondhangen, kijken, alles leek verboden, van alles werd gezegd dat het gevaarlijk was. Cesar knikte naar al de verschillende bordjes waar we langsrangeerden.

'Zie je wel,' zei hij opgewekt.

'Wat moet ik zien?'

'Al die bordjes,' zei hij. Hij klapte zijn boek dicht en grijnsde veelbetekenend. 'Ze zijn bang.'

De trein stond lang stil in Milaan, we haalden koffie en vulden onze voedselvoorraad aan met verse sandwiches en cakes.

De stad Milaan zag er akelig en lelijk uit, eindeloze kilometers eenheidsflatgebouwen en kleurloze, zich breed makende fabrieken trokken voorbij.

'Zeg het als je een boom ziet,' zei Cesar.

'Waarom?' vroeg ik.

'Omdat die er niet zijn.'

Ik keek naar de rommelige buitenwijken met al die onooglijke blokken waar de wasgoedslingers van balkon naar balkon reikten, en inderdaad leek er geen boom te bekennen.

'Waarom zijn die er niet?' vroeg ik Cesar.

Er zaten inmiddels nog drie mensen in ons compartiment, twee vrouwen en een priester. Cesar kreeg nu voor het eerst de priester in de gaten. Hij keek hem heel strak aan voor hij mij antwoordde en zei toen spottend: 'Ze zijn waarschijnlijk "gevaarlijk".'

Ik had hem nooit eerder zo lelijk naar iemand zien kijken. De priester schoof ongemakkelijk heen en weer op zijn zitplaats, glimlachte beleefd en verliet het compartiment.

'Ik dacht dat je Italianen aardig vond,' zei ik.

'Dat is ook zo,' antwoordde hij, lief glimlachend naar de twee vrouwen tegenover hem, 'maar ik kan niet met een priester in één compartiment zitten.' Hij knikte toegeeflijk naar de twee vrouwen en vervolgde:

'Bovendien, dat ik Italianen aardig vind wil niet zeggen dat ik hun gebreken ook aardig vind.'

De twee vrouwen waren erg ingenomen met Cesar. '*Molto gentile*,' zeiden ze tegen elkaar en tegen mij, wijs knikkend of ik hen op hun woord geloven kon, en wijzend op Cesar.

'*Molto gentile*,' herhaalden ze en knikten hem bemoedigend toe. Cesar had een magische aantrekkingskracht op oude dames in Italië. Ik denk dat ze hem zalig verklaard zouden hebben als ze de kans hadden gekregen. Zelfs als hij kwaad was en er behoorlijk moordlustig uitzag, knikten de oude dames hem nog goedkeurend toe en vonden hem 'molto gentile'.

Ik ontdekte dat Cesar Italië beschouwde met een speciaal soort toegeeflijkheid; hij was zowaar bereid de gebreken ervan te tolereren. Mensen en plaatsen hadden of in het geheel geen gebreken, of er viel geen goed woord over te zeggen. De Fransen vielen beslist in de laatste categorie. Otto en de Engelsen daarentegen waren foutloos. Daarom 'aanbad' Otto mij, ondanks het feit dat we de helft van de tijd dat we bij elkaar waren besteedden aan bekvechten, elkaar lelijk aankijken en dwarszitten. En dat hij met zo'n akelig precieze regelmaat niet kwam opdagen, werd beschouwd als het zoveelste bewijs van zijn sterke karakter. Alles aan hem droeg bij tot Cesars hoge waardering voor hem. Zo probeerde ik Cesar ook tevergeefs duidelijk te maken dat veel dingen die hij zo bewonderde in de Engelsen achterhaald waren. Voor hem waren ze reëel, en nog steeds aanwezig.

'En de oorlog dan?' was zijn vaste reactie op alles wat ik te berde bracht; hij wachtte dan of ik iets terug durfde te zeggen, en legde vervolgens alles wat ik terug zei uit als gebrek aan loyaliteit.

Italië had volgens Cesar geen gebreken, maar Italianen hadden heel wat op hun kerfstok. In de twee jaar die we in Italië doorbrachten, ontdekte ik dat hij bereid was hun pekelzonden door de vingers te zien, maar dat ze in ieder geval schuldig waren aan vier afschuwelijke tekortkomingen. In de eerste plaats waren ze 'mal', in de tweede plaats hadden ze zich slecht gedragen in de oorlog en waren ze sowieso lafaards, in de derde plaats hadden ze een hekel aan bomen en kapten ze op grote schaal, en in de vierde plaats schoten ze visarenden. Vermengd met die vier redenen tot weerzin was veel bewondering en genegenheid.

Zo had Cesar een theorie dat etenswaar beter smaakte in Italië. Zelfs camembert, waar hij dol op was, was volgens hem in Italië lekkerder.

'Waarom kunnen de Fransen dat toch niet goed maken,' zei hij altijd als we het kochten. 'Hij is hier zo goed!'

Soms lijkt het of die eerste treinreis werkelijk de volle twee jaar duurde. We gingen zo vaak van de ene stad naar de andere dat het moeilijk is zich de eerste keer te herinneren als een afzonderlijke gebeurtenis. Onze trein stopte in Prato en in Florence en in een hele reeks andere plaatsen met namen die klonken als introducties. Orvieto was de laatste halte voor Rome. De trein was steeds voller geworden.

'Als we in Rome aankomen,' zei Cesar, naar mij toebuigend, 'dan laten we eerst iedereen uitstappen. Begrijp je wel? We mogen niet gaan jachten.' Ik zou het liefst vlug zijn uitgestapt om de stad te bekijken, maar het kon mij niet zoveel schelen als Cesar kennelijk; ik knikte dus en leunde achterover.

'Het eerste dat we doen,' zei hij, 'als we in Rome

aankomen, is een bezoek brengen aan de graftombe van paus Alexander VI.'

Ik wist niet wat ik hoorde. Cesar, de atheïst, die met zo'n aankondiging kwam. Hij zag mij ongelovig kijken.

'Alexander Borgia was een serieuze paus,' zei hij beslist. 'De enige Spaanse paus,' voegde hij eraan toe. 'Misschien zou ik nog steeds katholiek zijn geweest als er nu zo'n Borgia op de pauselijke troon had gezeten.'

'Ik dacht dat je niet geloofde,' zei ik.

'Dat doe ik ook niet, maar toen ik bij de jezuïeten was droeg ik een boetehemd en een boeteriem, zelfs bij het voetballen.'

Aangezien ik zelf niet katholiek ben, ontging mij wat het voetballen ermee te maken had, dus vroeg ik hem wat hij bedoelde. Hij legde uit dat die boeteriem een riem was met ijzeren punten aan de binnenkant die in je vlees drongen. Hij werd gedragen door de vurigste gelovigen als boetedoening. Sommige jongens hadden hem zo nu en dan om, maar hij droeg de zijne de hele dag en als hij voetbalde ging hij ervan bloeden. Als ik me Cesar als religieus mens moest voorstellen, ging dat makkelijker als godsdienstwaanzinnige dan als gewone kerkganger.

Het was avond toen we eindelijk in Rome aankwamen. Cesar wilde beslist het graf gaan zoeken. Hij vroeg er allerlei mensen op straat naar, en raakte terneergeslagen toen hij merkte dat ze niet alleen niet wisten waar het was, maar er zelfs nog nooit van hadden gehoord.

'Ik wil er niet heen als ik in een slechte stemming ben,' zei hij. We stelden onze speurtocht daarom uit tot de volgende dag en gingen op zoek naar Hotel Intercontinental.

Onze financiële toestand was steeds penibeler geworden. Cesar zat al twee maanden zonder een cent. Een of twee keer had ik hem gevraagd of hij nog geld verwachtte.

'Er komt wel iets,' verzekerde hij me, maar wanneer wist hij niet, en blijkbaar vond hij het een onaangenaam onderwerp, want hij zat nadat ik erover begonnen was uren te piekeren. Ik had een ruime toelage van Serge, die naar mijn berekeningen net genoeg was voor een goedkoop hotel, maaltijden, de reis en de sigaretten van Cesar. Zodra we het Continental inliepen, besefte ik dat we hier niet de acht dagen konden doorbrengen tot Serge kwam.

Ik legde dat enigszins verlegen aan Cesar uit, maar dat leek hem in het geheel niet te deren; hij pakte de koffers terug van de protesterende portier en stevende de straat weer op.

'Het geeft niet,' zei hij, 'het is nog vroeg. We vinden wel iets anders.'

We waren niet gelukkig met onze hotels. We vonden er een niet ver van het Continental. De voordeur was gesloten, dus drukten we op de bel. Er ging een klein luikje in de deur open en het gezicht van een vrouw verscheen voor dat van Cesar.

'Wat wilt u?' snauwde ze.

'Is dit een hotel?' sloeg Cesar terug.

Het gezicht ontspande een beetje en vroeg iets vriendelijker: 'Met hoeveel?'

'Twee,' zei Cesar.

'Laat zien,' vroeg ze opnieuw vijandig.

Cesar deed een stap terug en het gezicht keek mij aan. Het ontspande weer.

'*E bellina*,' was haar commentaar, en ze opende de deur. Ze voerde ons een versleten eikehouten trap op en een betegelde gang door naar de receptie op de eerste verdieping, die versierd was met kleurige papieren slingers en stoffige lampions. We onderhandelden over een prijs voor half pension. Cesar deed het woord, want hij sprak Italiaans.

Toen nam ze ons mee terug de gang in, rammelend met een enorme sleutelbos. Ze liet ons een eenpersoonskamer zien; terwijl ze zich zo plat maakte tegen de smalle deur als haar corpulentie toeliet, zei ze: 'Deze is voor meneer,' en glimlachte naar Cesar.

De kamer zag er belachelijk klein uit, maar we waren zo moe dat we besloten hem in ieder geval voor die nacht te nemen. Toen vroeg ze ons haar weer te volgen, deze keer naar een andere verdieping. We dachten dat ze ons de badkamer ging laten zien. Maar ze maakte de deur open van weer een eenpersoonskamer en zei: 'En deze is voor zijn dochter,' waarbij ze naar mij glimlachte.

Cesar grijnsde toegeeflijk, hoewel ik wist dat hij het vreselijk vond als mensen dachten dat ik zijn dochter was.

'U vergist zich,' legde hij uit, 'ze is mijn vrouw.'

De vrouw bleef stokstijf staan met haar hand aan de deur. Haar ogen versmalden zich tot spleetjes. Na een poosje richtte ze haar stekende blik geheel op Cesar en begon toen ineens te gillen.

'*Sadico, sadico!*' krijste ze.

We keken haar met verbazing aan.

'Help, help,' schreeuwde ze, 'un sadico!'

De gang begon vol te stromen met half aangeklede, boze mensen. Een kleine man met een snor kwam naast haar staan en een andere vrouw hield haar hand vast. 'Wat is er aan de hand?' vroegen ze; zij begon te vertellen.

'Vanaf het moment dat ik hem onder ogen kreeg,' zei ze, en stak een beschuldigende vinger uit, 'wist ik dat hij niet deugde. En nu,' huilde ze hysterisch, 'dit kind, deze bambina! Hij is een monster!'

'Maar we zijn getrouwd,' protesteerde Cesar. 'Kijk maar.' Hij wees op het magische woord in zijn paspoort en op het woord mevrouw in het mijne. Dit klaarblijkelijke stempel van de wet op de misdaad maakte haar nog furieuzer. 'Haal de politie,' eiste ze. 'Haal de politie.'

'Basta,' zei Cesar beslist. 'Kom mee, Veta.'

We draaiden ons om in de richting van de trap en de deur, maar de weg werd ons versperd door een mengeling van personeel en gasten. We waren gedwongen te wachten tot ze ons lieten gaan. De politie was er heel snel, ze renden de trap op met getrokken pistool. Een van de agenten kende genoeg Engels om te zien dat ons trouwboekje en onze passen in orde waren. Ze verontschuldigden zich en vertrokken, waarbij ze de hele tijd onaangenaam naar mij lonkten. Onze aanklaagster werd door dit nieuws geenszins tot bedaren gebracht, ze bleef binnensmonds 'sadico' en 'fuori' mompelen. Ze stond erop de lichtste van onze koffers naar beneden te dragen, die ze op armlengte van zich afhield, met grote minachting, of het ding krioelde van het ongedierte. Op weg naar beneden klopte ze op elke deur die we voorbijkwamen en riep: 'Kijk toch eens wat een monster, è un sadico.'

Achter ons gingen veel deuren open, een drom nijdige gezichten duwde ons vooruit. Eenmaal bij de deur smeet de vrouw onze koffer de straat op – ze had hem blijkbaar speciaal voor dat doel meegedragen – en gooide de deur achter ons dicht, waarna ze het luikje weer opendeed om ons na te schelden.

We probeerden nog vier kleine hotels, maar hoewel ze er minder heftig deden, weigerden ze ons allemaal omdat ik volgens de wet minderjarig was.

'Maar we zijn getrouwd,' hield Cesar vol.

'Dat weet ik,' zeiden ze dan bezorgd, 'maar ze ziet eruit als een kind.'

'We zouden terug kunnen gaan naar het Continental,' opperde ik.

'Nee,' zei Cesar en ik wist dat dat definitief was.

'We kunnen twee eenpersoonskamers nemen,' stelde ik voor, 'alleen voor vannacht.'

'Nee,' zei hij weer. Hij dacht even na en zei toen: 'Ik weet het, we volgen een prostituée.'

Ik had visioenen van een soort ménage à trois met die onbekende figuur en ik vond het geen aantrekkelijk idee. Aan de andere kant wilde ik niet preuts lijken.

'Misschien heeft ze wel een geslachtsziekte,' zei ik.

'Wat dan nog,' zei Cesar. 'Ze zal toch ergens terecht moeten en waar zij terecht kan, kunnen wij het ook.'

Het klonk als een slimme oplossing, en we gingen op zoek naar onze prooi. Het duurde een hele tijd voor we een geschikt iemand gevonden hadden. Ik heb nooit begrepen hoe dat kwam als je bedenkt hoeveel er zijn in Rome. Misschien is het net als met bussen, ze zijn er nooit als je er een nodig hebt. Toen we ten slotte een veelbelovende dame hadden opgespoord, moesten we wachten tot ze een klant had gevonden. We zagen er nogal opvallend uit met onze bontjassen en onze koffers, maar we zagen kans haar in het oog te houden en ten slotte te volgen naar een nauw steegje met een goedkoop hotel erin.

Ik was blij dat Cesar zo groot was. Het zag eruit als het soort gelegenheid waar een beroving bij de prijs is inbegrepen. We waren allebei uitgeput en merkten niet eens hoe benauwd en slonzig de kamer eruitzag. Cesar had om schone lakens gevraagd; hij maakte het bed op terwijl ik half in slaap op de grond was gezakt. 'Ik hoop dat we onze paspoorten terugkrijgen,' zei hij. We hadden ze beneden moeten achterlaten. Ik was te moe om me daar nog druk over te kunnen maken. Ik kroop in bed en was bijna in slaap toen iemand op onze deur begon te bonzen. Cesar sprong op en vroeg wie daar was.

'Ik ben de portinaio van beneden.'

'Wat wilt u?' vroeg Cesar woest.

'U moet hier weg,' zei de man vastbesloten. 'Zij is minderjarig; als de politie komt, raak ik mijn vergunning kwijt.'

Cesar maakte de deur open. 'Ze is mijn vrouw,' schreeuwde hij de man in het gezicht. Hij keek naar onze paspoorten, naar de namen en de regel waar 'casado' stond, Spaans voor gehuwd.

'O!' straalde hij, 'u bent het eerste getrouwde stel dat ik hier ooit heb gehad.' Hij sloeg zijn handen ineen en zei: 'Een echt hotel, mamma, een echt hotel,' en vertrok.

De volgende dag stond er een bosje fresia's op mijn kamer, en ik leerde mijn eerste Italiaans aan de vergeelde balie in de receptie beneden.

'Ik heb altijd een echt hotel willen hebben,' zei hij.

Het hotel mag dan niet 'echt' zijn geweest, zoals hij het noemde, druk was het er wel. Het was er een voortdurend geschuifel van komen en gaan, en de wanden van onze kamer weergalmden aan drie kanten van het grommen en kreunen en het piepen van veren.

We deelden onze dagen op in ochtenden, siësta's, bioscoopjes en maaltijden. 's Morgens bekeken we de bezienswaardigheden, te beginnen met het grafmonument en de kapel van Alexander VI. Onze man van het hotel wees ons de kapel waar hij begraven lag. Ik zag hoe hij in Cesars achting steeg toen hij zei dat hij haar goed kende. Toen we haar eindelijk vonden bleek ze echter voor drie maanden gesloten te zijn. Cesar was bitter teleurgesteld.

'Ik moet dit zien,' zei hij.

Navraag leerde ons dat de kapel werd beheerd door een monnikenorde die in de buurt huisde. We gingen naar het adres en klopten aan. Een bejaarde monnik deed open. Cesar legde uit dat we 'helemaal uit Venezuela' waren gekomen om het graf te bezoeken.

'Ik kan niet weggaan zonder het gezien te hebben,' zei hij.

'Betekent het zoveel voor je, mijn zoon?' vroeg de monnik.

Cesar knikte, hij was bleek en gespannen, met een vreemde, waterige blik in zijn ogen.

'Ik heb in lange tijd niet zo'n groot geloof gezien,' zei de monnik. 'Ik zal de sleutels halen en je naar de kapel brengen. In deze moeilijke tijden moeten we goed voor onze kudde zorgen.'

Cesar stond heel stil op de stoep; even later volgden we de monnik met zijn bruine pij en zijn sandalen. Hij opende de deur en leidde ons naar een nis in de achterwand waar de tombe en de beeltenis van paus Alexander stonden. Cesar ging er niet meteen heen, maar stond als vastgenageld op een afstand. De monnik trad eerbiedig terug en ging staan wachten aan het andere eind van de kerk, bij de grote deur.

Ik liep wat rond om de architectuur te bewonderen en mezelf warm te houden.

Toen ik langs hem liep, zei Cesar: 'Ga met die monnik praten.'

Ik liep op mijn tenen naar de deur.

'*Parla italiano?*' vroeg hij mij.

Ik schudde mijn hoofd en zei: '*Inglese.*'

'O,' zei hij ernstig, en vervolgde in deftig Engels: 'Het is heel bijzonder om zulk een geloof te zien.'

'Ja,' zei ik, terwijl ik de kou voelde optrekken en hoopte dat Cesar opschoot. De oude monnik voelde mijn onrust en vroeg ineens: 'Ben je katholiek, mijn kind?'

'Ja,' loog ik. Het leek ongepast om hier over atheïsme te beginnen, maar het leek ook verkeerd om op zo'n plek te liegen, dus voegde ik eraan toe: 'De familie van mijn moeder is katholiek,' en liet het daarbij. Het was in elk geval waar, al was mijn moeder haar geloof allang kwijt toen ik geboren werd. Ik hoopte dat hij me niet iets zou vragen dat ik niet wist. Ik keek om, om te zien of Cesar er al aankwam en zag tot mijn ontzetting dat hij bezig was een zilveren miskelk in zijn zak te steken. Ik begon als een kreeft te blozen van schrik en schaamte.

De monnik keek me vol bezorgdheid aan.

'Wat is er?' vroeg hij.

'Het is, eh, heel ontroerend,' zei ik, terwijl ik mezelf koelte toewuifde met mijn toeristenplattegrond.

'Ik ben blij,' zei de oude monnik, 'dat jij ook de religieuze ervaring ondergaat.' Toen verviel hij in het Italiaans en begreep ik hem niet meer. Cesar verscheen, nam mij van hem over, bedankte hem en weg waren we.

Deze ene keer was ik echt kwaad op Cesar.

'Waarom deed je dat nou?' wilde ik weten.

Hij stond stil, we gingen op een stenen muurtje zitten. 'Het was Alexander VI,' zei hij.

'Maar waarom pik je een zilveren kelk; wat heb je

nou toch aan één miskelk?' zei ik boos.

'Maar Veta,' zei hij, 'één kelk is niets, daarom heb ik er ook twee.' Daarop haalde hij ze één voor één uit zijn zak om zijn stelling te illustreren. 'En twee zijn heel mooi.' Hij zette ze naast elkaar op het muurtje.

'Doe je dat soort dingen ook in Venezuela?' hield ik aan.

'Natuurlijk niet,' zei hij, alsof het idee alleen al te gek was voor woorden.

'Waarom hier dan wel?'

Hij gaf geen antwoord, hij luisterde niet, hij liet zijn vinger over het zilveren filigrein gaan terwijl hij er een oppoetste met de zijden voering van zijn jas.

8

We ontmoetten Serge in Hotel Continental, zoals afgesproken, op 5 december. Hij was met een groep professoren uit Yale. We zagen elkaar in de grote bar en
bleven daar bijna de hele avond zitten. Een van Serges
collega's wilde steeds dat ik hem liet horen hoeveel Italiaans ik al had geleerd. Ik legde uit dat ik nog nauwelijks meer dan een zin kende, maar hij wierp tegen: 'Je
papa zegt dat je zo goed bent in talen,' dus moest ik die
ene zin steeds weer herhalen om hem niet af te vallen.
De zin was: 'Ober, breng me nog een peresap', en dan
schoot een van de drie kelners die om ons heen hingen
weg om nog een whiskyglas vol peresap te halen, tot ik
er genoeg van kreeg en ons tafeltje er vol mee stond en
ze omgestoten werden en alles begon te plakken.

Het was vervelend omdat ik wist dat Cesar de conversatie in het Engels niet kon volgen, hij zat zwijgend
in een hoekje te kijken hoe de verzameling peresap
rondom mij groeide en vroeg van tijd tot tijd zachtjes
'Waarom doe je dat nou?', zoals ik dat had gevraagd
bij die kelken.

Serge nam voor ons een suite in het Continental
waar we de volgende dag introkken. Hij bleef drie dagen in Rome en moest toen onverwacht weg. Ik
bracht een paar uur alleen met hem door, terwijl hij
zijn koffers pakte. Serge reisde bepaald niet met een
minimum aan bagage; hij had een serie gloednieuwe
leren koffers, die leeg al bijna niet te hanteren waren

en niet te tillen als hij ze had gevuld met zijn boeken en papieren en een hele hoop kleren. We hadden het over de reis naar Japan; ik zei dat ik niet mee wilde, omdat ik in Italië bleef. Hij leek heel moe, en sterk tegen mijn plannen gekant. 'Wat ga je dan *doen* in Italië?' vroeg hij.

'Niets,' zei ik.

'En Cambridge dan?'

'Ik geloof dat ik liever hier ergens heen ga,' zei ik, en veranderde van onderwerp. Ik wilde hem, op onze laatste avond samen, nu hij zo moe was, niet vertellen dat ik besloten had helemaal niet naar de universiteit te gaan.

'En wat heeft Cesar voor plannen?' vroeg hij in een poging niet te neerslachtig te lijken.

'Ik weet het niet precies,' bekende ik, 'hij is niet zo'n prater.' We belden room service voor een borrel voor mij. Serge dronk nooit veel.

'Ik heb een nieuwe ziektekostenverzekering voor je,' zei hij, 'die is internationaal. Je bent er hier ook door gedekt, herinner me eraan dat ik je de polis geef voor ik terugga.'

Ik bedankte hem en dronk mijn borrel op en toen nog een, terwijl ik verdrietig werd om alles wat we niet hadden gezegd.

Toen hij de volgende morgen vertrok, duwde hij me een pakje dollarbiljetten in de hand.

'Koop nog maar een paar laarzen,' zei hij, 'voor de kerst.'

Ik had een zwak voor dure leren laarzen.

Ik stopte het geld weg, het was vijfhonderd dollar, om te bewaren voor het moment dat ik zonder zou zitten. Ik had er geen idee van dat we het zo gauw nodig zouden hebben.

De dag van Serges vertrek gingen Cesar en ik naar het Colosseum. Ik was verdrietig om Serge en Cesar miste, denk ik, Otto en Elias, want hij had het steeds over hen.

Hij vertelde me dat Otto's oom een beroemde guerrillacommandant was geweest, die in een hinderlaag was gevallen en gedood. En dat Otto's moeder naar de tandarts was gegaan, maanden later, en in een tijdschrift in de wachtkamer had gelezen over de dood van haar eigen broer die ze nog in leven waande, en dat ze toch naar binnen was gegaan en haar tand had laten trekken.

'Je zou moeten proberen hem aardiger te vinden,' zei Cesar, 'hij is mijn beste vriend.'

Hij vertelde me dat Melina, uit Parijs, sinds haar kinderjaren meer in dan uit de gevangenis was geweest, dat ze haar de laatste keer aan haar polsen uit een helikopter hadden gehangen en dat toen haar haar wit geworden was en hoe ook zij naar Europa was gekomen, en hoe hij en Otto en vrijwel iedereen die we hadden leren kennen, in de gevangenis had gezeten.

'Maar Elias niet,' zei hij, 'niemand heeft ooit Elias gepakt.'

Al die tijd liepen we tussen de binnenmuren van het Colosseum; bij elke stap die we zetten, liepen er katten voor ons weg die zich achter ons weer aansloten. Ze waren mager en schurftig in verschillende gradaties. Sommige hadden littekens van het vechten en sommige hadden vergroeide pootjes. Eén jong poesje bleef achter ons aan lopen. Het was een kreukelig grijsje dat een onhandige indruk maakte doordat zijn ribbenkast aan alle kanten uitstak. Elke keer dat we het probeerden kwijt te raken, kwam het weer aandraven en liep het met ons mee. Cesar liet zich op een knie zakken om het te aaien; het kwam overeind om zich tegen zijn hand aan te drukken.

'*Mis, mis,*' paaide hij, wat Spaans is voor poes. We bleven tot lang na het lunchuur, omdat we het poesje en de stille grootsheid van die plek niet wilden verlaten; toen sprongen we over een muur en slopen weg.

We aten in een rustige trattoria een minuut of tien van het Colosseum vandaan. Cesar leek heel spraakzaam en hij vertelde me van alles over de Romeinen terwijl we op onze late lunch zaten te wachten. We hadden tagliatelli con maiale besteld. Het duurde zo lang dat het wachten me ging ergeren.

'Het is het allemaal waard,' zuchtte Cesar, 'als je straks een bord varkensvlees voor je neus krijgt.'

Toen het eten eindelijk arriveerde was het hete, zelfgemaakte pasta, bestrooid met kleine puntjes hardgebakken vet spek. Cesar was sprakeloos. Hij liet zijn bord eten koud worden en bleef ernaar staren tot hij ten slotte de kelner terugriep.

'Waar blijft het varkensvlees?' vroeg hij.

De kelner wees met een vette vinger op Cesars stollend bord eten.

'Het zit er allemaal in, spek is varken,' zei hij beledigd.

Nadat hij was weggegaan dronk Cesar zijn wijn op en schoof zijn bord van zich af.

'Varkensvlees is varkensvlees,' zei hij heftig, en toen: 'Geen wonder dat de fascisten de boel hebben overgenomen.'

Toen de kelner weer terugkwam, vroeg Cesar een papieren zak om zijn onaangeroerde eten in te doen. Deze werd hem met tegenzin gegeven. We namen de zak mee terug naar het Colosseum en gooiden hem daar leeg.

'Mis, mis,' riep hij, en de katten sprongen uit alle hoeken en gaten en achter elke steen vandaan. Het was allemaal al op voordat de meeste er waren, en bij de laatste was het zilverkleurige katje dat we eerder hadden gezien. Geleidelijk werden de randen van de arena gevuld met haveloze, ruigharige kinderen. Ze kwamen naar ons toe met vuile gezichten en uitgestrekte handen, en zo dichtbij dat ze naar mijn jas grepen.

'Ga terug,' zei Cesar.

Maar ik kon me niet verroeren. Ik had nog nooit zoveel bedelaars bij elkaar gezien en ik stond als aan de grond genageld. Steeds meer kwamen er tussen de muren uit, sommigen kreupel, sommigen verminkt, de meesten alleen maar vuil.

'*Soldi, soldi, soldi*,' riepen ze in koor. Ze mengden zich tussen de katten waar ze in sommige opzichten erg op leken, mauwend en piepend aan onze voeten. Cesar was heel boos op hen, hij schreeuwde iets dat ik niet verstond. Een paar keer ving ik op: 'Schaam je je niet?' Ze keken hem vuil aan en dropen af, een paar renden uitdagend joelend door de arena. Een jongen bleef staan, zijn haar was blond, van een kleurloze dofheid die van ondervoeding komt.

' *Ho bisogno...*' begon hij, maar Cesar kapte hem af.

'Ga weg,' zei hij ruw.

De jongen was heel jong, waarschijnlijk niet ouder dan zeven.

'Maar u bent aardig,' fluisterde hij, 'ik zag u de katten voeren.'

'Ja,' zei Cesar, 'maar dat waren katten.'

'En ik ben een mens,' snikte de jongen.

Ik voelde een brok in mijn keel.

'Precies,' zei Cesar kortaf en draaide zich om. Hij

nam mij bij de arm en duwde me naar het hek. Ik keek om, de jongen stond er nog te huilen.

Ik liep naar hem terug en gaf hem een handje munten van honderd lire. Hij glimlachte naar me en veegde zijn ogen en zijn neus af aan zijn mouw.

'Grazie,' riep hij me achterna.

'Geeft dat je nu een mooi gevoel?' vroeg Cesar geringschattend. Ik was geschokt en gaf geen antwoord. 'Dat is een aardige jongen, die komt er niet met geflikflooi. Katten komen niet met smoesjes aan. Ik respecteer zelfrespect,' voegde hij er weglopend aan toe.

Ik kon Cesar soms niet bijhouden, zijn lopen niet en zijn denken niet. Het grijze katje liep weer achter mij aan en vroeg nog steeds om aandacht. Door de uitgang volgde het ons, speels uithalend naar mijn lange rok, tot aan de stoeprand.

'Die wordt overreden,' zei ik.

'Nee hoor,' probeerde Cesar me te overtuigen. 'Als het zo lang kon blijven leven, blijft het nog wel een tijdje leven.'

'Ik neem het mee naar huis,' zei ik opstandig.

'Je hebt niet eens een huis.'

'Nou, toch neem ik het mee.'

Ik pakte het diertje op en stopte het onder de bontkraag van mijn jas. Het was ongelooflijk licht en benig en het voelde niet erg prettig aan, maar het begon wel te spinnen. We zochten onze weg door de kronkelige straatjes naar het Continental. Ik smokkelde het door de lange lobby vol spiegels de lift in en vandaar veilig naar onze kamers. We hadden een kamer en een soort kleedkamertje, een badkamer en een studeerkamer, die door Serge heel attent voor twee weken vooruitbetaald waren. Het katje leek zich nergens op zijn gemak te voelen. Het schoot van hot naar her, vloog tegen de plinten op en viel weer terug. Het ontlastte zich op het kleed in een soort krampachtige razernij. Het begon zielig te miauwen. Het was hetzelfde hartverscheurende gemauw als dat van een van de jongen van onze kat Fluphi, toen de werkster het per ongeluk tussen de deur van de koelkast had geklemd. Het had op het kleed gelegen met zijn pootjes in de lucht en had met zijn onderlijfje gedraaid in een vreemde stijve dans, tot de ruggegraat geknapt was en het slap lag, nog steeds miauwend. Dit nieuwe katje gedroeg zich op dezelfde wanhopige manier. Cesar lag op bed een *Leven van Napoleon* te lezen. Hij keek over zijn boek heen naar het katje en naar mij. Ik was totaal hulpeloos.

'Pak het op,' zei hij en wijdde zich weer aan zijn boek.

Dat deed ik. Meteen was het stil.

Ik maakte een nestje voor hem in de kleedkamer, omdat die klein en donker was, en ook omdat ik hem af kon sluiten voor de nieuwsgierige ogen van de kamerbediening. We noemden het Coliseo. Het at schrokkerig, en braakte dan het meeste weer uit. De volgende dagen begon het dikker te worden en glanzend en slaperig. Het had vlooien en wormen en was totaal onzindelijk. Het spon zodra ik het beetpakte en werd driftig als ik het weer had neergezet.

Ik kon merken dat Cesar Coliseo niet waardeerde; nadat hij, of zij, dat was moeilijk te zeggen, een week bij ons was geweest, begon ik hem gelijk te geven. Het was duidelijk dat Coliseo de kleedkamer haatte, en de andere kamers nog meer. Hij begon zelfs zijn belangstelling voor eten te verliezen, dat bestond uit gesmokkelde restjes die moeilijk te bewaren waren, sardientjes waarvan de lege blikjes mee naar buiten moesten worden genomen en melk uit een pak dat buiten het matglazen badkamerraam werd bewaard.

Coliseo kwijnde. Ik besloot dat het een hij was. Er was al twee keer geklaagd over zijn gemiauw. Het kamermeisje begon achterdochtig in onze kamer rond te kijken. Er hing een zware geur van ontsmettingsmiddelen om kwalijker luchtjes te verdoezelen. De vlooien hielden ons 's nachts uit de slaap. De hele suite zat er vol mee. Ik bleef steeds vaker thuis bij Coliseo terwijl Cesar er in z'n eentje opuit ging. Het katje rustig houden was een verloren strijd. Het wilde voortdurend geaaid worden, maar zijn braken en zijn wormen werden te veel voor me. 'Wat is er toch met hem?' vroeg ik Cesar op een avond dat zijn gemauw alle perken te buiten ging.

'Hij wil terug,' zei Cesar.

De telefoon ging. Het was de receptie met alweer een klacht over het rumoer. Ik wist dat Cesar gelijk had, al wilde ik het niet toegeven. Ik probeerde me te troosten met de gedachte dat ik het goed had bedoeld. Ik kon het hem al horen zeggen: 'Goede bedoelingen zijn nooit genoeg.' Ik stopte Coliseo in mijn valies en we brachten hem terug naar het Colosseum. Het was bijna middernacht en koud en het hek was dicht, zodat ik hem tussen de spijlen door liet glippen en er verder het beste van hoopte.

'Het spijt me,' zei ik tegen Cesar, na een lange, zwijgende wandeling.

'Ik ben God niet,' zei hij.

Ik liep achter hem en staarde met een intense hekel naar zijn nek, hopend dat een auto hem zou overrijden.

De volgende dag werd ik opgelucht wakker, klaar om weer op de bezienswaardigheden af te gaan. Cesar liet een bad voor mij vollopen en gooide er een hele fles badolie in leeg.

'De laatste resten van Coliseo,' verklaarde hij. Het was waar dat de kamers een tikje stonken. Hij deed het grote raam open en leunde naar buiten om zijn eerste sigaret van de dag te roken. Hij rookte altijd al voor het ontbijt. Soms vertelden mensen hem hoe ze van het roken waren afgekomen en dan vroeg hij: 'Wanneer rookte je je eerste sigaret?'

Als ze dan iets anders zeiden dan meteen na het opstaan, verkondigde hij: 'Aha, dan was je geen echte roker. Ik neem roken serieus.' En dan sloeg hij met zijn vuist op tafel. Zo was het.

Na het ontbijt gingen we naar het Vaticaan en toen we op het St.-Pietersplein stonden verklaarde Cesar: 'Ik wil terug naar Milaan.'

'Wanneer?' vroeg ik.

'Gauw,' zei hij.

'Hoe gauw?'

'Vanavond.'

'Is er iets gebeurd?' vroeg ik.

'Nee. Ik wil gewoon weer verder.'

We gingen naar het Vaticaans museum. Daar waren veel mensen, hoewel het winter was en het toeristenseizoen nog niet was aangebroken. We waren verplicht alle manuscripten te bekijken terwijl we voortgestuwd werden door een slingerende rij begerige pelgrims. Bij de deur lag een enorm gastenboek, minstens dertig centimeter dik, en van de suppoost gescheiden door een kluwen dringende mensen. Toen we erlangs kwamen, pakte Cesar het op, enigszins wankelend onder het gewicht, en hij zou het meegenomen hebben als het niet met een ketting aan de muur had vastgezeten.

'*Hijos de puta*,' zei hij kwaad toen hij het teruglegde, waarbij hij de halve rij als dominostenen liet struikelen.

'Waar wilde je dat voor hebben?' vroeg ik zodra we weer buiten stonden.

'Voor Otto,' zei hij.

Toen de koffers waren gepakt en we gegeten hadden, bleek er geen directe verbinding met Milaan te zijn, zodat we genoegen namen met een overstap in Florence. De hotelreceptie liet ons node gaan.

'U hebt nog acht dagen tegoed. Nog acht diners,' zeiden ze ongelovig. 'Inclusief een kerstdiner.'

Het kostte enige tijd hun duidelijk te maken dat het in hun voordeel was als we gingen. Eenmaal in de trein zei Cesar: 'Ik heb zo'n gevoel dat ik in Milaan mijn horlogebandje vind.'

'Zo'n gevoel' had hij vaak over dat bandje. In heel Rome had hij 'het gevoel' gehad, zonder resultaat, en ik was minder hoopvol dan hij over de afloop in Milaan. Maar in zijn speurtocht naar zijn Longinesbandje was Cesar een eeuwige optimist. Elke winkel zag er veelbelovend uit, elke juwelier 'moest het zijn'. We volgden ons spoor terug: Orvieto, Arezzo, Firenze, daar overstappen en voortkruipen door de nacht naar Prato, Pistoia en uiteindelijk Milaan. De namen begonnen zich in mijn geheugen te etsen. En hoe meer we reisden, hoe meer ik bewees dat Cesar ongelijk had. We waren geen refugiés zoals hij had beweerd in het Colosseum: deze stoptrein was ons thuis.

9

Zowel Otto als Elias was in Milaan. Cesar vond hen op een afgesproken adres bij de Naviglio Grande. Milaan was vol en vuil en verwaarloosd, maar het beviel me wel. We hadden onze koffers op het station gelaten en kwamen net op tijd voor het ontbijt. Otto knikte dat we moesten gaan zitten, Elias verdeelde het eten op tafel over vier borden in plaats van twee. Er werd niets gezegd over het feit dat we weg waren geweest. We begonnen te eten en zetten de conversatie voort op het punt waar we gebleven waren, meer dan een maand geleden, in Oxford. Elke keer dat iemand van ons wegging, kwam de groep weer bijeen op dezelfde manier, alsof we even de trap waren afgelopen voor een pakje sigaretten, of de kamer uit voor een doosje lucifers. Elias had weer een auto op de kop getikt, een Fiat deze keer, niet zijn gebruikelijke Mercedes.

'We zitten in een recessie,' lachte hij.

Elias' manier van rijden had mij in Engeland extravagant geleken, maar nu, losgelaten op de minder gezagsgetrouwe wegen van Noord-Italië, verloor hij alle zelfbeperking. Om hem recht te doen moet ik zeggen dat hij niet de enige automobilist was die ik altijd op de stoep zag rijden, maar hij was wel de enige die ik ooit heb gekend, die altijd parkeerde door eerst de auto's voor en achter uit de weg te schuiven en zich er dan tussen te wringen. In weerwil van al zijn kwalijke praktijken achter het stuur kreeg hij nooit een boete voor een verkeersovertreding. Hij rammelde over de kasseien, met zijn auto voetgangers opjagend zoals een kind duiven opjaagt. Hij reed trapjes af en dwars door markten heen met de strijdkreet: 'Geronimo!' terwijl de kleine auto stuiterde en ratelde, maar hij kwam er altijd net zonder kleerscheuren van af. Elias hield van Italië. Hij had er plezier in als in een nieuw speelgoedtreintje of -vliegtuigje, hij speelde met wat het te bieden had en buitte iedere minuut uit.

We brachten de dagen gezamenlijk door, bezochten vrienden van Otto, snuffelden in boekwinkels en zaten in cafés te praten en wijn te drinken. Elke dag leek kouder dan de vorige; Cesar had daar meer ongemak van dan een van de anderen. Hij had last van reumatiek. Zelfs in de zomer konden zijn handen en voeten pijn doen, en hij ging nooit weg zonder zijn aspirines en smeersels. Cesar stond eigenlijk afwijzend zowel tegenover ziekte als geneesmiddelen, maar hij aanvaardde dat er verschillende graden van ongemak bestonden. Ter bestrijding daarvan geloofde hij in aspirine. Hij geloofde hartstochtelijk in de macht van aspirine om alle kwaad te overwinnen. Hij slikte er soms twintig per dag, en hij kon geen dag voorbij laten gaan zonder er ten minste één in te nemen. Hij vertelde me dat alle mannen in zijn familie doodgingen op zijn leeftijd of jonger als gevolg van een aangeboren hartafwijking. Volgens mij dacht hij dat dit lot hem onverwijld zou treffen als hij niet zijn dagelijkse dosis aspirine nam.

In Londen had hij zijn hart laten onderzoeken door een specialist. Cesar beweerde dat hij al heel ver heen was in die familiekwaal. Toen de cardioloog echter aankondigde dat zijn hart zo gezond was als het maar kon, had Cesar, in het geheel niet overtuigd, uitgeroepen: 'Zie je wel, zo goed zijn aspirines nou!'

In elke zak van elk jasje en elk vest zat ten minste één wikkel met acetylsalicylzuur, met de gebruikelijke waarschuwing tegen het overschrijden van de aangegeven dosis. Cesar negeerde haar als een typisch voorbeeld van het feit dat mensen je nooit genoeg van iets goeds gunden en op elk ogenblik van de dag zoog hij op zijn aspirines of het hoesttabletten waren.

Ondanks dat alles werd zijn reumatiek in de bijtende kou van Milaan erger. Hij klaagde er niet over, maar zijn gezicht kreeg iets grauws en zijn benen bewogen stroef, soms blokkeerden ze zelfs helemaal.

Toen ons geld begon op te raken, bleven we steeds vaker binnen. Alles was erg duur en we deden ons best de eindjes aan elkaar te knopen. We besloten een goedkopere flat te nemen en accepteerden ten slotte twee kamers die ons door een vriend gratis werden aangeboden. In de eerste golf van enthousiasme waren we blind voor de schaduwzijden van dit aanbod. Om te beginnen lag de flat op de zesde verdieping van een huurkazerne in de achterbuurt Porta Ticinese bij de Naviglio Grande. Het kon ons niet schelen, we vonden het pittoresk, vooral omdat meer dan honderd jaar geleden alle schilders van Milaan in die huurhuizen hadden gewoond. In de tweede plaats was er geen badkamer, alleen een toilet met kraan dat gedeeld werd door de hele verdieping. Het kon ons niet schelen, we wilden iets proeven van het Italië zoals de Italianen het kenden. Ten derde draaiden de stenen trappen van het gebouw rond een donkere binnenplaats, zodat elke trap uit vier delen bestond. Ook dat leek pittoresk, maar het betekende wel dat Cesar later met zijn gezwollen gewrichten amper het huis meer uit kon. En ten vierde was de flat een bergplaats van enorme hoeveelheden illegale spullen. Ook dat was geen bezwaar, vonden we, we hadden tenminste een plek om te leven, een plek van onszelf.

De flat had twee kamers. De eerste had een dakraampje in het plafond en de tweede had helemaal geen raam. Ze waren allebei donker en vochtig en de elektrische verlichting was onvoldoende. Het leek geen bezwaar dat er geen meubels waren. We kochten een grote matras, die Cesar, Otto en ik deelden. Elias zat 'voor zaken' elders. En we kochten een heel gewone tafel, een hoge kruk, twee stoelen en een butagasstel. Onze vriend, Tito, gaf ons een petroleumkachel, dekens en een teil.

Vooral Cesar was ingenomen met ons nieuwe huis. In de tweede kamer stond een zwaar metalen hek dat ongeveer tweederde ervan afsloot en waar altijd een hangslot op zat. Achter dat hek lag een enorme hoeveelheid elektronische apparatuur.

'Je bent welkom in de flat, voor wat die waard is,' zei Tito tegen ons. 'Ik hou hem alleen aan voor de zenders en zo. Je mag alle televisietoestellen buiten het hek gebruiken, maar kom niet aan de andere spullen.' Hij glimlachte een beetje verlegen en zei toen: 'Je kunt er de nationale radiozenders mee onderbreken en als het goed is kun je er ook mee op de televisie komen. We zullen het maar één keer kunnen gebruiken voor het opgespoord en gevonden wordt, en ik wil niet dat het per ongeluk gebeurt.'

Cesar vond het prachtig. Drie televisietoestellen. Hij gebruikte ze alle drie tegelijk, maar op verschillende kanalen, soms met twee op hetzelfde kanaal, en draaide dan op zijn kruk van het ene naar het andere scherm. Hij leek er nooit genoeg van te krijgen.

Toen Elias terugkwam, nam hij ons mee voor uitstapjes. Hij kende de streek goed en reed dikwijls met ons langs de rivier de Ticino, om het Lago Maggiore heen de Alpen in. De sneeuw bedekte alles als gekreukeld damast en was aan beide kanten van de kronkelende weg in elkaar geschoven als massieve barricaden. De Fiat huppelde en stuiterde tegen die ijsmuren aan als Elias door de bochten scheurde en de wagen over de hobbels in de weg liet slingeren. Ondanks zijn rare streken was Elias een eersteklas rijder, en de auto liep nooit meer dan een schrammetje op.

In het weekend reden we soms de autostrada naar Como op. Elias nam op dat stuk weg altijd de tijd op, haalde alles uit de auto en verbeterde keer op keer zijn eigen record. Hij had een vriend met een garagebedrijf; geleidelijk aan werd de Fiat uitgerust met een sterkere motor en servoremmen. Op een dag werden we op dat stuk snelweg aangehouden door een politiewagen.

'Porca Madonna,' zei een van de agenten kwaad, 'je vliegt een beetje laag.'

Elias glimlachte innemend. 'We bereiden ons voor op Monza,' legde hij uit.

Er zijn weinig Milanezen die de betovering van het autoracen kunnen weerstaan. De auto is er meer een statussymbool dan waar ook ter wereld. *La macchina* beheerst alles. Zomaar een praatje kunnen maken met een echte autocoureur was voor een gewone politieman voldoende om elke overtreding door de vingers te zien. We reden weg, onder achterlating van een indrukwekkende rookpluim als saluut aan hun goedgelovigheid.

Otto zat altijd knorrig met mij achterin, Cesar zat naast de bestuurder. Cesar en Otto kwamen uit de Andes en hadden weleens eerder sneeuw gezien, ongeveer eens in de tien jaar, als er een klein buitje viel op de Adelaarspiek en er honderden mensen op straat rolschaatsten om dat te vieren. Elias echter kwam uit de laagvlakte, van de droge savanne van Venezuela, en had nooit sneeuw gezien voor hij naar Europa kwam. Hij bleef zich erover verwonderen. Naarmate de wegen hoger de Alpen indraaiden, lag de sneeuw hoger en droger in de omringende velden.

Zowat ieder halfuur stopten we om de sneeuw in ons gezicht te wrijven; we klommen over de hekjes langs de weg en waadden tot aan onze knieën door de poederige substantie. Toen Cesar dat een keer had gedaan, lag hij twee dagen in bed met koorts en met gewrichten die vast zaten. Hij bleef dus gewoon in de open auto zitten roken, of hij liep de weg op en neer om warm te blijven. Otto beleefde evenveel plezier aan het spelen in de sneeuw als iedereen; Elias dook erin weg, sprong dan te voorschijn en probeerde ons, terwijl we ons onhandig en geremd voortbewogen, te vangen.

Elias studeerde fotografie. Hij verdween twee keer in de week naar zijn cursus en stukje bij beetje begonnen zijn camera's en verdere uitrusting de flat binnen te dringen. Op een dag deelde hij ons mee dat hij genoeg had van zijn 'zaken' en dat hij bij ons introk. Daarvoor zat hij al meestal bij ons in Porta Ticinese; hij gebruikte onze kamer met het hek en de televisietoestellen als donkere kamer voor zijn foto's. Hij maakte er letterlijk honderden op een dag die hij dan ontwikkelde en aan metalen knijpertjes te drogen hing aan het hek. Elke keer dat we de bergen ingingen kwam hij terug met meerdere rolletjes. Er waren hele reeksen van Cesar die op de weg liep, Cesar die weer naar de auto liep en Otto tot aan zijn middel in de sneeuw, waarop alleen zijn grijze manen boven zijn jas te zien waren. Je had Cesar slapend. Je had Cesar met mij in bed, met en zonder Otto, allemaal gewikkeld in bont op ons dunne matrasje. Er was een serie die '*il dottore*' heette, en die Otto toonde in verschillende houdingen, nadenkend, redenerend, discussiërend, lezend, bladerend, en zo verder. Elias had een enorm aantal camera's, variërend van een buisje van tien centimeter dat hij kon verbergen in de palm van zijn hand tot grote kasten op driepoten, met hiëroglyfen rond elke lens. Elias had ook een serie die we '*il sadico*' noemden; daarop stonden Cesar en ik voor de dom van Milaan, Cesar die er in zijn bontjas afschuwelijk verlopen uitzag, boosaardig neerkijkend op mij, terwijl ik er met opgestoken haar, een hoog Edwardiaans boordje en een 'icoon' aan een kettinkje, uitzag als een engel van twaalf. Elias had daar zo'n vijftig opnamen van, allemaal vanuit een andere hoek, allemaal tegen die witmarmeren achtergrond; hij was ze eindeloos aan het uitvergroten en lichter of donkerder afdrukken. Er was er ook een van Cesar en mij staande in de besneeuwde tuin van een groot herenhuis in Como. Die laatste stuurde Cesar naar zijn zuster in Venezuela. 'Maak je geen zorgen over mij, zoals je ziet zitten we in een aardig huis,' had hij erbij gekrabbeld.

'Ze zouden Ticinese niet begrijpen,' zei hij.

De komst van Elias naar de flat drukte ons met de neus op de armoedige kanten van onze verblijfplaats. Hij verscheen op een morgen toen we aan het ontbijten waren. Het ontbijt duurde soms meer dan de halve dag; Cesar warmde dan zijn koffie nog eens op, Otto vulde zijn thee bij. Elias bracht een eenpersoonsmatras mee, zijn boeken, zijn kofferset van Yves Saint Laurent en zijn camera's. Hij was de enige van ons die nooit tegen het trappenlopen opzag. Nadat hij al zijn spullen boven had gebracht zei hij resoluut: 'Iedereen die mij een communist noemt, liegt. Samen delen is mooi, maar dit is *mijn* doek.' Hij schudde een roze lap open. 'En *mijn* tandenborstel en *mijn* zeep, en ik vermoord iedereen die eraan zit.' Hij legde ze op onze geïmproviseerde wastafel, maakte rechtsomkeert en vertrok.

Het was maart en mijn cheque van Serge was niet aangekomen. We hadden besloten naar een grotere ruimte te verhuizen. Het was niet te doen waar we nu zaten. Met zijn vieren in de flat was het in de rij staan voor het toilet een echt probleem geworden. Er waren nog zeven flats op onze verdieping, allemaal aangewezen op hetzelfde gat en dezelfde kraan, en in elk daarvan huisde minstens één gezin, met kinderen en ouders en al. Bijna elke dag moesten we voor een van ons een nieuwe tandenborstel kopen; ze gleden steeds uit je zak het gevreesde gat in tijdens het gecompliceerde proces van hurken of een douche nemen. Het wassen gebeurde voor een groot deel in onze kamer en in Tito's echte flat, waar hij een bad had en twee dozen met langspeelplaten van Marlene Dietrich in het Duits, en een echte haard.

Tito kende Zuid-Amerika goed, hij had er verscheidene jaren doorgebracht, en had op Cuba gevochten in een soort internationale brigade. Hij was geweldig vrijgevig en we wisten geen van allen hoe we iets terug konden doen voor zijn weldaden. Op een dag vroeg hij of we hem konden helpen met wat documenten. Elias zei dat hij met genoegen van alles wou vervalsen; hij was heel goed in zegels en stempels, maar niet in handtekeningen. Tito keek teleurgesteld.

'Maar Lisaveta is daar goed in,' voegde Elias er haastig aan toe. 'Nietwaar?' Hij keek me veelbetekenend aan en fluisterde in het Spaans: '*piratea.*' Hij zei dat ik bluffen moest, dus blufte ik, en de volgende maand besteedden we aan het vervalsen van een stapel nogal middelmatige paspoorten en visa en vergunningen van allerlei soort. Ik had veel botanische tekeningen gemaakt en had een bijzonder vaste hand. Desondanks zorgden zenuwachtigheid en gebrek aan oefening ervoor dat de handtekeningen van de consuls en de adjunct-secretarissen voor wie ik die maand tekende, allemaal waren aangetast door wat een epidemie van de ziekte van Parkinson leek. Elias zei: 'Het geeft niet, ze hoeven alleen maar gecontroleerd te worden door een of andere boerenkinkel uit de Abruzzen.'

Mij overtuigde dat niet, en Otto ook niet, want als we zelf iets nodig hadden van een vergunning of een visum gingen we naar het juiste adres en stonden ervoor in de rij.

In feite was ik het die in de rij stond. Ik nam dan mijn eigen Britse paspoort mee, plus een van de anderen waar een nieuw stempel in moest, en ging staan wachten bij het betreffende consulaat. Ik ging een flink eind bij de balie vandaan staan of zitten en deed of ik vreselijk verlegen was. In het begin was ik dat ook, waardoor dat me geen moeite kostte. Op den duur kwam de aardigste van de dienstdoende beambten dan wel naar me toe om zich over mij te ontfermen en te vragen waarop ik wachtte. Ik zei dan dat ik een bezoek ging brengen aan een tante in Frankrijk of Zwitserland of waar ook en dat ik voor een visum kwam. Ze zeiden dan iets geruststellends, vroegen naar mijn paspoort en ik deed of ik zou gaan huilen. Ze pakten mijn pas en zeiden met een glimlach: 'Maar je hebt helemaal geen visum nodig, meisje, je hebt de Britse nationaliteit.'

Ik bedankte hen uitvoerig en vroeg dan onschuldig: 'En mijn oom?' waarbij ik met de pas van een van de anderen op de proppen kwam. Die namen ze dan mee, en later in de middag kon ik die komen ophalen.

'Ze kunnen jou niets doen,' had Otto uitgelegd, 'maar als ze een van ons door zouden krijgen, zouden we in zo'n consulaat als een rat in de val zitten.'

In Londen deden we het anders. We gingen allemaal tegelijk naar het gebouw van Binnenlandse Zaken in High Holborn, trokken een nummertje en wachtten tot we naar de hokjes geroepen werden die om de zaal heenlagen. De eerste die ging nam een portefeuille mee die uitpuilde van de vijfpondsbiljetten. Ik ging steeds mee als tolk. Er werden de gewone vragen gesteld en er werd ook altijd geïnformeerd naar bankafschriften. Op dat punt gekomen gaf ik de vraag door aan Cesar of Otto of Elias, die hun ondervrager dan beteuterd aankeken.

'Ik heb niets bij me,' zeiden ze, 'alleen een beetje papiergeld.'

'Hoeveel,' werd er dan gevraagd.

'Niet veel,' was het antwoord, en dan kwam de portefeuille te voorschijn, met vijf- of zeshonderd pond in biljetjes van vijf.

Dan werd er even geslikt, 'U kunt blijven' gezegd en er werden weer drie maanden bijgestempeld in de paspoorten. Het enige wat vereist was om in Engeland te verblijven was blijkbaar rijk genoeg zijn.

Om de visa voor Italië te krijgen namen we de trein naar de Franse grens, staken haar over en gingen weer terug. Soms bleven we zitten tot helemaal in Parijs, alleen voor ons plezier, en namen dan de eerste trein terug. Otto had een vriend wiens vriend een vriend had die ons gratis kaartjes bezorgde voor de stoptrein. Een keer toen we per ongeluk de exprestrein hadden genomen moesten we het verschil bijbetalen, waardoor we bijna failliet gingen. Maar retourtjes voor de stoptrein waren altijd voorhanden, hoewel we de kaartjes niet konden inwisselen voor geld.

Toen de lente aanbrak begon ik me moe te voelen. Soms leek het of zelfs de lente verboden was in Milaan. '*E vietato sporgersi*'. Cesar had gelijk. Het was of het zelfs de blaadjes en het gras en de bloemen verboden was uit het raam te leunen. Er was alleen de lange wandeling over het oude jaagpad langs de Naviglio Grande en de smalle verbindingsbruggen die naar het midden omhoogliepen en vanwaar je kon zien hoe het trage, bijna stilstaande kanaalwater zich een weg baande langs de stukken ledikant en andere rommel, die in het wier eilandjes hadden gevormd.

Elias stond daar vaak in het water te turen, ook hij was moe en rusteloos. 'Ik wil mijn dokter opzoeken,' zei hij.

Vanaf de volgende brug staarde ik naar het afval; er lag daar een rubber handschoen die in het wier was vastgeraakt naar me te wuiven als de hand van een verdronken man.

Het was mei en ik had nu bijna twee maanden niets van Serge gehoord. Zelfs mijn gewone cheque van de Chase Manhattan Bank in New Haven was niet gekomen. Ik had een gevoel of ik ziek was, maar ik wilde het niet tegen de anderen zeggen. Zij keurden ziek zijn af. Het zou niet elegant zijn geweest om gewoon maar te gaan liggen in ons benauwde onderkomen en toe te geven aan het knagende gevoel in mijn binnenste. Serge was vergeten mijn ziektekostenverzekering bij me achter te laten. Ik had geschreven om hem eraan te herinneren, ik had zelfs een telegram gestuurd. Ook ik wou een dokter opzoeken. Op een morgen hing Elias over de brug om oudbakken broodkruimels uit te strooien voor denkbeeldige eenden. 'Ik ga maar eens aan mijn dokter denken,' kondigde hij aan en nam zijn positie in op de brug. Ik was duizelig wakker geworden en was blij met elk voorwendsel om uit de flat weg te komen. Ik had gezegd dat ik model ging staan voor Elias. Hij stond dus op zijn brug en ik op de mijne, starend in het smerige water. We bleven daar de hele morgen, door niets gestoord behalve door één eenzame roeiboot; langzaam raakte ik in paniek dat ik dood zou gaan in die huurkazerne in de Porta Ticinese, dat mijn handen vast zouden raken in het wier, dat ik zou wuiven naar elke bedroefde voorbijganger die de moeite nam erop te letten.

Ik werd uit die fantasie opgeschrikt door de komst van Cesar. Hij stond een poosje met mij naar het water te kijken en zei toen: 'Laten we onze post gaan ophalen.'

Ik kwam tot de conclusie dat nadenken gevaarlijk was, waardoor ik me meteen veel beter voelde. We aanvaardden de dagelijkse tocht naar de poste restante. Voor mij was er een brief van Joanna maar niets van Serge, en voor Cesar was er zoals gewoonlijk niets.

10

We gingen voortdurend achter onze post aan, soms om de drie dagen, soms twee keer per dag. Ik was gaan leven per post; ik vormde steeds hechtere correspondentievriendschappen uit een mengeling van vrienden en familie. Vooral dat voorjaar schreef ik een batterij lange, verklarende brieven over mijn gevoelens en het ontbreken daarvan, afgewisseld met controversiële stellingen waarvan ik hoopte dat ze duidelijke, maar doorvoelde reacties zouden oproepen. Het leven in Porta Ticinese was onwezenlijk geworden. Soms zat ik naar Cesar en Elias te kijken en me af te vragen of ze niet nog steeds volslagen vreemden voor me waren. Ik kreeg een zwaar gevoel onder in mijn rug; het deed pijn en het zat me dwars. Ik wilde een dokter die me kon zeggen dat er niets aan de hand was. Ik wachtte nog steeds op mijn ziektekostenverzekering en we hadden de toelage voor februari opgemaakt. Die van maart was nooit aangekomen en nu was die van april ook te laat. We werden gered door het laarzengeld dat ik uit Rome had meegenomen.

Cesar wachtte op een brief. Hij geloofde absoluut in die brief. Hij verzekerde me dat al onze problemen opgelost zouden zijn als die brief uit Venezuela kwam. Wanneer we maar konden liepen of reden we met de ongeregeld rijdende tram naar het Uffizio Centrale en vroegen we naar brieven op onze naam. Cesar wilde dat er bij zijn eerste drie namen gekeken werd. De beambte duimde dan door de B's en de C's en de R's en gaf dan zijn pas terug, met een excuus.

'*Niente per Lei.*'

Cesar hield vol, hij was er zeker van dat er iets moest zijn. 'Misschien onder de L,' zei hij dan, en als de beambte terugkwam na een nieuwe stapel brieven te hebben doorgebladerd: 'Het kan ook onder de D zijn,' waarbij hij op de betreffende letter van 'de Labistida' in zijn naam wees.

Soms waren de beambten op het postkantoor zijn speurtocht goedgezind. Maar het kwam ook voor dat ze elkaar een zet gaven om het karwei dat wij waren af te schuiven. Als we een keer een bijzonder boos antwoord of een werkelijk botte weigering om de D's en de L's naast de andere letters op te zoeken hadden gekregen, wachtten we een dag of twee voor we terugkwamen. Cesar was het liefste elke dag gegaan, maar vaak was de vijandigheid op het postkantoor zo groot geworden dat hij toe moest geven dat het beter was om even te wachten.

Mijn moeder sloot naschriften voor Cesar in en schreef een keer dat ze hem ook een brief zou sturen. Het lukte me haar daarvan af te brengen. De brief waarop Cesar wachtte en die nooit kwam, leek zo belangrijk voor hem dat het mij niet fair leek als een andere brief zijn plaats zou innemen. Hoe vaak hij ook zijn neus stootte, nooit verloor Cesar zijn geloof erin. Elke keer dat we gingen, was het niet om te zien of hij er was, maar om hem te halen. Otto gaf me een boekje van García Márquez, over een kolonel die bezeten was van een brief.

'Je man is beroemd,' zei hij, 'hier is een boek over hem. Straks kopen ze de filmrechten nog.'

Cesar bleef vol rustig vertrouwen. Otto plaagde

hem ermee: 'Hoe kan iemand jou schrijven als niemand weet waar je zit?' Cesar bleef onwankelbaar. Hij geloofde.

Steeds vaker ging ik niet mee en bleef thuis lezen. Ik kreeg een hele nieuwe bibliotheek bij elkaar. Alle anderen in de flat waren verwoede lezers en werkten zich door van alles heen, van landbouw tot luchtvaart. Cesar had een passie voor geschiedenis en Elias droeg Liddell Hart met zich mee als een geannoteerde bijbel. Otto ruziede nog steeds met me wanneer hij maar de kans kreeg en was altijd weer ontzet over mijn onwetendheid. Ik merkte dat hij zich tot taak had gesteld mij op te voeden door anonieme giften: Tennyson en Rimbaud, geschiedenissen van Frankrijk en verhandelingen van Sartre. Ik had altijd veel gelezen, maar Otto beschouwde me als een vreemde diersoort en was onvermoeibaar op zoek naar de lacunes in mijn kennis.

'Met jou moet ik leven!' zei hij.

Heimelijk las ik de meeste boeken die hij meebracht, van Rosa Luxemburg tot Fernando Pessoa en zelfs de tweedelige Italiaanse editie van de autobiografie van Bertrand Russell. Maar dat ik thuisbleef, lag niet zozeer aan dorst naar kennis als aan het gevoel van lethargie dat zich van mij begon meester te maken. Cesar probeerde me mee te krijgen.

'Je bent een vampier,' zei hij dan. 'De zomer komt eraan, waarom verschuil je je voor de zon?'

Maar ik hield niet echt van de zon, ik had een hekel aan het felle licht en ik had de energie niet voor al die trappen. Ik had een soort blaasontsteking; iedere dag moest ik meer in de buurt van het toilet blijven.

Cesar was bevriend geraakt met een oude man die Athos heette en schoenen maakte in een winkeltje ter grootte van een kast aan de Naviglio Grande. Er was net genoeg ruimte voor Athos om in de deuropening van zijn zaakje te zitten, zodat een dun iemand er zich nog langs kon wringen naar de toonbank. Zodra de winter zijn greep verloor, zat hij als eerste zo op de stoep. Elke keer dat we naar het postkantoor gingen of ervan terugkwamen, passeerden we hem, en anders dan de andere Milanezen en Ticinezen die langs vreemdelingen heenkeken, glimlachte Athos dan.

Cesar had een paar hoge leren schoenen die volgens hem onvervangbaar waren. Hij was er zo aan gehecht dat hij zowel de zolen als de hakken kapot had gelopen. Al onze schoenen hadden te lijden van de ongelijke keien, maar Cesar had er zelfs voor reparatie geen afstand van kunnen doen. Op een dag besloot hij zijn vertrouwen aan Athos te geven en hij bracht zijn geliefde schoenen naar hem toe. Nadat de reparatie was verricht, prees hij die zozeer dat Athos hem binnenvroeg voor een sigaretje. 'Binnen' betekende ongeveer anderhalve meter de winkel in op een krukje zitten in het halfdonker, terwijl Athos op zijn toonbank leunde.

Toen ik Athos voor het eerst sprak, waren Cesar en hij al dikke vrienden. Hij was een jaar of zestig en oorlogsveteraan. Zijn vrouw en dochters hadden hem verlaten toen de meisjes nog klein waren en hij had nooit meer iets van hen gehoord. Hij praatte langzaam, woog zijn woorden zorgvuldig, en deelde Cesars inzichten en meningen over vrijwel alles. Ze zaten samen te kijken hoe het vervuilde kanaal langzaam van de Po naar de Ticino stroomde en spraken over veldtochten en oorlogen, van Hannibals overwinning aan de oevers van de Ticino tot Rommel en Mussolini. Athos dronk graag wijn en had gewoonlijk een grote fles Merlot onder de toonbank van zijn winkeltje staan waar hij gul mee was, hoewel hij bij die gelegenheden nooit met ons meedronk. Ik denk dat hij zo arm was dat hij zichzelf voor alles op rantsoen zette, en dat als Cesar en ik een glas wijn accepteerden, we zijn dagrantsoen opdronken.

Tussen een gordijn aan de achterkant van zijn 'winkel' en de muur was een ruimte van iets meer dan een halve meter. Hij gebruikte oude zakken als dekens, en een waskom, een scheermes, een primus en een etensblik waren zijn enige uitrusting. Hij aanvaardde zijn armoede met een zeker enthousiasme, en beweerde dat hij, als hij niet zo arm was geweest, nooit zoveel tijd om na te denken en zoveel plezier in zijn leven zou hebben gehad.

Toen de blaasontsteking erger werd, had ik bijna geen controle meer over mijn blaas. Toen we een keer bij Athos op bezoek waren, vroeg ik of ik zijn toilet mocht gebruiken.

'Dat heb ik niet,' zei hij.

'Hoe doet u dat dan?' vroeg ik, niet in staat mijn nieuwsgierigheid te bedwingen.

'Ik heb het beste toilet in heel Milaan,' zei hij, en zwaaide met zijn armen in de richting van het kanaal. 'Ik heb de Naviglio Grande.'

Te midden van de rommel in zijn winkel, het gereedschap en de leersnippers, stond één ding dat al het andere in de schaduw stelde. Het was een koepelvormige sculptuur van bijna een meter hoog en ruim een halve meter breed. We gingen allemaal binnen naar dat kunstwerk kijken, maar niemand kwam er echt achter wat het was. Het was heel mooi, en nam zowat de helft van de toonbank in beslag, waar het boven uittorende als een soort kruising tussen een boom en de paddestoelwolk van een kernontploffing. Elke keer dat ik Athos opzocht raakte ik dat ding aan; het leek niet helemaal dood en ook niet levend, als een zeldzame schimmel in het ruststadium.

Op een morgen kwam Cesar buiten zichzelf van opwinding thuis.

'Het is gegroeid,' zei hij verbijsterd.

'Wat is gegroeid?' vroeg ik.

'Athos' paddestoelboom is gegroeid.'

Otto probeerde hem gerust te stellen, maar hij wilde niet gerustgesteld worden.

'Kom dan zelf mee kijken,' hield hij vol.

Ik wilde niet mee, ik kon niet meer tegen al die trappen: zes verdiepingen, tweehonderd vierenzestig stenen treden. Ik had ze geteld, vermoeid, rustend halverwege elke trap, naar beneden turend naar de donkere binnenplaats, waar alleen de portinaia woonde, en de portinaia was blind. Otto ging mee om Cesars angsten te bezweren.

Toen hij terugkwam was hij er nog erger aan toe. Het was zonder enige twijfel gegroeid.

'Zullen we hem vragen wat het is?' opperde ik.

Daar wilde Cesar echter niet van horen. Het was het enige dat Athos voor zichzelf had, zei hij. 'Je vraagt een gevangene ook niet waarom hij oud brood onder zijn brits bewaart, of waarom hij twee dagen lang zijn gezicht naar de muur keert en dan doet of hij aan de Middellandse Zee is geweest, en Athos vraag je niet wat zijn schimmelboom is.'

'Het is gek,' peinsde Otto, 'het lijkt me niet gestolen.'

'Maar het ziet er wel naar uit dat het leeft,' zei Cesar.

Uiteindelijk ontdekte Elias de aard van Athos' sculptuur. Ze was geheel gemaakt van schoenlijm, die zich verhard had tot de metalige strengen en vertakkingen die wij hadden gezien. Elke keer dat Athos een schoen lapte, smeerde hij een nieuwe klodder op zijn schimmelboom en boetseerde hem zo in vorm.

Er kwam geen geld meer binnen, we moesten ons beperken tot de meest strikte rantsoenen; van de vijfhonderd dollar laarzengeld was nauwelijks meer iets over. We besloten het niet aan Tito te vertellen, omdat we wisten dat hij iets zou doen om te helpen, en hij kon het slecht missen. Ik was in de war, doordat mijn lichaam zo zwaar was en de kamer zo benauwd. De zomer zette door, de hitte nam toe, maar ons dakraampje was niet verder open te krijgen dan een centimeter of tien.

Elias ging naar Rome 'voor zaken'. Otto, Cesar en ik bleven achter. Ik telefoneerde, op kosten van de ontvanger, verschillende keren naar Yale. Elke keer werd het gesprek geweigerd. 'Serge is niet beschikbaar,' hoorde ik iemand met een zuidelijk accent lijzen tegen de telefoniste. 'De professor is niet aanwezig.' Ik schreef de ene brief na de andere, maar er kwam geen antwoord. Ik gebruikte het geld voor Cesars sigarettenrantsoen voor de frankering van mijn expresbrieven, maar nog steeds kwam er geen antwoord; mijn woede en angst groeiden in stilte. Ik voelde de pijn in mijn zij erger worden naarmate Serge me langer negeerde, en toen er dan eindelijk een brief kwam, kortaf en zonder geld, stuurde ik hem terug en schreef nooit meer. Ondertussen redden we ons zonder geld; vreemd genoeg was dat vrij makkelijk. Het was gewoon een kwestie van je gedachten erop instellen. Maar ik wilde mijn ziekteverzekering, ik wilde naar een dokter. Ik had Cesar niet verteld hoe ziek ik me voelde. In het begin geneerde ik me en later leek ik al te ver heen.

Toen Elias vertrokken was, nam Otto zijn eenper-soonsmatras zolang over. Vanaf juli was Otto steeds vaker de deur uit. Ik denk dat hij aannam dat ik last had van het gebrek aan privacy. Afgezien van in bad gaan, waarbij ik alleen wilde zijn, konden de conse-quenties van het zo dicht op elkaar leven me weinig schelen. Al eerder, toen we nog een bed met hem deel-den, hadden we echter een soort regel voor echtelijke privacy. Cesar en ik wachtten altijd tot Otto in slaap was gevallen, waarbij we fluisterend overlegden of het al zover was of niet. Maar ik had een vermoeden dat hij alleen maar deed alsof hij sliep, dat zijn regelmatige ademhaling als hij zich van ons had afgedraaid alleen maar schijn was en dat hij naar ons lag te luisteren als we de liefde bedreven. Tegelijkertijd realiseerde ik me dat de helft van zijn boosheid op mij bestond uit sek-suele frustratie en dat een ander deel ervan de natuur-lijke prikkelbaarheid was van iemand die aan slape-loosheid leed. In juni had ik de strijd opgegeven om een schijn van gezondheid op te houden; ik bleef ver-der binnen, met als enige concessie aan Otto en Cesar dat ik tegen de muur geleund zat als ze thuis waren, in plaats van in bed te liggen en naar het vergeelde pla-fond te kijken zoals ik de rest van de dag deed. Het loopje naar het gemeenschappelijk toilet begon al te ver te lijken. Het werd te veel werk om de deur op slot en nog een op een hangslot te doen ter bescherming van Tito's apparatuur, de nauwe gang door te lopen en dan wankel neer te hurken boven het gat. Ik was een keer flauwgevallen in dat hokje en bijgekomen op de groen beschimmelde vloer. De rok die ik toen aan had, had ik weggegooid.

We hadden een lange lage kast; daar kroop ik in en gebruikte een po. Daardoor kon ik het bloed in mijn water zien veranderen van een beetje roze tot een dikke, weeïge vloeiing. Otto ging naar Parijs om aan wat geld te komen terwijl Cesar en ik thuisbleven in Porta Ticinese. Ik hing een laken voor het dakraam om de zon te weren, maar ook zo verzamelde de kamer hitte en hield die vast, zodat ik gedwongen werd het uit te zweten. Cesar begon fruit mee te nemen van de markt toen het daar de tijd voor werd. Maar ik had geen trek, hij at het alleen op. Ik voelde hoe de flat steeds vuiler werd. Er was bijna geen ruimte meer voor me op de matras om te slapen, zoveel kleren lagen er die gewassen moesten worden.

Ik was eerder ziek geweest, ik had zelfs jaren in bed doorgebracht met kliertuberculose. De koorts en de pijn waren niets nieuws, maar ik had me nog nooit zo volslagen hulpeloos gevoeld. Ik kon mijn leven als warm zand uit mijn zij voelen weglopen. Ik strekte mijn spieren om te controleren waar de pijn zat. Toen het zover was dat zelfs het bewegen van mijn vingers golven misselijkheid veroorzaakte, gaf ik het op. Cesar wist niet wat hij moest doen.

'Als je een beetje beter bent,' zei hij, 'breng ik je naar een dokter.'

Ik gaf er niet meer om, zelfs niet om een dokter die zou zeggen dat het wel in orde zou komen. Mijn matras was net een spons, die het bloed opzoog dat uit mijn nier druppelde. Ik kon lachen horen in de andere kamer, er praatten daar altijd verschillende stemmen door elkaar. Soms wist ik nog dat ze uit Cesars drie televisietoestellen kwamen, maar soms vergat ik dat het films en praatshows waren en verbeeldde ik me dat daar kraaien zaten te wachten tot ik dood zou gaan, aangetrokken door de geur van bloed.

'Het komt wel goed met je,' zei Cesar, terwijl hij

hapjes voor bij de televisie voor zichzelf stond klaar te maken, 'het komt heel weinig voor dat mensen dood-bloeden.'

De vloer werd vochtig en vlekkerig, vers en oud bloed sijpelde uit de matras, de kommen thee en water die Cesar me gaf, gooide ik vaak om. Er was geen frisse lucht en geen ontkomen aan de stank. Ik verbeeldde me dat ik aan het ontbinden was en lag me af te vragen hoe lang je daarmee door kon gaan voor je dood was. Ik maakte me zorgen over wat ik tegen mijn moeder moest zeggen. Ik wist dat Cesar niet genoeg Engels kende om uit te leggen dat een van mijn nieren het eenvoudigweg had begeven. Soms, tussen slapen en waken, kon ik de gezwollen massa aan mijn ene kant voelen, door de katoenen jurk heen die ik had gedra-gen toen ik voor het laatst op was geweest en die ik niet meer had kunnen uitdoen. Ik kon ontsnappen aan al mijn gedachten en al mijn narigheid door die gezwollen kant op een bepaald punt aan te raken, waardoor ik het bewustzijn verloor.

Ik had niets gedaan van alles wat ik in mijn leven had willen doen. Ik had niet eens Cesars overhemden gewassen, met hun paarlemoeren knoopjes en hun lange slippen. Ik vroeg me af wat hij het ergste zou vinden, het verlies van mij of die vuile overhemden. Zijn gezicht werd van steen. Hij toonde geen emoties, maar ik wist dat hij, afgezien van al het andere, de cha-os en de stank vreselijk moest vinden. Hij deed of het niet bestond, negeerde het als een boze droom. Hij zette zijn drie toestellen harder, bleef kijken tot en met de late film, sliep op de eenpersoonsmatras die naar de andere kamer was gesleept. Ik vroeg me af of hij op een dag mijn matras en mij weg zou gooien zoals ik mijn rok had weggegooid toen ik op de vieze vloer van het toilet was gevallen. Of hij later bij me is komen zitten weet ik niet. Ik heb het hem nooit gevraagd.

Toen ik weer bijkwam, werd ik getroffen door de opgeruimde kamer; er waren zelfs wat bloemen en kleinigheden als een altaartje bij mijn hoofdeinde gezet. Ik lag op de eenpersoonsmatras, de andere was weg. Ik had andere kleren aan, mijn haar was geborsteld en over het schone witte laken dat me bedekte gedrapeerd. Cesar glimlachte naar me en maakte thee voor me. Ik vroeg hem wat voor dag het was.

'Je bent vijf dagen buiten kennis geweest,' zei hij.

Het duurde nog een week voor ik naar beneden kon. Halverwege de trappen moesten we gaan zitten. Cesar haalde een chocoladereep voor me en we gingen weer terug. Mijn kleren pasten me geen van alle meer, mijn ringen ook niet.

'We gaan weg, zo gauw jij kunt,' zei Cesar.

Ik vroeg hem hoeveel geld we nog hadden en dat zei hij me.

'Niets.'

'Maar hoe kun je dan al dit eten kopen?'

'Tito komt het brengen,' zei hij.

'Maar hoe kan die het betalen?'

'Hij betaalt er niet voor. Hij kan alles krijgen wat je wilt, behalve een tandenborstel.'

Daar moest ik even over nadenken. Toen vroeg ik: 'Waarom kan hij dan geen tandenborstel krijgen?' Ik dacht dat hij misschien een bijzonder gewetensbezwaar had in dat opzicht.

'Die worden altijd onder de toonbank bewaard,' zei hij, 'achter glas.'

Tito kwam en bracht als traktatie een chocoladecake mee en wat sigaretten voor Cesar. Dit waren nog twee dingen die je niet kon stelen; de sigaretten helemaal niet, en de cake alleen door echte specialisten. Hij had ze dus gekocht. Hij vond het vervelend dat hij niet meer te eten had kunnen meenemen. Hij zei dat er tegenwoordig scherp werd opgelet in de supermarkten. Tito was gekwetst dat we hem niets over mijn ziekte hadden gezegd. Hij beloofde dat hij een andere verblijfplaats voor ons zou vinden. Hij bleef een paar uur en toen Cesar even de kamer uit was, zei hij: 'Waarom heb je me niet gewaarschuwd? Je had wel dood kunnen gaan.'

'Dat was niet erg geweest,' zei ik stoïcijns.

'Ja, dat was het wel,' zei hij. 'We zitten niet op helden te wachten. Als je in deze flat was doodgegaan, waren we aangeklaagd wegens terrorisme en als we geprobeerd hadden je weg te krijgen, hadden we een beschuldiging van moord geriskeerd.'

Ik wist dat hij volstrekt gelijk had.

'Zit er maar niet over in,' zei hij. 'Ik weet dat je erg bedachtzaam bent, je denkt alleen niet na.'

II

In de vroege zomer zorgde Tito voor een ruim aanbod van retourtjes naar Parijs, we reisden week in week uit met de stoptrein over de Alpen. Aan elk eindpunt bleven we een dag of twee, drie, en keerden dan weer om. Pas in juli kwamen we weer terug in Porta Ticinese, in onze pittoreske achterbuurt. Soms voegden we ons in Parijs bij Otto en Elias, soms trokken ze een paar dagen met ons mee, maar meestal reisden we alleen – voor zover het mogelijk was alleen te zijn in de toenemende stroom vakantiegangers. Die laatste reis, voor de zomer doorbrak, wilde Otto in Parijs blijven, zodat alleen Cesar en ik de rammelende tram namen van het Stazione Centrale naar de Naviglio Grande. Boven, op de hoogste verdieping van onze huurkazerne, leek niets veranderd.

Cesar maakte ons valies leeg op het bed. Hij had altijd onze paspoorten, ringen, zijn pennemesjes en scheermesjes, mijn papieren, onze tandenborstels, Rusé's *Leven van Napoleon* bij zich, alsmede wat broekjes en sokken en een schoon stel kleren voor ieder. Dat laatste leek deze keer te ontbreken.

'Waar zijn onze kleren?' vroeg ik.

Hij gaf geen antwoord; ik kon zien dat hij het deloyaal van me vond dat ik zelfs maar vroeg naar zulke kleinigheden. Hij had me door veewagens vol toeristen geleid en me veilig teruggebracht naar de zuidelijkste uitgang van de stad, naar het smerige toevluchtsoord dat voor ons een thuis was geworden, wat wilde ik nog meer? Tegen de avond ontdekten we dat we niet alleen onze kleren hadden achtergelaten, maar ook ons geld, een afscheidscadeau van Otto.

We wandelden door de lome, warme avond. Ik had graag arm in arm gelopen, maar Cesar verfoeide openbare blijken van genegenheid. We gingen een restaurant in bij de Duomo, op de hoek tegenover die waar de gangsters altijd kwamen. We hadden geen geld in onze zak, maar we hadden erge honger. Er kwam een kelner aan, ik sprak tegen Cesar in het Engels. We bestudeerden het menu en kozen de canard à l'orange, minimum wachttijd veertig minuten. Hij zei dat ik klaar moest zijn om te vertrekken. Ik vroeg waarom we de eend niet half konden opeten en dan pas gaan klagen en vertrekken. Maar volgens Cesar werkte dat niet, als je dat deed haalden de kelners er steevast de politie bij. Er stond een schaal vers, stevig brood op tafel, en olijfolie, zout en azijn. Terwijl we zaten te kijken naar het monument voor Victor Emanuel II aten we het grootste deel van het brood op, terwijl Cesar het restaurant verwenste omdat er voor de maaltijd geen boter werd gebracht. We hadden standvastig de antipasta en de pasta geweigerd en deden of het ons uitsluitend te doen was om de canard à l'orange, minimum wachttijd veertig minuten. Na een minuut of tien stonden we op. Cesar beweerde dat de sfeer in het restaurant niet te harden was en ons luidkeels beklagend liepen we de deur uit. Cesar noteerde de naam en het adres. We hadden een lange lijst van restaurants en cafés waar we niet meer konden komen. Er waren er haast geen meer over waar we wel naar toe konden.

Otto en Elias voegden zich vanuit Parijs bij ons. De

dag na hun aankomst belden we Tito. Hij zei dat zijn toestel nu werd afgeluisterd en maakte een afspraak bij het Teatro alla Scala. We hadden hem alleen maar willen vragen waar we onze ringen konden verpanden en geneerden ons dat we hem voor zo weinig lieten opdraven. Tito had het de hele zomer erg druk met de voorbereiding van wat hij '*un golpe*' noemde. Hij zei dat we naar Piemonte moesten gaan en vroeg ons voor de volgende avond te eten. Hij vroeg ons eraan te denken de portinaia te ontlopen, want als die maar even de kans kreeg noteerde ze je paspoortnummer en gaf het door aan de plaatselijke inspectie.

'Wat gebeurt er dan?' vroeg ik.

'Niets,' zei Tito, 'ze blijven je gewoon in de gaten houden, tot het op een dag misschien allemaal in elkaar past. Ze houden iedereen in de gaten. Het is net als goedkope schilderijen kopen in de hoop dat ze op den duur meer waard worden. Er heerst hier zoveel chaos, niemand weet wat hij doen moet, maar hun toezicht is bedoeld als investering.'

Cesar zei dat hij niet van dineetjes hield en weigerde mee te gaan, zodat Otto, Elias en ik zonder hem gingen.

We glipten langs de *portinaia* de galerijtrap op naar Tito's flat. Ik vond dat een mooie flat, met zijn ruime hal en boogdeuren. Er stonden bijna geen meubels in, maar wat er wel stond paste zo goed in de kamer dat het geen gemis was. Het mooiste waren de donkere vloerplanken, meer dan een voet breed en gemaakt van fraai generfd hout.

Tito wist wat een bad voor ons betekende, en bood me bij de deur al aan een bad te nemen. Ik bedankte hem en zat al in het water voor ik me realiseerde dat er geen handdoek was. Er was zelfs geen badmat. Mijn jurk was van zijde, daar kon ik me ook niet aan afdrogen, zelfs als ik het had gewild.

Uiteindelijk kroop ik uit het lauwe water en ging op zoek naar een handdoek in een rijtje kastjes dat achter de badkuip in de muur zat. De eerste twee waren leeg, maar het derde stortte zijn inhoud over me heen toen ik aan het deurtje trok.

Er zat een massa opgerolde kabels in, die eruit sprong toen ik het opende; ze waren om apparaten gewikkeld die leken op die in de kooi in Porta Ticinese. Ze sloegen tegen me aan, ik sprong in paniek achteruit. Ik was altijd bang geweest voor kasten vanaf de dag in Cornwall bij oma Mabel thuis, toen er een been uitsprong en me raakte, dat haar been was, met de dikke kous en de verhoogde schoen, en ik had het gillend laten vallen, en oma had erom moeten lachen. Ik was toen zeven en had nooit beseft dat oma Mabel maar één been had. Mabel Lethbridge OBE, die niet graag zag dat je de letters achter haar naam vergat, had in de Eerste Wereldoorlog in een munitiefabriek gewerkt toen ze zestien was. De fabriek was gebombardeerd, een hele vleugel van het dichtstbijzijnde ziekenhuis was vrijgemaakt voor de overlevenden, maar Mabel was de enige overlevende geweest, al was een been weggeblazen en het andere verminkt. Ze had haar Order of the British Empire in het ziekenhuis van de koning gekregen. Oma Mabel, die overal geweest was, die met een miljonair was getrouwd en beter kon vloeken dan elke zeeman op de kade van St.-Ives. Ik had geen idee van haar stomp, en op de een of andere manier had het mijn schuld geleken dat ik haar been had gevonden in de kast. Oma Mabel had in bed gelegen en ik had gedacht: 'Wat zal ze zeggen als ze ziet dat haar been eraf is gevallen?' Ik kon er niet tegen, ik gilde, en zij had gelachen.

Maar daar in Milaan, in Tito's badkamer, had iets wat er wel heel ongewoon uitzag zich tegen mijn borst aangekronkeld. Ik duwde het van me af en het kletterde op de vloer.

'*Va bene?*' vroeg de stem van Tito aan de andere kant van de deur.

'*Si, va bene,*' loog ik, worstelend met het gewicht van de kabel. Toen ik het ding eindelijk weer op zijn plaats had, kon ik de deur niet dicht krijgen tenzij ik het op zijn kant zette. Ik hoopte dat Tito het verschil niet zou opmerken. Ik was bevangen door een rare angst, ik was bang dat Tito of een van zijn vrienden me ervan zou beschuldigen dat ik mijn neus in andermans zaken stak, dat ze mijn motieven niet zouden vertrouwen, me ondankbaar zouden vinden en wat al niet. Toen ik klaar was met die kabel, was ik meteen ook droog; ik kleedde me aan, stapte de badkamer uit en ging op een Perzisch tapijt op de vloer zitten luisteren naar Dietrich en haar kleine tamboer, telkens opnieuw. Otto en Tito waren weggegaan, de uren gingen voorbij, maar er kwam geen eten, en zij kwamen ook niet terug. Elias zette koffie en we vonden het restant van een brood en een blikje vijgenjam. Later zette Elias me af bij de deur van de Porta Ticinese; ik klom de lange trappen op in het donker. Ik hoefde niet uit te leggen waarom Otto er niet was, want Cesar sliep.

We werden de volgende morgen zo hongerig wakker dat we erin berustten nu toch werkelijk onze ringen te moeten verpanden. We namen de tram naar Piemonte en gingen met tegenzin het gebouw binnen. Het was een indrukwekkende hal met een koepelvormig plafond en met lambrizeringen bedekte wanden. Cesar zou scheiden van zijn Longines en zijn zegelring, ik van mijn vijf ringen maar niet van mijn hangertje met de icoon. De hal, omgeven door bewakers, zag er vreemd uit. Aan twee gebogen zijden zaten loketten met tralies ervoor, waar pakjes doorheen geschoven konden worden ter bepaling van de waarde. Nadat de smekelingen afstand van hun bezittingen hadden gedaan en voordat ze hun geld kregen, werden ze in trage rijen langs het ene bureau na het andere gestuurd op weg naar de kassier. Daar kwam dan het geld, als een onwezenlijke aalmoes in ruil voor genummerde papiertjes, niet voor barnsteen en camee, maansteen, granaat en jade. Ik dwong mezelf niet te denken aan de antieke zetting van mijn ringen, zelfs niet aan het Florentijns filigrein van de ring die Andrew, mijn stiefvader, na de oorlog uit Venetië had meegebracht. De mensen werden als refugiés van de ene rij naar de andere gestuurd.

Een vrouw stond te huilen bij de trap. Ze probeerde een oude matras de deur door te slepen, langs een bewaker die haar de weg versperde. Ze schreeuwde: 'Alles is wel iets waard.' Ze wilden haar niet doorlaten. Ze begon een beroep te doen op de rijen ernstige gezichten die wachtten op de harde banken in het midden van de hal.

'*Aiuto!*' riep ze, maar niemand kwam haar te hulp, iedereen werd geheel in beslag genomen door wat hij of zij aan het doen was. De meeste mensen kwamen hun trouwring en crucifix belenen; ze gaven alles af wat ze bezaten voor wat schamele lires. Cesar ging alleen op de tralies af en kwam terug met een fractie van de waarde van onze spullen, maar het was toch genoeg om twee kaartjes naar Bologna te kopen en ons twee weken vooruit te helpen. Het kostte ons het grootste deel van de morgen om onze zaken in Piemonte af te handelen. We verlieten de gewelven van dat vreemde lommerdpaleis, waar elke klik van de tralieloketten aan een kerker deed denken. Cesar was erg stil. Hij vroeg me of ik het verkeerd vond dat we onze ringen verpand hadden. Ik zei dat het goed was, als we tenminste zouden proberen ze in te lossen.

'Ik hoop niet dat ik nu mijn horlogebandje vind,' zei hij, 'althans voorlopig niet.'

We gingen lunchen in een echte trattoria en aten ons door meer dan de helft van mijn barnstenen ring heen. Cesar vertelde me dat Tito hem had aangeboden mee te doen met een roofoverval, maar dat hij had geweigerd. 'Ik heb dat nog nooit voor mezelf gedaan,' zei hij, 'dat kan toch eigenlijk niet.' We dronken onze caffè corretto omdat het erbij hoorde, we hielden geen van beiden echt van de bittere smaak van de grappa die erin zat.

We hadden met Elias afgesproken bij het badhuis. Ik ging naar binnen door de vrouweningang, terwijl Cesar naar de mannenkant ging. We spraken af elkaar over twintig minuten weer te zien. Het badhuis was heel prettig, zolang je niet dacht aan wie er voor je in het bad had gezeten en wat die daar gedaan had. Ik nam altijd een hele doos met blokjes badzout mee, die Elias aanvulde als de voorraad opraakte; de gecombineerde geuren van fresia, kamperfoelie en gardenia hielpen die van carbol en creosoot te verdrijven.

Het was een grote dag, want we zouden Elias' dokter te zien krijgen. Ik was heel benieuwd naar de figuur die zoveel macht over hem had, die zijn woorden en zijn nijdigste blikken kon verzachten en die maakte dat hij dagenlang weemoedig in het smerige kanaal kon staan staren. We gingen naar de deftigste buurt van Milaan en stopten onderweg om Elias een bosje mimosa en een doos chocoladetruffels te laten kopen. We kwamen bij een hoog, grijs gebouw waar Elias op de koperen intercom drukte.

'Ik ben het,' zei hij in het Duits, 'met Cesar en Lisaveta.'

Hij kreeg antwoord van een vrouwenstem, ook in het Duits. We liepen door de hal van zwart en wit gevlamd marmer en stapten in de lift.

'Je zult zien,' zei Elias, 'dat je precies op haar lijkt.'

We werden binnengelaten in een ultramoderne flat, spaarzaam gemeubileerd met grijs glas, zebrahuiden en abstracte schilderijen, omlijst door gedrapeerde visnetten. De deur stond open, er zat een lange vrouw op een zebrastoel. Elias fluisterde me toe dat dit zijn vroegere vrouw was. 'Ze praat eigenlijk niet meer tegen me,' zei hij erbij.

'*Tschüs,*' zei ze, 'ze verwacht je.' Ik keek om me heen, maar ze leek alleen te zijn. Ze riep iets wat ik niet kon verstaan, er ging een binnendeur open, van onderaan leek het wel. Een heel klein kind met een olijfkleurige huid en blond haar wandelde de kamer in.

'Dit is mijn dokter,' zei Elias verlegen, 'La Margherita.' Ik staarde naar het kind, half Maya-Indiaans en half Duits, en besefte dat deze dochter of *Tochter* inderdaad op mij leek, met mijn eigen mengeling van Zuid-Amerika en Jersey, de donkere huid en het lichte haar. La Margherita, zoals ze genoemd werd, sprak alleen Duits, wat mij tot zwijgen doemde en Cesar beperkte tot de vraag of ze een glaasje mineraalwater wilde. Het idee van Elias als huisvader was moeilijk te bevatten, maar toen bedacht ik dat dit kind, La Margherita, het waarschijnlijk even moeilijk zou hebben met het idee van Elias als monster van de misdaad. Ontnuchterd door deze gedachten gingen we terug naar Ticinese. Die middag vroeg Elias mij: 'Wat vind je van mijn dokter?' Hij sprak het woord uit op een manier die het midden hield tussen Engels en Duits, wat vreemd klonk tussen al het Spaans.

'Ze is heel lief,' zei ik.

'Ik wil niet dat ze heel lief is,' zei Elias, 'het is gevaar-lijk om lief te zijn. Kijk maar naar jou, jij bent lief, en als je niet oppast word je opgelikt als een lolly.'

'Wat wil je dan?' vroeg ik.

'Versterking,' zei hij.

'Een versterkte lolly?' zei ik.

'Nou, zelfs in een anijsbal zit een anijszaadje. Wat je over hebt als de suiker allemaal gesmolten is, Lisaveta, daar moet je het op een dag mee doen. Ik zou graag willen dat er dan nog iets was; en dat wil ik ook bij La Margherita.'

'Genetisch gesproken heeft ze een goede kans dat er dan nog wat is,' lachte ik.

'Van beide kanten,' zei Elias bitter, en voegde eraan toe: 'Trouwens, mijn moeder zegt dat ik een aardig kind·was.'

'Ik wist niet dat je een moeder had,' zei ik.

'Nee, de meeste mensen weten dat niet, ze denken dat ik een soort celmutatie ben.'

12

We kochten onze kaartjes naar Bologna, tweede klas; ze kostten evenveel als mijn camee en Cesars zegelring. Het Italiaanse visum van Cesar was verlopen, maar we besloten te wachten tot we Otto in Bologna hadden gesproken voor we daar iets aan deden. Cesar had een hekel aan eerste dagen en laatste dagen en verjaardagen, hij beweerde dat elke dag gewoon een dag was, en dat je cadeautjes gaf als het zo uitkwam, en dat hij zich niet gebonden achtte aan de conventies voor speciale gelegenheden. Het kwam echter zo uit dat onze laatste dag in Milaan samenviel met een bezoek aan de Certosa di Pavia.

Ik wist niet waar Elias toen sliep, maar hij had de sleutels van Ticinese nog. Hij dook daar op om acht uur 's morgens en sprenkelde koud water over ons heen tot we uit bed kwamen. Ik had het nooit klaargespeeld hem uit te leggen dat ik het vreselijk vond om zo wakker gemaakt te worden. Mijn gevoel voor humor liet me in de steek zodra iemand probeerde mijn dekens van mij af te trekken of mijn gezicht nat te maken. In Oxford had ik Elias ooit in het water gegooid bij St.-John's College, met al zijn kleren aan en een massa geld en papieren in zijn portefeuille, toen we aan het punteren waren na een spelletje croquet. We zaten met z'n tweeën in de punter, hij had me zitten vertellen hoe mooi ik eruitzag tegen de achtergrond van wilgeblaadjes in de zon, en ineens had ik hem omgeduwd, vastbesloten wraak te nemen voor al de keren dat hij me had geprest tot vroeg opstaan in zijn manisch enthousiasme. Hij dook op als een zeemonster, met flikkerende ogen, negeerde onze punter en worstelde zich in plaats daarvan door de waterplanten naar de kant. Otto was naar het water gehold om hem op het droge te helpen.

'Dat had je niet moeten doen,' zei hij tegen mij. Ik wist dat ik het niet had moeten doen, maar het kon me niets schelen.

'Ik denk dat Elias echt op je gesteld is,' had Otto gezegd, 'anders was hij niet bij je weggezwommen.' Ik dacht af en toe na over dat incident, en ik besefte dat Otto gelijk had gehad.

Toen Elias water over ons heensprenkelde, begon ik hem niet uit te schelden of aan zijn haar te trekken zoals ik graag had gedaan, maar dacht aan het verhaal van de man die drie kansen had gekregen, en besefte dat ik er al een had verbruikt.

'Ik heb een nieuwe *macchina*,' kondigde hij aan.

Hij wilde eigenlijk niet dat we daar iets op zeiden, hij wilde dat we kwamen kijken. We kleedden ons dus aan, wasten ons en poetsten onze tanden boven ons roze plastic teiltje en volgden hem de tweehonderd vierenzestig treden af door de vochtige lucht die als schimmelige lakens boven de binnenplaats leek te hangen, naar de straat. We bestelden drie cappuccini in het café halverwege de straat, zeiden vluchtig buongiorno tegen Athos die kleiner leek te worden naarmate zijn lijmkunstwerk groeide en liepen langs de oever van de Naviglio Grande naar de hoofdweg, waar, fout geparkeerd, een prachtige nieuwe Mercedes stond. Geen wonder dat Elias in zijn schik was. Hij was geweldig.

We stapten in en hij grapte: 'De passagiers wordt verzocht de veiligheidsriemen vast te maken, this is your captain Elias speaking, wij wensen u een aangename vlucht.' En weg waren we, krakend over de lege kistjes van de fruitmarkt, hotsend over de keien van de straatjes met eenrichtingsverkeer. De guardia waren meestal te verbaasd om op hun fluitjes te blazen, en als ze het dan deden waren we buiten gehoorsafstand voor ze nog iets anders konden doen.

Elias haalde in één keer al zijn dagen als voetganger in. Hij liet de auto waar mogelijk in de berm klimmen of tussen vrachtwagens doorschieten. Hij hield niet alleen van de snelheid, maar ook van de acrobatiek. We stopten onderweg voor 'zwarte wijn' bij een café in een dorp dat een eindje van de weg af lag, en daar zag ik alle schrammen en deuken die de auto het laatste uur had opgelopen. Het leek Elias niet te deren.

'Ik rijd hem in,' zei hij. 'Je kunt niet goed autorijden als je je zorgen maakt om de lak. Het is het een of het ander.'

We reden Pavia in en weer uit om de Certosa te bezichtigen; Elias zette de auto neer in een veld dat ver bij de gebouwen vandaan lag en stelde voor het laatste stuk te gaan lopen. Ten onrechte nam ik aan dat hij niet met de auto gezien wilde worden. In werkelijkheid was het om het uitzicht op het oude kartuizerklooster van de mooiste kant te bewonderen.

Hoewel het eind juli was, was het een beetje kil; het had die nacht geregend. Het klooster werd omgeven door open veld met hier en daar heel oude populieren. We waren langs de Ticino gekomen en waren de stenen brug overgestoken. Otto beweerde altijd dat we verliefd waren op die rivier, omdat we er nooit ver vandaan konden komen. 'Lombardije, Lombardije, Lombardije,' had hij geschreven in zijn laatste brief, 'waarom laat je het toch niet met rust? We horen bij Emilia, in Bologna, of in de trein. Milaan is geen plaats, dat is een station. Je hoort daar niet te wonen als je er weg kunt komen.' Onze pelgrimage naar Padua was het einde van onze liefdesverhouding met Milaan. In de toekomst zouden ook wij er alleen maar doorheen reizen op weg naar minder sombere steden.

De Certosa had op ons alle drie een vreemde uitwerking. Ik werd er ongewoon droevig van. Cesar liep de binnenplaats rond, starend naar de verbazingwekkende renaissancegevel, begaf zich naar de monnikscellen, sprak één enkel '*Qué vaina*' en zat neer in een van die lage stenen kamertjes, die geen ruimte boden voor iets anders dan een stenen bank als bed, een gleuf in de muur om eten door te schuiven en een deur met een tralievenster dat uitzag op een met gras begroeide vlakte, met aan vier kanten in de verte dezelfde lage rijen kluizenaarscellen. Cesar zat op de koude brits en staarde om zich heen naar de dikke grijze steen. Hoe langer hij daar zat, met de deur als een staldeur bijna dicht, des te meer hij zelf op een steen ging lijken.

Ik praatte tegen hem, maar ik wist dat hij me niet kon horen; er was iets doorschijnends in zijn gezicht, als bij een lelie die net ontloken is, of bij de huid van een stervende.

Elias trok aan me, hij wilde dat ik Cesar met rust liet. Ik ging mee, ik had niets te maken met hem en die cel, niets te maken met de verstening; voor het eerst was ik de vreemdeling. Daat stond tegenover dat Elias me nodig had. Hij had me nodig om de details te bewonderen van de plafonds in het hoofdgebouw van het klooster, om de gewelven en de graftomben te bekijken, om hem bij te staan als de architectuur te veel voor hem werd.

Elias had zijn camera meegenomen en een leren tas met reservefilmpjes. Hij schoot het ene rolletje na het andere vol van de daken en plafonds. Er zat een soort religieuze ijver in zijn werk. Zo nu en dan liet ik hem alleen en wandelde rond de onregelmatige bijgebouwen naar de cellen. Cesar had zich niet verroerd. De diepte van zijn concentratie maakte me bang. Zoals hij geweest was bij de tombe van paus Alexander was niets vergeleken bij dit. Het was of het voelen van de steen in dat kamertje – niet groter dan een meter tachtig bij een meter twintig – alles naar boven had gebracht dat er voor hem toe deed in het leven, en dat hij tot op dat moment had weten te vergeten of te begraven.

Elias wilde niet dat ik erdoor in beslag werd genomen, hij wilde dat ik me net zo uitgelaten voelde als hij. 'Maak je niet bezorgd om Cesar,' zei hij, 'hij is alleen maar zo onder de indruk van deze plek omdat die op het kasteel lijkt.'

We waren bezig het grafmonument van Lodovico Moro te fotograveren, met zijn prachtige beeldhouwwerk, en ik vroeg me af in welk opzicht de Certosa op het kasteel leek, in de rijk versierde kerk of in de kale stenen cellen.

'Waarom ging Cesar naar het kasteel?' vroeg ik Elias. Ik wist niet of hij het wist, maar hij leek me de meest geschikte persoon om het aan te vragen, en ik begreep niets van Cesars mystieke kant. Ik wist eigenlijk niet waarom hij naar dat geheimzinnige kafkaiaanse kasteel was gegaan, of waarom hij het weer had verlaten.

'Wat bedoel je?' vroeg Elias.

'Nou, waar was het?'

'Het was in Trujillo.'

'Ben jij er geweest?'

'Mooi niet,' zei hij, en vervolgde: 'Ik dacht dat je dat wist.'

'Ik weet niet wat ik weet,' zei ik.

'Weet je wat het kasteel is?' vroeg hij een beetje bezorgd.

'Eigenlijk niet,' gaf ik toe. Ik had de betekenis van dit Spaanse woord in mijn woordenboeken opgezocht, maar had het nergens kunnen vinden.

'Je klinkt alsof je er zelf heen zou willen,' zei hij beschuldigend.

Dat was zo. Ik wilde er ontzettend graag heen, maar dat wilde ik hem niet zeggen, dus haalde ik mijn schouders op en schudde van nee.

Ik wachtte af, want ik vermoedde dat dit weer een van Elias' dokters zou kunnen zijn, maar praten verveelde hem gauw, hij wijdde zich weer aan zijn foto's nu het licht nog goed was. Ik trok me terug achter een stenen pilaar in de hal; na een tijdje kwam Elias naar me toe en trok me hartelijk aan mijn oorlelletje. 'Het kasteel is de gevangenis,' zei hij. Ik liep in m'n eentje weg en ging voor een schilderij van Borgognone staan kijken. Ik wilde niet denken. Toen ik terugging naar Cesar had hij tegen al zijn principes in de deur dichtgedaan, en was in slaap gevallen op het stenen bed. We lieten hem daar meer dan een uur liggen, terwijl Elias foto's nam en ik alle tegelpaadjes en reliëfs verkende, en praatte met een monnik in een bruine pij die mij graag over zijn bijen leek te willen vertellen. Toen maakte Elias Cesar wakker. 'Kom op, *viejo*,' riep hij bij de deur. Cesar draaide zich om en grijnsde een beetje verlegen.

'Het was te veel net als thuis,' zei hij, 'ik kon het niet weerstaan.'

Ik was blij dat hij zijn depressie met een grapje verjoeg, ik had er op dat moment geen raad mee geweten. Een van de doelen in mijn leven was in puin gevallen. Ik had nu niets meer om naar toe te gaan, niets om naar te streven. Ik had gehoopt dat ik op een goede dag naar het kasteel zou gaan, en nu was er niets meer dan hun gezelschap en de geruststellende aanwezigheid van de trein.

Onder de arcade, bij de hoofdingang van de Certosa, was een kraampje met een grote schakering prentbriefkaarten van het klooster in al zijn glorie, van de omringende velden, de schuren, de details op de wanden en plafonds, de friezen en zelfs de bijenkorven. Elias gaf Cesar en mij opdracht de monnik die dat alles verkocht aan de praat te houden terwijl hij zoveel mogelijk kaarten in zijn zak stak.

'Wat moet ik dan zeggen?' klaagde ik, zoals altijd.

Elias antwoordde ook zoals altijd: 'Niemand vraagt je om een van de grote treinrovers te zijn, ga nu gewoon even praten met die man achter de toonbank.'

Voor mij was dat 'even praten' net zo goed een onderdeel van de diefstal als de rest. Ik kreeg er een soort paniekgevoel van. Ik kon niet meer denken, mijn mond werd droog, ik ging zo blozen dat mijn blos meestal het onderwerp van gesprek werd met degene die ik moest misleiden.

In het begin dacht ik dat het de stem van mijn puriteinse familie was die erin doorklonk, maar later besefte ik dat het evenzeer een kwestie was van trots. Mijn hele familie was trots, ik was erin opgevoed, en je kon niet trots zijn en opgepakt worden voor winkeldiefstal. Het was het een of het ander. Ik had geprobeerd het aan Cesar uit te leggen, maar hij zei: 'Jij bent niet zo trots als ik,' en ik wist dat hij gelijk had.

Maar Cesar was trots en vol zelfvertrouwen, terwijl ik trots en verlegen was. Het kon Cesar niet schelen wie hem zag of wat hij deed. Hij leefde helemaal volgens zijn eigen regels, zijn eigen erecode. Hij had een tweede huid die hem beschermde, een tweede ooglid, als een vogel, dat hij kon sluiten om alle kleinigheden te negeren die mij zo deden blozen. Ik was doodsbang dat ik gepakt zou worden. Ik stelde me voor dat ik zou worden vernederd en gevangengezet, iets wat voor een ander doel een waardig martelaarschap kon zijn, maar ondraaglijk was voor winkeldiefstal. De schande om voor zoiets onbenulligs te worden gegrepen was te erg. Als ik toch buiten de wet moest leven, dan moest het ook voor een grote misdaad zijn, niet voor het stelen van een kleinigheid. Cesar verachtte gewone misdadigers zelf ook. Hij noemde hen '*chusma*', geboefte, en maakte er verder geen gedachte aan vuil. Ik begreep niet waarom hij zich verlaagde tot deze kleinigheden. Ik begreep niet waarom ze die prentbriefkaarten wilden stelen.

Ik had het Elias onder vier ogen gevraagd; hij had zijn schouders opgehaald en gezegd: 'Als je bronchitis krijgt hoest je, als je balling bent steel je uit de winkel.'

'Maar waarom?'

'Dat doe je gewoon.'

'Maar doe je het dan niet in Venezuela?'

'Natuurlijk niet,' zei hij, 'daar hebben we wel iets beters te doen.'

'Dan is het zonde van de tijd om het hier te doen.'

'Maar dit *is* zonde van de tijd,' had hij gezegd.

De oude monnik vertelde ons over Giovanni Galeazzo Visconto, de hertog van Milaan die de Certosa had gesticht. Hij vertelde ons dat het een Nationaal Monument was, en dat de bijen een strenge winter achter de rug hadden, en dat ze ziek zouden worden als het nu ging regenen. De zon begon boven de daken van de Certosa uit te klimmen. Het was een beetje fris gebleven, al was het ver in juli. We liepen langs de grasberm met de populieren terug naar de auto. Elias had een wonderbaarlijke hoeveelheid prentbriefkaarten bij zich. Hij had een Harpo-Marx-jack aan met zakken overal in de voering; als hij wilde kon hij zo de boodschappen voor de hele week meedragen. We gingen een eind rijden en daarna lunchen. Elias zei dat we in kringen rondreden om afscheid te nemen van Lombardije. Het drong tot me door dat we maandenlang opgesloten hadden gezeten in de bedompte stad, dat de beste maanden van de zomer voorbijgegaan waren in wolken van stof en vliegen, terwijl we ze hadden kunnen doorbrengen in de frisse lucht, bij de brem en de rozemarijn en de rivier als een echte rivier zoals we haar die dag zagen; geen sleep van aan elkaar geklitte rommel die zich traag een weg zocht door de kanalen van de stad. Ik vroeg Elias waar hij meer van hield, de vlakte of de bergen. Hij zei dat hij hield van de bergen, maar dan vooral als ze rotsig en woest waren: 'Ik hou van de hoge Alpen,' zei hij, 'en de hoge Andes.' Ik vroeg of hij in de Andes had gewoond, zoals Cesar en Otto, maar hij zei van niet, hij kwam uit de savanne, de llanos van de Orinoco, waar je het stempel van de droogte kon zien staan in de bast van iedere boom, waar het gras zo ruw was dat de koeien het niet wilden eten en ze van dorst stierven, en de vliegen zich als een zwarte regen op hun ruggen nestelden. Ze waren een kruising van Ceibu en Holstein, het enige ras dat daar een kans had in leven te blijven. Hij vertelde me dat zijn familie daar grond bezat, dat hij was opgegroeid met om zich heen de apathie van de mensen die nog te moe waren om uit de zon te gaan en die wegrotten op het verschroeide land, waar de dysenterie-amoebe koning was.

'Toen ik veertien was,' zei hij, 'ben ik weggelopen naar de guerrilla, dat was beter dan opgeslokt te worden door de algemene lethargie. Ik wil iets doen, ik wil niet afwachten tot de gieren hebben uitgemaakt dat ik dood ben.'

'Maar waar heb je al je ideeën opgedaan?'

'De ideeën kwamen later,' zei hij, 'eerst wilde ik gewoon actie.'

Later die middag gingen we terug naar de Certosa en stonden er een tijdje onder het grote dak. Niemand zei iets, het leek voldoende daar zomaar te staan, met onze rug tegen de muur onder een van de rijkste voorbeelden van de renaissance in Italië, terwijl we rondom ons de hemel rood zagen worden. We bleven lang onder die arcade; ten slotte liep Elias in de richting van het poortgebouw. Hij had een nogal schokkerige manier van lopen, hoewel hij zich geruisloos voortbewoog. We haalden hem in en hij zei: 'Ik zou liever sterven op een plek als deze dan op een vuilnisbelt.'

Deze keer liepen we door de hal van het poortgebouw. Er stonden drie monniken achter een hoge tafel. Ze begroetten ons en nodigden ons uit een glaasje chartreuse met hen te drinken.

'We maken die hier in huis,' legden ze uit, 'we laten bezoekers graag onze kunst beproeven.'

We dronken ieder een glaasje van de gele likeur die ons aangeboden werd; de monniken zelf dronken niet veel. Toen we het op hadden, vroeg de tweede monnik ons zijn groene chartreuse te proberen. We gingen daar gretig op in, maar waren niet voorbereid op zijn snelle vraag: 'Welke vindt u de beste?' We probeerden een direct antwoord te vermijden door te zeggen dat we het niet wisten.

'Probeer dan de mijne eens,' opperde de derde monnik. Dat deden we, en het volgende uur brachten we door met het beurtelings proeven van alle drie, de gele, de groene en de rode, telkens de glaasjes doorgevend tot we stomdronken waren. Er viel met de drie monniken heel plezierig te praten, anders dan zoveel priesters waren ze in het geheel niet geïnteresseerd in ons geloof of gebrek daaraan. Ze vroegen ons zelfs niet of we katholiek waren, ze leken ervan uit te gaan dat we kartuizers waren, net als zij.

Toen we eindelijk weggingen had Elias glimmende oogjes, was Cesar vrijwel bewusteloos en had ik de slappe lach. De kartuizers vroegen ons nog eens langs te komen en wij beloofden dat, terwijl we wisten dat het niet zou gebeuren, omdat we hen na al hun gastvrijheid niet teleur wilden stellen. We hadden een hele fles leeggedronken van elk van de drie likeuren en waren werkelijk niet meer bij machte uit te maken wat de beste was van de drie.

Die avond reden we rond tot ver na middernacht, hier en daar stoppend om wat te drinken in een bar, en een keer om wat te eten; we sliepen alle drie in de auto en werden koud en verkrampt en kribbig wakker. Elias zette Cesar en mij af aan het eind van de Naviglio Grande om een uur of halfzes 's morgens. Cesar leunde tegen de stang van de brug en weigerde door te lopen. Ik ging alleen en bracht onze bagage naar beneden. Het leek of we steeds minder kleren en steeds meer boeken hadden. We namen een taxi naar het station en stapten daar op de trein naar Bologna. Cesar wilde eruit in Reggio Emilia om uit te slapen op het perron, maar ik slaagde erin hem overeind te houden in de trein, tot aan Modena, waar hij van zijn stokje ging. In Bologna kreeg ik hem het rijtuig uit met hulp van twee vierkante matrones. Ik had hun verteld dat hij een nieraanval had, in zekere zin terecht, want zijn nieren weigerden zijn lichaam te zuiveren van de alcohol, zodat hij er dagenlang mee bleef zitten. Zelfs met een onbeweeglijke en nutteloze Cesar zag Bologna er schitterend uit in de gloed van de oranje zon.

13

Bologna, de schaal vol vlammen, gesloten en trots en verwaarloosd. Bologna, de heetste plek in noordelijk Europa, waar de wind uit de woestijnen van Afrika heenblaast en in de stad blijft hangen. Bologna, gesmoord door de Apennijnen, waar meer muggen zijn dan waar ook, zelfs meer dan aan de Orinoco. Bologna, de enige communistische stad in Italië, en waar de zigeuners niet binnen de stadsgrenzen mogen. Als de chaos van Milaan was om doorheen te reizen, dan was Bologna een oord om te blijven.

Cesar kwam eraan als een stervende vis in het aquarium van een restaurant. Hij bewoog zich nauwelijks, hij wilde alleen met rust gelaten worden. We zaten in de stationswachtkamer tot we tot doorlopen werden gemaand, en daarna zaten we tegen de buitenmuur geleund. Ik zag de zon steeds hoger klimmen boven het gebrande rood van de stad. De daken, de muren, de baksteen en de tegels waren allemaal rood en oranje in verschillende tinten; de zon verhevigde de kleuren en vormde een nevel van vlammen aan de horizon.

Ik kon in de stad geen beweging ontdekken en ook geen rumoer. Het was vooral de stilte die mij trof; na het gegil en geschreeuw van Milaan, het gieren van de trams en het gekrakeel op straat, maakte het ontbreken van elk lawaai me duizelig. Een paar treinen gingen in en uit het station, meestal goederentreinen die stopten op doortocht naar andere delen van Emilia.

Na een tijdje ontstond er een luwte binnen de stilte, een gefluister in de lucht; tientallen muggen begonnen zich om ons heen te verzamelen.

Er waren winkels met blinden en hekken ervoor, de brede straat was totaal verlaten. Ik dacht dat we op een openbare feestdag of een rouwdag waren aangekomen.

Ten slotte verlieten we het station en hielden een taxi aan.

'Breng me naar de Via San Salvatore,' zei Cesar tegen de chauffeur, die ons naar een straat bracht met hoge vakwerkhuizen.

'Wie woont hier?' vroeg ik Cesar.

'Wij,' zei hij. Hij haalde een grote ijzeren sleutel uit een van zijn zakken en opende een helft van een dubbele gotische deur. Binnen maakte alles een indruk van hoge ouderdom: kromgetrokken trapleuningen en afbladderende muren, verzakte plavuizen en afgesleten traptreden. En bij elke draai van de trap werden we begluurd door oude, gerimpelde gezichten achter op een kier geopende deuren. We liepen helemaal naar de bovenste verdieping, waar het zo laag was dat we moesten bukken. Er waren twee flats.

'Dat is de onze,' zei Cesar. Ik werd er die eerste dag al verliefd op.

'Hoe ben je eraan gekomen?' vroeg ik.

'Eigenlijk heeft Otto ervoor gezorgd.'

Er was geen muur die recht was en geen plafond dat niet helde, maar het zag er zo leuk uit dat alle gebreken leken bij te dragen aan de charme ervan. De wanden bestonden uit kromgetrokken balken en pleisterwerk en de vloeren uit grote stenen platen. Eén kamer en de keuken hadden een schoorsteen, de twee andere kamers niet. De keuken was enorm en had overal ingebouwde kastjes; aan de balken hingen bosjes kruiden en uien. Dan waren er nog twee kamers en een badkamer, maar geen bad.

De hele flat was gemeubileerd, met een overdaad aan Perzische tapijten op de vloer, de ramen hadden groene houten luiken en de zitkamer werd verlicht door een lamp die op tafel stond. In een hoek van de kamer stond een nog dampende kop thee en op de platenspeler draaide een van de Brandenburgse Concerten. Alles leek erop te wijzen dat er iemand thuis was; alleen die iemand zelf ontbrak.

Cesar liet me de andere kamers zien, allemaal even spookachtig leeg, en beduidde me geen woord te zeggen. Hij wees op een kamertje onder het schuine dak, waar een allegaartje van meubels stond opgeslagen. Met een handbeweging maakte hij duidelijk dat Otto zich daar had verstopt, waarna hij op het planken deurtje bonsde en in het Italiaans zei: 'Mooi zo, Marie Celeste, je kunt er nu wel uitkomen.' Na een lange stilte hoorden we Otto lachen; op handen en voeten kwam hij te voorschijn.

'Idioten,' zei hij, maar ik zag dat hij niet echt uit zijn humeur was, hij hield zo van practical jokes dat hij het zelfs leuk vond als iemand hem een poets bakte. Hij stopte al zijn papieren weg in een lade, kwam met een fles aquavit aan en zei tegen mij dat ik geen woord mocht zeggen om de avond niet te bederven. Cesar weigerde absoluut de aquavit aan te raken; toen Otto volhield kiepte hij zijn glas leeg op de vloer en beweerde dat het vergif was. Daarop deed Otto wat minder streng tegen mij; hij bracht Cesar naar bed en het eerste deel van de avond besteedden we aan praten en drinken. Ik vroeg hem waarom hij overdag de lamp aan had en hij zei: 'Het is zo heet, als ik de ramen opendoe is het net een heteluchtkachel. Maar jij voert zo weinig uit dat je je ook wel in het donker kunt redden.' Ik bedankte hem en we namen er nog een. Ik begon erg op Otto gesteld te raken, zijn aanwezigheid betekende meer voor me dan alleen het verdrijven van verveling. Hij vroeg naar Elias en ik vertelde hem over de dochter. Otto wist alles van dat kind af, maar hij leek zich zorgen te maken dat Elias' gevoelens voor haar op een dag zijn beoordelingsvermogen zouden aantasten.

'Je weet hoe Elias is,' zei hij, 'zo zie je hem, zo zie je hem niet. Het is niets voor hem om telkens op dezelfde plaats terug te komen.'

Het leek minder drukkend te worden, ik stelde voor de ramen open te doen.

'Nog niet,' zei Otto, 'wacht tot na zeven uur.'

'Wat is er zo bijzonder aan zeven uur?'

'Dan kun je je weer mens voelen. Iedereen gaat de straat op en schuifelt onder de arcaden door naar de brede trappen van de kathedraal op het Neptunusplein.'

We dronken nog wat aquavit, toen stelde hij voor dat ik 'iets verstandigers' zou aantrekken om te gaan kijken. Ik trok iets anders aan, maar het was een even lange katoenen jurk. Mijn kleren maakten Otto altijd kwaad. In de winter beschuldigde hij me ervan een non te willen zijn. 'Niemand die jou ooit zou kunnen verkrachten,' zei hij vaak, 'want ze zouden nooit de weg kunnen vinden door al die lagen textiel en die onderrokken.' En 's zomers zei hij: 'Je weet niet eens of jij op je kont staat of op je elleboog, het is 1970, doe die Edwardiaanse fantasiekleren toch uit.'

Maar ik hield van de zijde en de voiles en de paarlemoeren knoopjes, en de knopelusjes aan de mouwen, en het kant en het met de hand gemaakte borduursel; ik hield van de plooitjes en de boordjes en ik stapte er niet van af. Ik voelde me onzeker over alles in mijn leven, onzeker over wat ik zou gaan doen, onzeker over mijn verhouding tot Otto en Elias, onzeker waarom ik me had vastgeklemd aan Cesar, die ik nog steeds nauwelijks kende, en voor wie mijn gevoelens tweeslachtig waren. Er waren maar twee zekerheden in mijn leven, twee liefdes, en dat waren het dragen van lange jurken en op reis gaan. De extravagantie van de kleren en het comfort van het reizen.

Ik ging met Otto naar buiten; we wandelden onder de terracottakleurige arcaden door naar de Sint-Pieterkathedraal met zijn brede stenen treden waarop je koel kon zitten, en die met het vorderen van de avond volliepen als een gehoorzaal. Alleen of in groepjes van twee of drie kwamen de bewoners van Bologna naar het plein en de trappen. Bij honderden kwamen ze, stil en lusteloos, en namen dan geleidelijk de spontane stemming van de menigte over. Iedereen kwam tot leven met het ondergaan van de zon. Zelfs de meest apathische mensen werden uit hun verdoving gewekt en gingen aan de discussies meedoen. Het waren een soort gezellige massabijeenkomsten, waarin het leven in het algemeen werd besproken, en waarin over heel persoonlijke zaken werd gedebatteerd door volslagen onbekenden. Was het juist dat iemands schoonzoon zo weinig bijdroeg aan het familie-inkomen? Was het terecht dat de tweede zoon van een ander bleef doorstuderen voor zijn baccalaureaat? Wist iemand hoe het kwam dat de spreeuwen bij voorkeur in de Torre Garisenda nestelden?

Cesar en ik namen de gewoonte om naar de trappen voor de kathedraal te gaan van Otto over; ook als Otto er niet was, gingen we. Cesar lag altijd te slapen met zijn hoofd op de richel van de kathedraalmuur. Ik had hem mijn schoot of mijn schouder aangeboden, maar hij prefereerde de harde steen boven aanrakingen in het openbaar. In Milaan had alles om geld gedraaid, in Bologna draaide alles om de vraag hoe we de tijd moesten doorkomen. De dagen leken langer in de hitte. Cesar merkte dat hij niet uitrustte van het slapen. Hij probeerde op steeds vreemdere plaatsen te slapen om de kwaliteit ervan te verbeteren. We verhuisden van de ene kamer naar de andere in de flat aan de San Salvatore en in de kamer van het ene bed naar het andere. Hij sliep met zijn hoofd uit het raam boven de binnenplaats, tot zijn nek rauw verbrand was en zijn haar gebleekt van de zon.

'Het helpt niet,' zei hij, 'ik kan niet meer slapen, ik zal iets moeten gaan *doen*.' 'Iets doen' was altijd een uiterste redmiddel. Het hele idee van iets doen was anathema voor Cesar. De dingen gebeurden om hem heen. Hij was de kunst machtig geworden hun loop te veranderen met een minimum aan inspanning. En nu ineens, in Bologna, kreeg Cesar last van slapeloosheid. Hij liep rond als een beer met koppijn. Hij werd nog magerder dan hij geweest was toen ik hem voor het eerst ontmoette. Een week lang deed hij niets anders dan met zijn vingers knakken en zijn biografieën van Napoleon herlezen, die van Fournier, van Rusé, van Sloane, van Seeley, al de levensbeschrijvingen die hij had of waar hij de hand op kon leggen.

Elias kwam ons opzoeken. Hij bracht een deel van zijn bezittingen mee en sprak af bij ons in te trekken zodra hij bepaalde 'zaken' had afgewikkeld. Hij nam

Cesar mee terug naar Milaan om onze ringen in te lossen voor we het vergaten. Ook bracht hij drie kaartjes naar Grenoble mee.

'Waarom Grenoble?' vroeg ik.

'Ik weet het eigenlijk niet,' zei hij, 'ik had Parijs gevraagd, maar omdat ik niet betaalde, kon ik moeilijk gaan klagen.'

Daar waren we het over eens, en we bereidden ons voor om van de kaartjes gebruik te maken. Otto had de flat in de San Salvatore ter beschikking gekregen voor zolang hij wilde; we besloten hem als onze basis aan te houden. Het was daar een soort Oxford bij de Adriatische Zee, geschikter voor ons groepje dan Londen of Milaan. Op een dag kwam Cesar genezen van zijn slapeloosheid thuis. Toen we vroegen hoe hem dat gelukt was, zei hij: 'Ik heb de bioscoop ontdekt.'

Ik was opgetogen. Ik had altijd van de bioscoop gehouden, maar om de een of andere reden was ik er bijna nooit meer geweest sinds ik Cesar had ontmoet. Met Serge, in Parijs, was ik elke dag naar een middagvoorstelling gegaan, en soms naar twee. Ik vond het niet eens erg als de film slecht was. Het deed me plezier in de donkere zalen te zitten, ingeklemd tussen twee andere stoelen, chocolade etend en kijkend naar de bewegingen op het scherm, hoe onbenullig die soms ook waren. Otto daarentegen stelde hoge eisen aan alles, het acteren, de regie, het scenario en wat al niet. Maar Cesars maatstaf in Bologna was of een film hem in slaap kon krijgen.

Elias zorgde voor een wekelijks bedrag aan geld voor de meest noodzakelijke huishoudelijke uitgaven. Hij was de enige van ons die nog een geregeld inkomen had, en daarmee werden Otto's sporadische extravaganties van buitenlandse thee en palinglevertjes en zo, en de dagelijkse bezoeken van Cesar en mij aan de bioscoop gesubsidieerd. De luxetheaters met airconditioning konden we niet betalen, maar we werden kenners van de goedkope tenten: de bioscopen waar de soldaten kauwgum naar het doek zaten te gooien, waar je beter niet kon kijken naar wat er op de achterste rij gebeurde en waar de hele bioscoop begon te brullen en te fluiten zodra er een kus in beeld kwam. Hoe armoediger de bioscoop, des te vaker werd er van film gewisseld. We ontdekten er twee die elke dag hun programma veranderden, en we zorgden er altijd voor dat we onze honderdvijftig lire per persoon hadden, hoe weinig er verder ook voor eten overbleef. De meeste films waren buitenlands en nagesynchroniseerd, zodat je bekende acteurs die diepe mannenstemmen hadden, kon horen kwetteren en kakelen. Onze twee vaste bioscopen werkten met 'seizoenen'. Een 'seizoen' duurde meestal een week, en bestond uit zeven verschillende films rond één thema, of met één filmster. Zo had je het Dracula-seizoen met Polanski, Laurie, Vincent Price en een allegaartje van minder bekende Italiaanse acteurs, terwijl het Sordi-seizoen uitsluitend bestond uit films van Alberto Sordi. Soms ruilden de twee bioscopen hun programma's om, zodat we het Burton-seizoen en het spaghettiwesternseizoen twee keer zagen. Bij één vreselijke gelegenheid deden de twee bioscopen tegelijkertijd Gina Lollobrigida, zodat we die week veertien films van haar zagen.

Het gaf niet hoe klein de rol was die de betreffende ster speelde in die films – hij of zij kwam er soms niet meer dan twee minuten in voor, of trad op als kelner in de eerste scène en daarna niet meer – als de acteur er maar in voorkwam, dan kwam de film in aanmerking voor een seizoen. Het was vaak leuker op die vluchtige optredens te letten dan je aandacht bij het verhaal van de film te houden. Cesar sliep met devote toewijding door de meeste films heen, behalve als ze over oorlog gingen. Hij trok zich die oorlogsfilms heel erg aan, hij balde zijn vuisten en mompelde binnensmonds als een generaal te lang aarzelde met een beslissing en hij protesteerde tegen de personages die iets verkeerd deden. Een bijzondere hekel had hij aan liefdesscènes.

'Schiet toch op kerel,' riep hij elke keer dat er een afscheidskus werd gegeven.

Er was in die bioscopen geen luchtkoeling, gewoonlijk was er zelfs helemaal geen lucht. Maar een heel klein oorlogsveteraantje in een vlekkerig uniform maakte een groot afgeschermd luchtgat in een buitenmuur open, waardoor hij de hete slaperige lucht van de straat binnenliet en ook iedereen die lenig genoeg was om naar binnen te klimmen de kans gaf de film gratis te zien. Daar vloeide weer uit voort dat de veteraan, die de kaartjes verkocht en innam, de hekken buiten de zaal opende en sloot, het licht uitdeed en voor alles zorgde behalve voor het draaien van de film zelf, van de ene rij naar de andere schuifelde en met zijn zaklantaarn langs de gezichten scheen om te zien of ze betaald hadden. Toen we naar Grenoble gingen, hoopte zelfs Cesar dat we voor vrijdag terug zouden zijn, want dan waren er twee films met James Cagney.

Otto zei beschuldigend dat we oud werden, hij beweerde dat we de reis naar Grenoble aan het uitstellen waren als een stel oude vrijsters die een bijbelcursus hadden. Elias was naar Bologna gekomen, een week gebleven en daarna naar Rome doorgereisd. Onze treinkaartjes waren nu alleen geldig op de dag waarvoor ze waren afgestempeld, 6 september, en op die dag vertrokken we. Met ons drieën namen we maar een kleine leren koffer mee, plus een krat boeken dat Otto zo nodig moest meeslepen. Hij was bezig een studie over Sartre te schrijven en hield vol dat hij ze allemaal nodig had om te kunnen raadplegen. Otto was in een van zijn manische buien vanaf het moment dat we vertrokken.

14

Cesar geloofde sterk in het noodlot. Als ik er ook in geloofde, zou ik zeggen dat onze reis naar Grenoble tot mislukken was gedoemd. We hadden zes liter wijn bij ons en niets te eten, en dronken stevig door van Milaan tot Vercelli. Toen de trein uit Vercelli vertrok op weg naar Turijn begonnen Cesar en Otto sentimenteel te worden. Torino, zeiden ze, waar Cesar Pavese zelfmoord pleegde, Torino, ooit de hoofdstad van Italë. Otto haalde nog een fles wijn te voorschijn. Om de een of andere reden dronken we tokayer. Ik neem aan dat er geen Franse wijn te krijgen was geweest in de winkel waar ze deze gekocht hadden. Otto was een wijnsnob, of misschien echt een instinctieve wijnkenner. Hij beweerde altijd dat hij een slechte fles kon herkennen aan de buitenkant van een winkel. Vaak waren we aangewezen op heel goedkope wijn, maar zelfs daarin was hij kieskeurig en stuurde hij een glas terug als hij vond dat het niet was wat het voorgaf te zijn. Was hij eenmaal dronken, dan had hij denk ik met plezier eau-de-cologne of methanol naar binnen geslagen, maar was hij redelijk nuchter, dan was hij een drinker met principes. We dronken dus tokayer om slechte Italiaanse wijn te boycotten.

We toostten keer op keer op Turijn, om zijn verleden en zijn heden en zijn naam. Otto gooide een glas wijn uit het raam, 'voor het Vercelliboek,' en Cesar begon een lang twistgesprek over de vraag of ze meer vermicelli aten in het noorden of in het zuiden van Italië. Pas op het laatste moment, toen de kwestie nog steeds niet was uitgepraat, herinnerden we ons dat we moesten overstappen. We sprongen alle drie nog net op tijd uit de trein, met onze koffer en de wijn, maar Otto's boeken waren achtergebleven. We stonden ze op het perron na te zwaaien tot de trein geheel uit het gezicht was verdwenen. Hij stond zo beteuterd te kijken dat ik hem maar niet zei dat er erger dingen waren gebeurd in de oorlog. Hij zag eruit of hij daar helemaal niet zo zeker van was.

We namen de trein van 18.45 uur naar Grenoble. Otto dronk zich door de wijn heen met dezelfde toewijding waarmee hij aantekeningen zou hebben gemaakt voor een essay. Als hij dronk, kreeg hij rode wangen zodat hij er jongensachtig ging uitzien. Cesar sliep bijna de hele tijd, maar werd zo nu en dan wakker gemaakt door Otto, die vond dat hij weer een slokje moest drinken 'om te voorkomen dat hij een kater kreeg'.

Otto glipte net voor de grens een ander compartiment in en kwam terug zodra we allemaal veilig aan de andere kant waren. Terwijl de avond vorderde en we ons een weg sneden door de Franse Alpen naar Grenoble, dronk Otto alsof hij de laatste wijn op de wereld dronk. De reis hield nog een verrassingsoverstap in, in St.-Jean waar we in een nog langzamere lokale trein terechtkwamen, die bij elk dorp op de route stopte om op adem te komen.

We kwamen ten slotte tegen middernacht in Grenoble aan. Otto was hopeloos dronken, Cesar en ik waren er niet veel beter aan toe. We gingen op de bank op het perron onze laatste fles wijn zitten opmaken, liepen vervolgens door de stationshal naar buiten en besloten tot een plan de campagne: meer wijn. Cesar presenteerde drie boordbaleintjes; we trokken wie de wijn moest halen. Ik trok aan het kortste eind. 'Dat is goed,' zei Cesar, 'jij had het toch moeten doen, want Otto is dronken en jouw Frans is beter dan het mijne.' Cesar stak nooit onder stoelen of banken dat hij geloofde in de dictatuur.

'Geloof je dan niet in democratie?'

'Nee,' zei hij, alsof de zaak daarmee was afgedaan.

'Waarom niet?' vroeg ik dan verontwaardigd, en dan zei hij: 'Democratie bestaat niet.'

Als ik dan bleef doorredeneren, zei hij dat ik maar eens een paar jaar 'de chaos van Venezuela moest gaan proberen' en dan terugkomen als ik wist waar ik het over had. En als ik dan nog doorging, begon hij zachtjes te fluiten en raakte hij verveeld. Otto had me ooit eens uitgelegd dat Venezuela het produkt was van één man. Simón Bolívar had het land gevormd naar het model van de vrijheden en de democratie van Engeland.

'Het resultaat is zo anders dat het een kwalijke grap lijkt,' had hij gezegd. 'Cesar klinkt als Djengis Khan, maar er zit iets goedgunstigs in zijn tirannie.'

Ik raapte mijn moed bij elkaar en ging achter de wijn aan. Ik zag wel in dat er niets anders op zat. Cesar zou eenvoudig zeggen: 'Dictatura es dictatura!' en dat was dan dat.

Ik was bang in het donker, bang voor vreemde mannen die uit steegjes konden springen. Met het geld dat Cesar had gegeven, hoofdzakelijk lires en dus nutteloos, had ik nog geen tweehonderd franc.

Het was een kleinigheid, het donker inlopen en terugkomen met een fles wijn. Ik dacht dat ieder ander er geen moeite mee gehad zou hebben, maar ik was idioot bang. Ik liep het stationsplein af, een brede weg over, en kreeg tot mijn enorme opluchting een bar in zicht; ik ging naar binnen, waar een menigte ruwe, verlopen smoelen naar me loerde. Ik negeerde ze en vroeg om een fles vin rouge. De barman nam me achterdochtig op. 'Om hier op te drinken?' vroeg hij.

Ik dacht dat hij zich zorgen maakte om mijn minderjarigheid. 'O nee,' zei ik, 'om mee te nemen.'

Hij nam niet eens de moeite voor een antwoord, maar draaide zich lomp om en ging door met zijn werk. Het was of ik iets had horen te weten wat ik niet wist. Ik bereikte de deur, er was iemand tegen me aan het praten maar ik liep gewoon door.

Na het felle licht van de bar leek het buiten nog donkerder. Een van de mannen kwam me achterna. Ik hoopte dat hij geen stiletto bij zich had. Mijn moeder beweerde dat alle buitenlanders een stiletto bij zich hadden; zelfs ik had er een gehad in Milaan, en Otto had er twee.

Toen ik negen was, moest de politie eraan te pas komen toen een vreemde man me volgde naar school en me opwachtte bij het hek, tot de juffrouw van de snoepkraam hem had aangegeven. En ook had een man me eens gevraagd met hem uit een rijdende rein te springen; ik was te verlegen geweest om aan de noodrem te trekken.

'Ik wil je geen kwaad doen,' had hij gezegd, 'ik hou van je.'

Er werd altijd van mij gehouden door vreemde mannen, het voetvolk van de zieken en eenzamen hield me voor een soort wandelend Rode Kruis.

Aan zulke dingen liep ik te denken toen ik die straat in Grenoble afliep, duimend dat ik niet zou eindigen als een statistisch cijfer in de schandaalpers van het Isère-district. Otto en de anderen hadden de grootste bank-roof aller tijden gepleegd; hun namen zouden in de onderwereld van mond tot mond blijven gaan, net als die van Henri Charrière. Toekomstige presidenten zouden hen danken of straffen voor hun daad; ze kwamen in aanmerking voor het *Guinness Book of Records*. (De Grote Treinroof was geen bank geweest, zoals Otto me steeds weer bijbracht.) En hier liep ik, niet in staat een opdracht die te onbeduidend was voor woorden, tot een goed einde te brengen. Ik probeerde de ene bar na de andere, cafés, restaurants, sleepte mijn lange geruite jurk door vuil zaagsel, langs volle tafel-tjes. In de arbeiderscafés kreeg ik het meeste te verdu-ren, maar overal waar ik kwam werd ik lastig gevallen.

'Blijf hier en drink wat!' riepen ze. Soms waren ze van het soort waar ik wat bij zou willen blijven drin-ken, maar nu was ik wanhopig op zoek naar die ene armzalige fles vin rouge die niemand me wilde verko-pen. In de meeste gelegenheden verkochten ze niet per fles, waar ze het wel deden waren ze uitverkocht, ande-ren haalden de wet erbij, die bepaalde dat het gekoch-te ter plekke moest worden opgedronken. Weer ande-ren gooiden het nog steeds op mijn minderjarigheid. Cesar had gelijk. De Fransen waren ontzettend ge-meen. Nu ik me eenmaal had schrapgezet voor mijn taak, moest ik die wijn ook hebben, het idee van een mislukking kon ik niet accepteren. Cesar zou het niet begrijpen, hij zou me aankijken met zijn blik van lang-zaam groeiend ongeloof, en daarna zou hij een andere kant opkijken. Hij had toch al zo weinig woorden, aan een mislukking maakte hij ze niet vuil. Hij zou niet begrijpen waarom ik niet gewoon een fles had gepikt en ervandoor was gegaan, of een barman had omgekocht, of een ruit ingegooid. Hij wist niet wat het was om zeventien te zijn en in Engeland opgevoed. Leeftijd was nooit een excuus voor Cesar, hij zou het voor elkaar gekregen hebben op elke leeftijd.

De straat leek eindeloos, maar liep ten slotte dood; ik probeerde de andere kant. Ook daar ging ik elke bar binnen en probeerde stelselmatig aan die ellendige wijn te komen. Halverwege de route terug naar het station zag ik een groepje mensen voor mij uit. Na elke bar stonden ze er nog. Er was nog een bar te zien die ik wilde proberen, maar toen ik bij de deur kwam versperde iemand mij de weg. Tegelijkertijd voelde ik dat er handen aan mijn jurk trokken.

Ik draaide me langzaam om. Ik werd door elkaar geschud, mijn haar was losgeraakt uit zijn ingewikkelde netwerk van spelden en iemand stond eraan te trekken. Ondanks het donker zag ik dat mijn belagers allemaal vrouwen waren. Dat had een reden tot opluchting kunnen zijn, maar was het niet. De ervaringen van mijn moeder als directrice van een observatiehuis voor meisjes hadden me voor het leven schrik aangejaagd. Onmiddellijk schoot me het meisje te binnen met de zestig hechtingen in haar gezicht van een chocolademelkkop en het meisje dat haar oma had vermoord met een pook, en Mary Bell, die op haar tiende baby's verstopte in een vuilnishoop en op hen insneed met scheermesjes. Ik had alles gehoord over scheermesjes in vagina's en over vechtpartijen.

Een van mijn armen werd op mijn rug gedraaid in een amateuristische halve nelson. Ik wist niet eens hoeveel het er waren, zes, tien, twintig, het was onmogelijk te zien in het donker. Allemaal stonden ze tegen me te roepen en te schreeuwen, woorden die door stompen werden vergezeld. De eerste schrik zakte weg, ik begon na te denken. Eerst repeteerde ik het advies van mijn moeder voor het omgaan met gewelddadige adolescenten: één, oogcontact vermijden, twee, altijd terugpraten, drie, nooit glimlachen.

Er klapte een handtas tegen de zijkant van mijn gezicht; door het suizen van mijn rood aanlopende oor heen begon ik te verstaan wat ze zeiden. Het waren allemaal hoeren, die me ervan beschuldigden dat ik liep te tippelen op hun stek. Dit was hun straat. Ze zeiden dat ze me elke bar in hadden zien gaan; ze zouden me weleens even leren dat ik weg moest wezen. Ik probeerde meteen terug te praten, ik zei dat ik wijn wilde kopen. Ze zeiden dat zij dan de harem van Haile Selassie waren. Toen ik zei dat ik een Engelse toeriste was, briesten ze van woede, en trokken zich terug voor de beslissende aanval.

Toen ze achteruitgingen, zag ik het flikkeren van een mes in het licht van de straatlantaarn; scherpe namaakjuwelen werden in de aanslag gebracht. Het was een lichte geruststelling te zien dat de meesten van middelbare leeftijd waren. Ik had geen gegevens over de criminaliteit van oudere vrouwen, wat op zichzelf een voordeel leek. Ik bedacht dat ik waarschijnlijk harder kon lopen dan zij. Alleen een knap meisje en nog een paar anderen leken flink genoeg om me te pakken; ik was langer dan zij en had dus ook langere benen. Ik stond tegen een vochtige muur in de halve cirkel van hun schimpscheuten. Ze konden het blijkbaar niet eens worden wie de eerste schop zou uitdelen.

'Jij onderkruipster,' riep er een naar me in het Frans.

'Toe dan, Lulu, pak haar.'

Lulu zette zich in postuur voor een geweldige linkse hoek, toen een nieuwe, roodharige meid naar voren kwam, haar gezicht bijna tegen het mijne drukte, spuugde en me een venijnige schop tegen mijn scheen gaf alsof ze wou nagaan of ik echt was. Toen zei ze: 'Laat haar aan mij over.'

'Ik was eerst,' zei Lulu.

'Hou jij je mond!'

'Nee jij.'

'Barst jij.'

Er werd geduwd en geslagen en ineens was ik vergeten. Ik brak uit hun omsingeling en zette het op een lopen naar het station. Hardlopen doe ik zelden, in de misschien te lichtvaardige overtuiging die mij was bijgebracht dat lichaamsoefening iets is wat alleen honden en paarden nodig hebben. Maar onder deze omstandigheden pakte ik mijn omvangrijke rok op en was weg voor iemand besefte wat ik deed, wegsprintend uit de donkere straat naar de lichten van de hoofdweg. De eerste paar honderd meter voelde ik dat ze achter me aan zaten, ik kon hen elke belediging horen gillen die ze maar konden bedenken. Weer was ik mijn moeder dankbaar, die was opgeleid aan een Franse kloosterschool en daar om de een of andere reden van de nonnen alle Franse scheldwoorden had geleerd. Zij had ze mij weer geleerd, zodat dit het enige terrein van die taal was waarop ik me geheel thuisvoelde. Het zou mijn belaagsters genoegen hebben gedaan te weten dat geen van hun benamingen aan mij voorbijging. Bij de hoofdweg lieten ze me gaan. Ik streek mijn kleren glad en vond het station en Cesar terug.

Cesar was kwaad. 'Waar heb je zo lang gezeten?' zei hij. Ik zag dat hij het niet echt wilde weten.

'Waar is Otto?' vroeg hij op hoge toon.

'Die is bij jou,' zei ik. Het kon me niet schelen dat Cesar boos was, hij was er tenminste, en er zaten geen scherven van een chocoladekop in mijn gezicht.

'Doe niet zo gek,' zei hij.

Cesar vroeg niet eens naar de wijn, hij had er blijkbaar geen zin meer in. Op elk ander moment zou ik het vervelend hebben gevonden dat ik er voor spek en bonen op uit was gestuurd, maar het feit dat Cesar niet meer dronken was en ook niet ergens languit lag te slapen, leek op zichzelf al te wijzen op iets ernstigs.

'Wat is er aan de hand?' vroeg ik.

Hij wees op Otto's jas die over onze koffer was heengegooid, en zei: 'Hij is weg.'

'Waarheen dan?'

'Ja Jezus, dat weet ik niet, anders zou ik het jou niet vragen.'

Ik had Cesar nog nooit zo ongerust gezien. Ik wist dat hij Frankrijk in het algemeen onveiliger vond dan Italië. Ik begon de zaken op een rij te zetten. We waren diezelfde avond de grens overgegaan. Het kon zijn dat Otto's papieren waren herkend, dat zijn vermomming was doorzien, dat ze hem hadden opgewacht in Grenoble. Er liep een internationaal arrestatiebevel tegen hem. Of hij kon, nog erger, zomaar verdwijnen. Als hij reisde met valse papieren konden de autoriteiten makkelijk ontkennen dat ze iets van hem wisten. Met een echt paspoort zou hij tenminste recht hebben gehad op consulaire bijstand – niet dat iemand daar ooit veel aan had, maar het klonk een beetje geruststellend. Als Otto zomaar verdween, kon hij weer opduiken op het wegdek van een snelweg, of in een opslagplaats van autowrakken, of helemaal niet meer.

Cesars gezicht was zo bleek geworden als op de dag van het varkensvlees, toen ik had gezegd dat ik bij hem weg zou gaan, of als bij het gesprek voor ons huwelijk, toen hij gesproken had over de dood van zijn vader. Zijn gezicht was verstard in een uitdrukking van verdriet. We zeiden niets, hij wilde dat niet, hij wilde Otto vinden. We zochten het station af, speurden naar hem op de meest onwaarschijnlijke plaatsen. We keken op de perrons en in de wachtkamer, zochten onder de banken naar een laatste teken van hem. 'Als ze hem gearresteerd hadden, dan had hij iets laten horen,' zei Cesar, overtuigd dat Otto een teken zou hebben achtergelaten dat zijn ontvoerders was ontgaan en die ons naar hem toe zou leiden.

Mijn moment van glorie, de vlucht voor de hoeren, was al weggezakt in het verleden. Alleen Otto was nog van belang toen we de toiletten en de vuilnisbakken afstroopten. We keken op het stationsplein, we liepen de spoorbaan in beide richtingen een paar honderd meter, af. Er was geen enkel spoor van hem. We informeerden naar de treinen bij de norse stationsbeambte. Er was er een geweest naar Chambéry, een naar Valence en die van ons.

'Hij stapt niet zomaar op een trein,' zei Cesar.

'Maar soms komt hij niet opdagen,' bracht ik hem in herinnering.

'Hij komt niet,' zei Cesar, 'maar hij gaat ook niet.'

Ik herinnerde hem aan het posten van een brief naar Berlijn. 'Toen heeft hij van tevoren een soort hint gegeven,' zei Cesar.

We besloten in het station op Otto te wachten, hoe lang het ook zou duren. 'Wat doen we als het een week gaat duren?' vroeg ik.

'Dan wachten we een week,' zei Cesar koppig.

'We kunnen hier geen week blijven zitten,' zei ik om toch maar iets te zeggen.

'Als hij binnen een week niet komt, dan is hij hoogstwaarschijnlijk dood.' Cesar liep bij me vandaan en ging leunend op een groezelige vensterbank de nacht in staan staren.

We wachtten op het station tot er hier en daar een onwezenlijke glans doorbrak die de rommel op de grond in een nieuw licht zette. Cesar was bij zijn vensterbank gebleven, ik had hem aan zijn gedachten overgelaten en zat in elkaar gedoken op een bank, met voor de warmte alleen onze koffer. Ik dacht eraan hoe ik Otto zou missen als ik hem nooit meer zou zien, ik had nauwelijks gemerkt hoe hij zich in mijn innerlijk had vastgehecht. Hij had me verteld dat Cesar alles op alles kon enten. 'Hij kan een tomaat op een aardappel enten en een appel op een peer.' Ik wist niet of hij dat verzon, maar ik wist wel dat hij op de een of andere manier ons op elkaar had geënt. Otto was meer voor mij geworden dan Cesars vriend, hij was een wezenlijk deel van mijn leven geworden. Ik vergat al zijn onaangenaamheden terwijl ik daar zat. Zijn gebreken zonken in het niet. Hij was niet lichtgeraakt of grof of zenuwzwak meer, hij zeurde of raasde of dramde niet om zijn zin te krijgen. Hij kreeg de status van de pasgestorvenen, al zijn pekelzonden verbleekten in het licht van zijn charme en charisma, zijn glans en zijn lof.

Ik stelde me voor dat hij door de Naviglio Grande dreef, zijn hand, vastgeraakt in het wier, naar mij wuivend door het slijk. Ik stelde me voor hoe zijn hangsnor, die hem een droevig Mexicaans uiterlijk gaf, golfde in het water terwijl hij naar de Ticino werd gevoerd. Hij werd zo mooi als Ophelia op het schilderij van Millais, drijvend op het water. Ik werd vervuld van een begeerte die ik hem tot dusver had ontzegd. Ik had berouw van mijn koelheid. Hij beweerde altijd dat ik hem martelde. Ik stelde me voor dat hij gemarteld werd, maar het ergste van alles was dat ik mij voorstelde dat hij dood was.

Cesar kwam langs op weg naar het toilet en kneep mij in mijn schouder. Hij was weer oud geworden, zoals hij was toen ik hem voor het eerst had gezien; voor een deel kwam het doordat hij er zo gekweld en ongeschoren uitzag. Een paar minuten later kwam hij terug en bleef bij mij staan.

'Kom mee,' zei hij en sleepte me naar het mannentoilet. Dat was verbazend vies vergeleken bij het vrouwentoilet ernaast. Hij duwde me een hokje in met een soort heimelijke aandrang. Wat een moment, dacht ik, maar hij zei alleen maar: 'Luister!'

Ik luisterde en hoorde door de wand heen een vreemd, rammelend geluid.

'Verbeeld ik het me,' zei Cesar, 'of is dat Otto?'

We gingen op een glibberig porseleinen randje staan en keken over de rand van de afscheiding. Aan de andere kant was een vreemd hoopje in elkaar gezakt op de toiletpot. Het was Otto, dubbelgevouwen met zijn voeten op de rand en zijn hoofd tussen zijn knieën. Als hij niet gesnurkt had, zou ik gezegd hebben dat hij dood was.

'Hij is het,' fluisterde ik.

'Is hij gewond?' vroeg Cesar.

'Ik weet het niet, hij ziet er raar uit, maar misschien is hij gewoon dronken.'

Otto had zijn deur van binnen vergrendeld, dus lieten we dingen op hem vallen om hem bij zijn positieven te brengen.

Eindelijk kwam hij bij, razend van woede.

We waren allebei zo opgelucht dat het ons niets kon schelen. We vertelden hem niet hoe ongerust we waren geweest, en hij heeft ons nooit verteld waarom hij daar zo opgerold in slaap was gevallen. Als zijn voeten op de grond hadden gestaan, zouden we hem waarschijnlijk veel eerder hebben gevonden.

Dat was zowat alles wat we in Grenoble deden, achternagezeten worden door de hoeren en Otto zoeken, want toen we naar het enige adres gingen dat we hadden, dat van een neef van Otto, kregen we te horen dat die 'naar Italië was om een neef op te zoeken'.

'Ik geloof er niets van,' zei Cesar, maar er viel niet veel anders te doen, zodat we maar op de rand van een muurtje op een van de stadspleinen gingen zitten kijken naar de sneeuwtoppen om ons heen, en naar het stadhuis. Dat laatste bracht Cesar ertoe een reeks van gevallen op te dreunen waarin de stad zich verraderlijk had gedragen; Otto pleitte voor het verzet, dat in Grenoble bijzonder sterk was geweest. Cesar wilde dat niet toegeven en zei dat we hier waarschijnlijk precies op het muurtje zaten waartegen de maquisards waren doodgeschoten nadat ze door hun buren waren verraden.

We besloten onze lires niet in te wisselen en ons te redden met de francs die we hadden; we deden ze bij elkaar en kochten wat crêpes bij een rijdende crêperie. We kochten er ten slotte nog een voor ons drieën, maar die liet ik achter het muurtje in een zandkuil vallen, en dat leek zo'n buitensporige opeenstapeling van tegenspoed dat ik in tranen uitbarstte. Otto drukte me tegen zich aan, Cesar zei dat hij nooit meer een woord tegen me zou zeggen als ik niet onmiddellijk ophield. Dat deed ik dus, en we gingen terug naar het station, terug naar Chambéry en St.-Jean, naar Susa, Turijn, Vercelli, Novara, Milaan en naar huis, naar Bologna. Onderweg aten we alleen de keiharde broodjes met de leren plakjes ham en vergeleken we onze katers.

15

De herfst kwam laat in Bologna, eigenlijk leek de zomer het bijna vol te houden tot aan het vallen van de eerste sneeuw. Ik besefte dat ik door op een massale beweging van bladeren te wachten, in het klimaat de geleidelijke overgang van het ene seizoen in het andere voorbij had laten glippen zonder er veel van te merken. De heuvels rondom de stad hielden de hitte vast tot een eind in oktober. We gingen toen nog picknicken op de uitgedroogde heuvels rond de pelgrimskerk van St.-Lucas, en het was er nog warm genoeg om in de zon in slaap te vallen. Ik kan me niet precies herinneren op welk moment het droge gras en de varens hier en daar plaats maakten voor gevallen bladeren. De eiken hielden hun roodbruine bladerpruiken de hele winter op, en ik denk dat ik speciaal op de eiken had gelet.

Ons leven in Bologna had een eigen, onveranderlijk tijdschema dat standhield door heel de nazomer, de herfst waar hij in overging en de winter waar hij in veranderde. Pas in het volgende voorjaar werd ons leven weer jachtig. We waren alle drie moe uit Grenoble teruggekomen, blij om ons te kunnen laten wegzinken in de luwte van Bologna en zijn kalme renaissancistische bekoring. De San Salvatore zelf was als een eiland in de zon, met alle voors en tegens van de tropen. Vaak wordt gezegd dat Engelsen niets anders doen dan over het weer praten, maar ik heb nog nooit in een land gewoond waar de wisselvalligheden van het weer niet werden besproken als een dagelijks, langdurig ritueel. In Bologna waren geen wisselvalligheden, het was er zo heet als in het zand van Afrika, maar de extreme hitte zelf werd becommentarieerd en van alle kanten bekeken.

'*Che caldo!*' zeiden de oude dames altijd als ze op de overloop zaten met hun hijgende spaniël Chapolino en zich koelte toewuifden met oude tijdschriften.

'*Che caldo!*' herhaalden ze elke keer dat ze ons zagen. Het was of er niets anders te zeggen viel. Alleen 'wat heet'. Hoe heet kon het worden? Hoe heet zou het worden? Soms zat er een zweem bewondering in het '*che caldo*', alsof elke extra graad in de schaduw hun eigen uithoudingsvermogen tot eer strekte.

In Londen en Oxford en Milaan bleven we tot ver na twaalven in bed, maar in Bologna was het bed een soort vagevuur, zodat vroeg opstaan een verlossing leek. Eén dun laken was koeler dan helemaal geen, maar de nachten waren slapeloos en er ging meer energie zitten in pogingen de muggen te vergeten dan in pogingen tot slapen. In weerwil van de schoonheid van de stad en de brandschone properheid van de terracottakleurige gevels en de onregelmatige daken in alle kleuren rood en oranje, had Bologna iets ongezonds waar de muggen op afkwamen. Ik lag op mijn smalle koperen bedje, mijn laken van top tot teen om mij heen ingestopt als een wade, te luisteren naar de gelijkmatige razernij van de muggen om mij heen. Als ik in slaap viel en me een paar centimeter verroerde, vonden ze een weg door mijn doodskleed heen en staken me en tapten me bloed af tot de jeuk zorgde voor een heel eigen voorportaal van de hel.

Ze waren vasthoudend en vraatzuchtig en er kwam

nooit een eind aan, zoals bij de hongerende miljoenen van India. Eén maaltje rodekruisbloed was niet genoeg, ze hadden steeds meer nodig. Ik kon ze horen zoemen en fluisteren boven mijn eigen gedachten uit, boven de nacht, boven het rustige ademen van de anderen. Ze baanden zich een weg mijn hoofd in, zoals de gefluisterde gebeden van mijn oudtante Maud, die door de lambrizeringen van haar huis dreven: 'Heer wees onze zonden genadig.' Keer na keer hoorde ik haar bidden in de nacht, knielend tegen de muur waar ik aan de andere kant van lag. Daar hoorde ik haar spookachtige smeekbeden tot de god die haar op haar drieënnegentigste alleen had gelaten, met geen andere wens dan te sterven, zo vlug mogelijk, voor er nog meer veranderde in een wereld waarin ze zich verloren voelde, versteend in haar gebeden, door bedienden gevoed. Al te dicht bij mijn oor zoemde ze: 'Here wees ons genadig, Jezus wees ons genadig, hoor hoe uw arme dienstmaagd smeekt om genade.' Meestal drong maar de helft van de woorden door de muur heen, aan een snoer van s-klanken die zich vastbeten in mijn puberteit. 'Verlosser... sterven... wij smeken u... gemis... ernstig... angst en vrees... of anders vergiffenis.' De gebeden van mijn oudtante Maud sprongen van het ene onderwerp naar het andere, talmend bij elke s, en de muggen gaven een perfecte imitatie van haar gebed, opdringend en terugwijkend, dan weer zwevend rond diezelfde medeklinker, weigerend iets anders te zeggen dan een telkens herhaald: 'Verlos uw dienaresse o Heer,' vastbesloten haar man de dominee te volgen die al veertig jaar dood was en haar alleen had gelaten met het probleem van de bedienden: 'En vergeef ons onze schulden gelijk ook wij vergeven onze schuldenaren, en vergeef Grace, o Heer, voor het breken van een schoteltje, want ik kan het haar niet vergeven.'

Om de een of andere reden, misschien vanwege het rode haar van mijn moeder, misschien gewoon omdat ik een pechvogel ben, moesten de muggen mij meer hebben dan de anderen. Ze beten en kwelden en achtervolgden mij erger, en niets leek ze te kunnen remmen. Ik hield de stand van al mijn muggebeten bij, en kwam op een gemiddelde van tweeëntwintig per nacht. Ik deelde dat door twee, en zorgde ervoor dat ik elke avond voor ik ging slapen persoonlijk elf van die fijnpotige, waanzinnig hinderlijke wezens van kant maakte. Als gevolg daarvan was de muur boven het bed van Cesar en mij bespikkeld met vleugeltjes en bloed en talrijke streepjes van poten die in de witkalk waren geplet. Het verbaasde me te merken hoe leuk ik het vond ze plat te slaan en zelfs dood te knijpen tussen mijn vingers. Ik was ongewoon teergevoelig met andere insekten en dieren, maar ik putte een heel echt, wraakzuchtig plezier uit de jacht op muggen. Het gaf niet dat de muggen die ik te pakken kreeg, mij waarschijnlijk nooit gebeten hadden, ze maakten deel uit van dezelfde soort, met dezelfde smaak en hetzelfde krankzinnige gezoem. Overal waren muggen, in de bioscoop, in de winkels, op de trap, maar 's nachts in bed in de San Salvatore waren ze op hun ergst.

Afgezien van de hitte en de plunderende insekten hadden we die eerste lange zomer verder geen problemen. We hadden vrijwel geen geld en als Elias weg was, hadden we helemaal geen geld, maar daar waren we aan gewend geraakt, we sloegen ons er wel doorheen. Toen het eenmaal duidelijk was geworden dat bohémiens niet langer op zolderkamertjes doodgaan van de honger, viel het gevoel van naderende ondergang dat ons het leven in Milaan zuur had gemaakt van ons af, en we konden meer genieten van de gezellige kant van Italië. We raakten bevriend met mensen uit de stad en met sommige buren. Otto zocht altijd het eerst toenadering. Hij was goed in het herkennen van vriendelijke gezichten en wist eindeloos dingen te vinden die hij met vreemden gemeen had.

Zo kwam het dat we tegen het eind van oktober '*buongiorno's*' en '*fa caldo's*' uitwisselden met twee buren, een cellist van het conservatorium, een architect, een actrice, twee professoren en een visboer van de markt. Zelfs viel ons de ongekende eer te beurt teruggevraagd te worden bij sommigen van hen thuis. Noorditalianen hebben, net als de Japanners, een soort vriendelijkheid die ophoudt bij hun eigen voordeur. Omdat we altijd met z'n drieën en soms met z'n vieren waren, vielen we binnen als een invasieleger, en aangezien we zelden een stevige maaltijd aten in de San Salvatore, moesten we het uiterste van onze zelfbeheersing eisen om niet het hele hebben en houden van onze gastheer op te eten. In het algemeen bleven we overdag in de flat zitten lezen, wachtend tot de zon minder heet werd, gingen dan naar de bioscoop, liepen wat rond in de stad, gingen weer naar de bioscoop en dan naar huis, waar we net zolang bleven praten als de horden muggen toelieten.

Otto bleef sterk in zijn afkeuring van onze armeluisbioscoop en Elias had een vriendin die hem kwam bezoeken als wij allemaal weg waren. We deden onze boodschappen bij de supermarkten in de buurt. Eigenlijk was het meer verzamelen dan boodschappen doen, omdat we weliswaar op de gewone manier uitzochten wat we wilden hebben, maar altijd de kassa oversloegen. Ik kreeg de techniek van dat plunderen nooit onder de knie en Cesar was zo lui dat niets hem kon bewegen uit zijn bed te komen. Maar Otto en Elias maakten hun boodschappenlijstjes en kwamen met de spullen terug. Elias was er het beste in. Hij vulde gewoon een enorme boodschappentas en liep er zelfverzekerd de winkel mee uit. Zo zelfverzekerd dat men nooit op het idee kwam dat hij iets deed wat niet in de haak was. Otto daarentegen doorstond vreselijke kwellingen bij het slinks wegmoffelen. Hij verstopte zijn pakjes Earl Grey en Lapsang Souchongthee terwijl het zweet op zijn gezicht stond en zijn handen trilden en zijn gezicht groen werd. Soms probeerde hij iets te pikken dat niet paste, waarna hij het weer terug moest zetten. Soms leken ze overal de winkeldetective achter zich aan te krijgen, en dan moesten we een van onze bioscoopjes laten schieten of honger lijden.

Er was weinig dat Cesar en zijn vrienden onderscheidde van de andere zomergasten in Bologna. Zelfs toen plotseling de winter inviel en het ging vriezen op de Garisenda en de Asinelli konden ze nog doorgaan voor gewone treuzelaars met niets om handen, die verkozen hadden in de stad te blijven hangen. Ze hadden alle drie zo'n ongedwongen manier van doen dat de spanningen van de ballingschap en het voortdurende gevoel van wachten op beter, goed verborgen bleven voor buitenstaanders. De oude dames die naast ons woonden vergeleken ons met trekzwaluwen.

'Als het lente wordt, vertrekken jullie,' zeiden ze.

Cesar zei: 'Nee, we blijven in Bologna,' maar de oude dames schudden hun hoofd en hielden hun hond Chapolino nog wat steviger vast aan zijn versleten lijn alsof zij beter wisten. Niet voor niets hadden ze meer dan zestig jaar in hetzelfde vervallen gebouw gewoond, zichzelf koelte toewuivend tegen de hitte, het stof opvegend dat de houtworm achterliet en lettend op het komen en gaan in het huis.

'Jullie zijn allemaal jong,' zeiden ze. 'Hier blijven alleen oude mensen... San Salvatore,' zei er een, met de nadruk op Salvatore, 'iedereen hier zit te wachten tot hij doodgaat.'

Vooral Cesar raakte erg gesteld op de oude dames, en bracht steeds meer tijd door met luisteren naar hun kanarie en met hen praten over vroeger. Op een dag spraken ze over alle dingen die ze misten. Wenen, de walsen, een warme mof in de winter, vakanties in Venetië, en bruine suikerklontjes die je in de oorlog had. Cesar zei: 'Ooit zal ik jullie wat van die suiker sturen.'

De oude dames schudden hun hoofd, ze waren zusjes, de ene dik en de andere dun, maar ze bewogen zich gelijk, als een bibberig cabaret.

'Je kunt zulke suiker niet meer krijgen,' zeiden ze, 'dat is iets speciaals uit de oorlog.'

Cesar hield vol dat hij hun er toch wat van zou sturen, en ze begonnen te glimlachen.

'En nu,' zeiden ze, 'moet signor Cesare eens vertellen wat hij het meeste mist.'

Nu was het Cesars beurt om te glimlachen en zijn hoofd te schudden; hij liep weg zonder antwoord te geven op hun vraag en bleef nog dagen stil en nadenkend.

'Waarom zei je dat je die suiker zou sturen?' vroeg ik hem later die avond.

'Ik vind ze aardig,' zei hij schouderophalend en draaide zijn gezicht naar de muur om te gaan slapen.

Ik richtte me tot Otto voor een antwoord waar ik meer aan had, en hij zei: 'Dat heeft Cesar op zijn land, suiker.'

Ineens vond ik mezelf heel dom dat ik niet eerder had gevraagd wat hij op zijn land had. Het land bezitten had genoeg geleken, ik had er niet aan gedacht dat hij er ook iets op liet groeien.

'Nou, waarom heeft hij dan geen geld?' zei ik, geërgerd over mijn onwetendheid.

'O, hij heeft wel geld,' zei Otto, 'hij is heel rijk.'

'Waarom hebben we dan niet genoeg te eten?' snauwde ik.

'Omdat hij nog trotser is dan rijk,' zei Otto en, bijna fluisterend toen hij me terug zag gaan naar Cesar: 'Hij is bedroefd vanavond, laat hem maar.'

De volgende dagen begon ik Cesar verder uit te horen over zijn landerijen, maar hij leek er niet erg over te willen praten. Alles wat ik eruit kon opmaken was dat hij suikerriet en avocado's verbouwde, dat hij een rentmeester had en dat al zijn arbeiders zonder loon waren aangebleven toen hij, Cesar, in de gevangenis zat. Het maakte niet uit hoeveel vragen ik stelde; hij was er heel goed in me antwoord te geven en toch niets te zeggen. Voor het eerst werd ik nieuwsgierig naar de omvang van zijn landerijen, hoe ver ze zich uitstrekten. Maar elke keer dat ik daarnaar vroeg, zei hij dat hij het niet wist, ze waren gewoon 'groot'.

'Hoe groot?' Nu de gedachte eenmaal bij me was opgekomen, wilde ik het ook weten.

'Gewoon, groot,' zei Cesar dan.

'Maar hoe groot?'

Ik zag wel dat het Cesar ging vervelen, maar ik kon er niet mee ophouden, zodat hij ten slotte met een zucht zei: 'Er is een weg die dictator Pérez Jiménez heeft aangelegd toen mijn vader gouverneur was. Die loopt over de hacienda. Als je aan één kant staat en je kijkt zover je kunt naar de horizon, dan is dat de hacienda, en als je dan over de heuvels trekt en het dal door en aan de andere kant naar de hoogste top, dan is dat de hacienda. Het is nooit opgemeten.'

'En wat is er aan de andere kant van de weg?' vroeg ik, om te proberen me een beeld te vormen van de hele situatie.

'Dat is ook de hacienda.'

Mijn verlangen om die hacienda in de Andes te zien groeide in de loop van de winter. Ik stelde er Otto steeds meer vragen over, hij begreep welke kant mijn gedachten uitgingen.

'Zelfs als Cesar weer terug zou kunnen,' zei hij, 'en zelfs als hij dat zou willen, dan zullen ze jou daar nooit accepteren.'

'Waarom niet?' vroeg ik onverschrokken.

'Omdat je niet in de familie geboren bent. Ze trouwen in Cesars familie alleen maar met elkaar, dat doen ze al eeuwen, niemand anders vinden ze goed genoeg. Het is net een vorstenhuis, en jij hoort bij het gewone volk.'

Cesar had zo graag met me willen trouwen zonder ook maar iets van me te weten dat dit laatste stukje informatie haast onwerkelijk leek. Ik trok me terug in de bibliotheek van de British Council, mijn enige vluchtplek, om de zaak te overdenken. Met opzet miste ik de middagbioscoop, als teken van protest tegen de implicatie van mijn onwaardigheid.

Het leek belachelijk. Als het op pure excentriciteit aankwam, kon mijn familie het man voor man opnemen tegen bijna elke andere. Vreemden wisten en respecteerden dat. Cesars familie hoorde dat ook te doen. Zelfs de Duitsers hadden het in de oorlog gedaan toen ze Jersey hadden bezet; ze hadden Claremont, het ouderlijk huis van mijn moeder, tot hun hoofdkwartier gemaakt. Het was gebouwd in 1840, als een schip met patrijspoorten in plaats van ramen en een bovendek als dak. Ik bleef de hele middag zitten mokken tot de bibliotheek om vijf uur sloot. Toen ik terugkwam in de San Salvatore was Cesar zo blij me te zien en zo bezorgd over waar ik geweest was, dat ik mijn boosheid vergat en zelfs meedeed met een van Otto's belachelijke woordspelletjes, met boetes en al. Claremont was een hotel dat ik nooit zou zien, en de Andes lag vijfenzestighonderd kilometer ver weg.

16

Onze flat in de San Salvatore was pittoresk in de zomer, maar bleek moeilijk warm te krijgen in de winter. We hadden zo lang gedaan met het beetje geld dat we hadden, dat het leek of het nooit helemaal op zou raken. Toen het eindelijk op was, namen we eenvoudig aan dat er weer wat zou komen, ergens vandaan zouden wel wat lires komen druppelen, niet veel, maar genoeg voor Cesars sigaretten, buskaartjes en het bedragje voor de bioscoop. Maandenlang hadden we geleefd van bankbiljetten die ik bij elkaar schraapte en hamsterde in mijn krokodilleleren portefeuille in de voering van mijn valies.

Midden november merkte ik dat de portefeuille in de voering leeg was. Ook in de voering zelf, waar losse biljetten in hadden gezeten, zat niets meer. Mijn zakken en Cesars aspirinepotjes waren leeg. Urenlang snuffelde ik rond, zoekend op alle plekken waar ik weleens geld verstopte. Het leek onmogelijk dat al mijn geheime bergplaatsen waren uitgeput. Er waren er zoveel: boven op de stortbak, onder de losse tegel in de keukenvloer, tussen de grootste balk en het pleisterwerk, in de schoorsteen. Altijd had ik ergens wel iets. Er was nog geen dag geweest dat ik de driehonderd lire voor een film niet had, plus genoeg om tien sigaretten te kopen. Ik voelde me diep bedrogen.

Cesar lag in bed, nauwelijks zichtbaar onder een vracht plaids en dekens.

'Geef eens een sigaret,' zei hij.

Ik deed of ik hem niet hoorde. We hadden er geen. We konden er geen kopen. Ik had onze zakken nagezocht. Alleen Elias had geld op zak, en Elias was de vorige avond naar Milaan vertrokken.

'Ik wil een sigaret,' zei hij.

'Die zijn er niet,' meldde ik.

'Nou, laten we ze dan gaan halen,' zei hij, terwijl hij zijn tien dekens met een plof op de grond liet vallen. Ik wist niet of ik het hem zou vertellen of het hem zelf zou laten ontdekken. Hij waste zich, kleedde zich aan, trok zijn vest recht met zijn gewone zorgvuldigheid.

'Geef me het geld,' zei hij terwijl hij zijn overjas aantrok.

'Dat is er niet.'

'Doe niet zo mal, je hebt altijd wel iets.'

Voor Cesar was het vanzelfsprekend dat ik iets had. Hij was niet geboren voor armoede. Het was al mooi dat hij in Europa zijn eigen schoenen poetste, zijn postzegels kocht, zijn bad liet vollopen en zijn bed opmaakte. Sommige dingen leerde hij nooit. Als hij zich waste of schoor liet hij een spoor van natte handdoeken en washandjes achter in de flat. In Londen werd mijn moeder woedend om de hopen natte handdoeken die in de gang lagen tussen het bed en de badkamer.

Nadat ze een week had gemopperd over zijn slordigheid vroeg ze hem: 'Verwacht je nu echt dat er iemand achter je aanloopt om ze allemaal op te rapen?'

'Ja,' had hij gezegd.

'Nou, dat gebeurt hier dus niet,' zei ze beslist.

'O,' was Cesars verbaasde antwoord. Dat was blijkbaar nooit eerder bij hem opgekomen. Nadien had hij plichtmatig zijn best gedaan. Hij had zijn spullen bij elkaar geraapt op een nadrukkelijk gekwelde manier, alsof hij wilde zeggen: 'Ik heb erger dingen meegemaakt.'

Cesar weigerde te geloven dat het was afgelopen met het geld. Er was zo weinig geweest dat je het nauwelijks geld kon noemen, het was net genoeg om de eindjes aan elkaar te knopen. We hadden het nodige, zijn sigaretten waren er eenvoudig, hij vroeg zich nooit af waarom. Het was zoiets als het goddelijk recht van de koning, in de dagen voor Cromwell. Er moest geld zijn voor zijn sigaretten.

Ik kon horen dat Otto opstond en zich aankleedde in zijn kamer. Hij liep langs ons naar de badkamer zonder een woord te zeggen. Daarna ging hij rechtstreeks naar de voordeur en vertrok, waarbij hij met zijn wijsvinger langs zijn keel ging en glimlachend op Cesar wees.

Mensen begrijpen elkaars ondeugden nooit helemaal. Ik kon het Otto niet kwalijk nemen dat hij ons achterliet met ons probleem, ik zou zelf ook het liefst naar de bibliotheek van de British Council of zoiets zijn gegaan tot de storm was uitgewoed. Maar Cesar was niet zomaar overstuur, hij was totaal ontredderd; met een hand onder zijn hoofd zat hij te tandenknarsen in trage wanhoop.

'Ik moet een sigaret hebben,' zei hij, en wachtte.

Het was of hij dacht dat de god waarin hij niet meer geloofde, maar die hij ooit zo trouw had gediend, ons dak zou optillen en een pakje Benson en Hedges op tafel zou leggen. Hij deed zijn ogen open en zag dat er niets was gebeurd. Ik zag hem in zichzelf redeneren. Hij geloofde het niet. Door concentratie en alleen door concentratie kon zijn probleem worden opgelost. Hij sloot zijn ogen en fronste woest. Toen hij ze weer opendeed en zag dat de tafel nog steeds leeg was, leek hij te worden getroffen door de volle verschrikking van zijn situatie. Zijn verbanning, zijn armoede, de verspilling en de mislukking, de nutteloosheid van zijn bestaan, de vreemdheid van Bologna. Hij verroerde geen vin, maar zijn neus begon hevig te bloeden. Ik gaf hem een handdoek, die hij tegen zijn gezicht drukte.

Er veranderde iets in Cesar achter die handdoek. Ik kon zijn gezicht niet zien, alleen een bloedvlek die door de stof sijpelde. Hij leek een nieuw soort vastberadenheid te ontwikkelen. Het was of hij een huid van traagheid afstroopte, als een slang die zich lang genoeg in de zon heeft liggen koesteren en ineens honger heeft gekregen.

'Kom mee,' zei hij. We vertrokken in de richting van het stadscentrum. We liepen door tot we bij de arcade van de Via Farini waren gekomen. Cesar had zo hard gelopen dat ik hem nauwelijks bij kon houden, ik was buiten adem toen we er waren.

'Wat nu?' hijgde ik.

'Nu krijgen we een sigaret.'

'Hoe?' vroeg ik.

'Dat,' zei hij, wijzend op een stenen zuil recht voor ons, 'is een bushalte. *E vietato fumare* in de bus. De rokers zullen bij het instappen hun sigaret moeten weggooien.' Het was een goed plan, maar er stonden erg weinig mensen op de bus te wachten, en de helft daarvan bestond uit oudere dames in het zwart, die net zomin een sigaret zouden opsteken als in een bikini naar de mis gaan.

'Dat is onze man,' zei Cesar.

De bus kwam niet en het werd koud onder de arcade. De zolen van mijn schoenen waren dun geworden, de kou uit de straat leek regelrecht in mijn schenen op te trekken. Cesar beloerde zijn prooi, die een sigaret had opgestoken en licht inhaleerde, als iemand die nog niet zo lang rookt.

'Verdomde kerel,' zei Cesar, 'hij geniet er niet eens van.'

De man had zijn sigaret al half opgerookt en de bus was nog niet in zicht. Na tien minuten was het te laat. Cesar begon boos rond te stampen; hij ging in de rij voor de bus staan en sloeg zich warm met zijn armen.

'Waar blijft die verdomde bus,' zei hij tegen niemand in het bijzonder. Zijn gezicht stond in een nijdige frons.

Een van de oude dames draaide zich naar hem om, blind voor zijn boze blik.

'*Fa freddo,*' zei ze. Cesar toonde een soort weeë wurgersgrijns. De man met de sigaret was klaar, hij drukte het peukje uit met een enkele draaibeweging. De oude dame keerde zich weer tot haar metgezellin.

'*Molto gentile,*' vond ze, doelend op Cesar.

'Zag je dat?' zei Cesar, terwijl hij terugkwam naar de muur. Ik had het gezien; van de sigaret was alleen een veegje verdraaide tabak op het trottoir over. 'Gierig varken,' zei Cesar, en we liepen naar de volgende bushalte, en de daaropvolgende, om tot de ontdekking te komen dat het uittrappen van sigarettepeuken een soort nationale ziekte was.

Ik merkte dat Cesar, met zijn maniakale properheid en zijn verkapte misantropie, zich er niet toe kon brengen zomaar een willekeurige peuk op te roken. Bij de bushaltes kon hij tenminste zien wie hem voor was geweest. Maar het lukte niet. De mensen lieten munten vallen en zakdoeken en zelfs een aubergine op de Piazza Vittorio Emanuele, maar er schoot zelfs geen trekje over. We liepen langs de sigarettenautomaten, rammelend aan de gesloten laatjes. Ondanks mezelf dacht ik met ironie aan de bankrover die er niet toe kan komen een automaat te beroven.

Terwijl we de bushaltes afstroopten van het ene eind van de stad naar het andere, begon er in Cesars geest een gedachte wortel te schieten. Zeker drie keer die ochtend zei hij tegen me: 'We moeten hier weg.'

Na al die maanden doelloos rondzwalken bleek dit gebrek aan tabak de laatste druppel. Zijn verslaving gaf hem het gevoel in de val te zitten.

'Ik moet een sigaret hebben,' herhaalde hij, tegen de straat, tegen mij, tegen de Torre Garisenda, die het vertikte om in te storten, tegen Standa, de supermarkt die de sigaretten achter de kassa bewaarde. We liepen langs het beeld van Neptunus met fontein en drietand, en de rijen gedenkplaten in de muur ter herinnering aan de glorierijke oorlogsgevallenen.

'Glorierijke klootzakken,' zei Cesar venijnig in het voorbijlopen. 'Ik wed dat ze me een sigaret zouden weigeren als ik nu met ze in de woestijn zat.'

Dat leek me onbillijk, en dat zei ik ook.

'Nou goed,' zei hij bitter, 'ze zouden me er misschien een geven als ze stilstonden, maar ze zouden het te druk hebben met op de loop gaan om een pakje te kunnen openmaken.'

Ik liet de zaak rusten en we liepen verder.

'Aan wiens kant sta jij eigenlijk?' vroeg Cesar, die zich zo schielijk naar me omdraaide dat ik bijna over hem heenviel.

'De oorlog is afgelopen.'

'De oorlog is nooit afgelopen,' zei hij; hij wachtte even en vroeg toen: 'Wil je een sigaret voor me gaan halen, Lisaveta?'

'Ik zou het doen als ik kon, maar hoe?'

'Je gaat gewoon naar iemand toe en vraagt erom.'

'Dat kan ik niet.'

'Je kunt het toch proberen,' zei Cesar.

'Waarom doe jij het niet?' vroeg ik.

'Ik zou het niet eens kunnen proberen,' zei hij.

Ten slotte was het halfvier, we waren verkleumd en hadden een razende honger. We hadden tweeënhalf uur op de hoek van het grote plein staan kijken naar mensen die af en aan liepen, gehuld in adembenemende rookwolken. We hadden besloten gewoon elke peuk op te rapen die we zagen liggen. Het was niet makkelijk, we waren allebei te ijdel. We verkenden de straat, wachtend tot hij helemaal leeg was. Dat gebeurde niet. Steeds kwam er weer iemand aan. We konden niet besluiten wie het eerste zou knielen. We sloten een pact, bukten ons allebei tegelijk, raapten één gerafelde, vuile sigarettepeuk op en liepen zwijgend naar huis. Cesar schaamde zich zo dat hij geen woord zei tot na het eten. Maar het maal was zo karig dat we alle conversatie nodig hadden die we gedrieën konden opbrengen om de leegte te vullen die het achterliet.

'Hoe ging het?' vroeg Otto.

'Heel goed,' logen we tegelijk.

Otto grijnsde veelbetekenend, en ik vroeg Cesar hoe hij aan sigaretten was gekomen toen hij in de gevangenis zat.

'Het is gek,' zei hij, 'maar ik heb nooit om een rokertje verlegen gezeten in de cárcel. Ze joegen je als schietschijf met handboeien om de vuurlinie in, om te worden doodgeschoten door je eigen guerrillastrijders, maar ze duwden altijd een sigaret in je mond voor je ging. Ze zetten je voor het vuurpeloton en gaven je een laatste sigaret. Ze lieten je een week in je eigen urine zitten, ze hadden nooit zin om wonden te hechten of je ribben recht te zetten, maar altijd gooiden ze een sigaret door de tralies. Ik heb nooit echt om een sigaret verlegen gezeten tot vandaag.'

'Het is net als bij olifanten in een kooi,' zei Otto. 'We laten ze er niet uit, maar we gooien ze wel broodjes toe, alsof er broodjes aan de bomen groeien bij de Limpoporivier.'

'Als we ergens anders heen gaan,' bood Cesar aan, 'hou ik op met roken.'

'Waarom dan pas?' vroeg ik.

'Het moet gebeuren als ik er klaar voor ben.'

Otto proestte, hij stikte half in een of ander binnenpretje.

'Wat is er nou zo verdomd grappig?' vroeg Cesar. Niets kon hem op dat moment aan het lachen maken.

Otto stak zijn hand in zijn zak, haalde een pakje Gauloise voor den dag en schoof het over de tafel zoals een gokker dat doet met een fiche. Cesar keek hem onbewogen aan.

'Hoe lang heb je dat al?' vroeg hij streng.

'Sinds ons reisje naar Grenoble,' zei Otto.

Cesar was met stomheid geslagen. Je kon hem zien zoeken naar woorden. Heel zijn taal was onvoldoende om zijn gedachten onder woorden te brengen.

'Je bent een laaghartige, verfranste smeerlap,' zei hij ten slotte tussen zijn tanden door. 'Je bent een ongelikt, stom varken,' zei hij terwijl hij het pakje greep en ten slotte: 'Je deugt niet.'

Otto lachte ongemakkelijk. 'Ik dacht zo dat het je goed zou doen, Cesar José, als je eens een paar minuten voet zou zetten op de planeet aarde,' zei hij.

'Welnu, de volgende keer dat je weer eens zo'n menslievende aandrang krijgt, jij kleine onzedelijke pooier, dan ga je er maar mee naar het viaduct, daar helpen ze je er wel van af.'

Cesar schreeuwde tegen hem en verfrommelde het aanstootgevende pakje Gauloise in zijn vuisten. 'En dit vind ik van jouw smerige sigaretten,' zei hij, terwijl hij ze in hun blauwe wikkel tot pulp wreef en de stukjes tabak over het tapijt strooide. 'En ik kan op geen stukken na zeggen wat ik van jou vind!'

Met die woorden stormde hij de flat uit; we hoorden hem zijn toevlucht nemen tot de *vecchiette* in hun flat aan de andere kant van de overloop. Otto toonde geen berouw.

'Cesar denkt dat hij een soort sprookje is,' zei hij, terwijl hij op zijn gewone nauwgezette manier de tafel afruimde.

Toen ik de volgende morgen vroeg wakker werd, zag ik Cesar op handen en voeten de tabak verzamelen uit de verpulverde Gauloises.

'Sst!' zei hij, met een vinger voor zijn mond wijzend naar Otto's kamer. Hij had genoeg tabak, verdeeld over dunne, met de hand gerolde sigaretten, om hem door de volgende week heen te helpen. Daarna ging hij er in zijn eentje op uit en kwam als een zwerver terug met een zakje peuken. Soms ging ik met hem mee om te zoeken, soms deed hij het alleen.

Zo'n oplossing leek er niet te zijn voor de bioscoop. We hadden domweg het entreegeld niet. Soms gingen we staan kijken naar de reclameborden, talmend bij alles wat we misliepen. Na een dag of tien kwam de portier naar ons toe.

'Waarom komen jullie nooit meer?' vroeg hij.

'Onze portefeuille is gestolen,' zei Cesar vertrouwelijk. 'Er is wat vertraging in de zending nieuwe reischeques.' De portier keek ons eens aan zoals we daar stonden, meer dan een kop groter dan hij en een stuk dikker in onze bontjassen.

'Vroeger kwamen jullie hier iedere dag,' zei hij weemoedig. 'Jullie waren mijn beste klanten.'

'Ja,' zei Cesar, 'we moeten veel films zien, we zitten zelf bij de film, ziet u.'

'O ja?' zei de portier, 'ik had ook eigenlijk wel zoiets vermoed.'

Cesar draaide zich om alsof hij weg wilde gaan. 'Goedendag,' zei hij tegen de portier, die nog bezig was onze laatste bekentenis te verwerken.

'Ga niet weg,' zei hij, 'ik bedoel, kom wanneer u wilt. Ik bedoel, terwijl u nog wacht op de bank.'

'Dank u,' zei Cesar, 'als we tijd hebben, zullen we dat zeker eens doen.'

Vanaf dat moment was de lei met Cesars gebreken schoongeveegd. Zijn lange stiltes, zijn weigering zich voor de gang van zaken te interesseren, zijn bijna permanente winterslaap, zijn verslaving aan de televisie waren allemaal vergeten nu er tegemoet werd gekomen aan mijn verslaving aan het witte doek.

Elias kwam terug. Hij had een affaire met een meisje dat Clara Lanzini heette, een celliste van het conservatorium. Het leek niet veel uit te maken dat we van bijna geen geld waren overgegaan op helemaal geen geld. We hadden de flat, Elias had iets aan de elektriciteitstoevoer gedaan zodat die nu op wonderbaarlijke wijze uit de flat beneden ons kwam, we hadden zoveel boeken als we maar wilden, dank zij de argeloze plaatselijke boekwinkels, wier voorraad steeds werd uitgedund, terwijl onze planken uitpuilden en aangroeiden en de boeken zich buiten alle proporties ophoopten. Zelfs de gloednieuwe boeken uit de etalage die in een speciale kast achter de winkeldetective zaten, vonden hun weg naar onze planken: het zilvergrijze omslag van *Zelda, een biografie* en de nieuwe edities van de klassieken.

Elias had zijn laatste Mercedes ergens laten staan. Hij leek instinctief te weten wanneer hij een auto moest verkopen en wanneer hij er beter gewoon bij weg kon lopen. We gingen dus opnieuw te voet, en zonder geld voor de bus waren we verplicht ons bij de zigeuners te scharen. De zingaros, die uit de bussen en de winkels werden gegooid en die niet werden toegelaten binnen de grenzen van de rode stad. We zorgden er nauwgezet voor geen peuken te rapen in de buurt van onze bioscoop, omdat ons nieuwe aanzien als filmmagnaten daardoor zou zijn bedorven. Cesar wandelde het liefst rond in de buurt van de twee scheve torens.

'Vind je dat niet eng,' vroeg ik, 'zoals ze op je af lijken te komen?'

'Nee,' zei hij, 'al die andere gebouwen die op me af lijken te komen, daar hou ik niet van. Die torens zijn echt.'

Hij was ook erg gesteld op de *sette chiese*, een conglomeraat van zeven kerken die allemaal in elkaar overliepen. We zaten in zo'n kerk uren op een koude bank en Cesar, anders zo zwijgzaam, praatte dan met luid gefluister door de mis heen. Hij leek er plezier in te hebben de dienst te verstoren.

'Waarom laat je ze niet gewoon hun gang gaan?' vroeg ik, 'niemand heeft je gevraagd om mee te doen.' Maar daar wilde hij niet van horen.

'Ze hebben zichzelf verraden,' zei hij dan, 'iemand moet daartegen in het geweer komen.'

'Ja,' zei ik, blozend van verlegenheid terwijl een menigte afkeurende gezichten ons aanstaarde van onder hun rouwsluiers, 'maar waarom moet jij dat zijn?'

'Waarom moesten Loyola, Columbus, Napoleon het zijn?' zei hij dan, en ging verder met het aanwijzen van de verschillende architectonische bijzonderheden, vanaf de retabel tot aan de deur. Ik was vastbesloten hem niet te ondersteunen in die eenmanskruistocht. Savonarola had het alleen gedaan, dacht ik, laat Cesar de metten of de vesper dan ook maar in z'n eentje ondermijnen.

17

We bleven die hele winter in Bologna. Tito schreef ons met Kerstmis en vroeg ons een week terug in Milaan. We waren blij met het gezelschap van anderen, want hoe we ook ons best deden, Kerstmis was voor ons niet vrolijk. Het was geforceerd en uitgelaten, vermoeiend en beneveld, maar altijd vol gedachten aan vroeger. Ik begon Londen te missen, ik miste de lichtjes en de kerstliederen op straat, Harrod's en Jackson's en de Noorse kerstboom op Trafalgar Square, en het leek of ik mijn familie al te lang niet had gezien. Meer dan een jaar zonder mijn moeder of mijn zusjes Lalage, Resi en Gale, en al de vertakkingen, de stieffamilie, de vrienden, mijn Siamese kat Bosie, die een hekel had aan Otto en zijn gezicht tot op het bot had opengekrabd.

We bleven niet de hele week in Milaan, Cesar lag plat met zijn kater, Otto was ziek van alle grappa en maraschino. Hij werd overal ziek van, behalve van aquavit. Maar het kwam vooral doordat we een rustig nieuwjaar wilden. Nieuwjaar leek toen intuïtief belangrijker dan Kerstmis, het laatste was een viering van wat voorbij was, het eerste hoop op wat komen zou. Geen van ons had de moed een verknoeid 1970 te vieren, maar we gingen optimistisch 1971 tegemoet.

Elias kwam en ging gedurende januari en februari, zoals altijd onaangekondigd als hij kwam, met een terloops 'ciao' en zonder drukte als hij ging. Hij trok steeds meer op met Clara Lanzini, de celliste; vaak als hij vertrokken was op een van zijn bliksemreizen, verscheen ze in de San Salvatore. Ze vertelde ons hoe vervelend ze haar leven en haar studie aan het conservatorium vond. Ze zei dat ze net zo wilde zijn als wij.

'Elia heeft me alles over jullie verteld.'

Cesar, die zich in zijn permanente winterpositie bevond, in bed met kussens onder zijn hoofd en met een bonte verzameling geschiedenisboeken over zich heen, zat meteen rechtop van schrik.

'Ja,' vervolgde Clara, 'Elia heeft me verteld hoe il Dottore' – ze knikte naar Otto – 'en hijzelf en signor Cesar allemaal van de universiteit zijn gestuurd, en hoe jullie hier allemaal op eigen gelegenheid verder studeren. Dat zou ik ook wel willen!' zei ze dromerig. 'Ik heb mijn eigen ideeën over muziek, ik wil niet meer naar dat conservatorium. Mijn hele leven bij dezelfde professor. Ik wil met jullie meereizen.'

Nadat ze weg was zei Cesar: 'Ik vraag me af waar Clara dat verhaal vandaan heeft. Ik hoor het voor het eerst, hoe verzin je zoiets.'

Clara begon iedere dag langs te komen, ze sloeg er lessen voor over. Elias zorgde altijd dat hij er niet was als ze kwam.

'Alsjeblieft,' zei hij dan, zijn handen tegen elkaar in gebedshouding, 'doe iets aan haar. Zeg haar dat ik dood ben, pervers, achterlijk, alle drie tegelijk.'

We deden gezamenlijk ons best Clara van haar verliefdheid op Elias af te brengen. Maar zoals het gewoonlijk gaat: hoe meer kwaad we van hem spraken, des te meer bewonderde en verdedigde ze hem.

'Jullie begrijpen hem niet,' was haar antwoord op alles.

'Clara, Elias gaat gauw weg, je moet dat beseffen,' zei Otto haar een, twee, talloze keren op een dag. Ze bleef onversaagd, hoe minder ze haar idool zag, des te meer hield ze van hem.

'Hij zal me meenemen,' zei ze koppig.

'Dat doet hij niet, je weet dat het niet kan.'

Ze weigerde dat te geloven; niemand van ons had de moed haar de simpele waarheid te vertellen: dat Elias niet van haar hield.

Elias werd de boosdoener in de San Salvatore. We vonden dat hij zich slecht had gedragen tegenover Clara, maar omdat we ons allemaal weleens slecht hadden gedragen tegenover mensen die we in de steek lieten als we weer naar elders trokken, vonden we eigenlijk dat we niet het recht hadden dat te zeggen. Op een avond, toen we om de tafel bij elkaar waren gekropen en bij het enige elektrische kacheltje dat we hadden thee zaten te drinken, zei Elias: 'Jullie kijken me aan of ik de oude dames van hiernaast aan het vergiftigen ben. Waar zitten jullie zo verdomd omheen te draaien?'

We gaven geen antwoord, en Elias zelf verbrak de ongemakkelijke stilte.

'Ik weet dat het om Clara is,' zei hij bitter, 'de vertrapte jonkvrouw en de geile deserteur. Ik heb haar nooit gezegd dat ik van haar hield. Nooit!'

'Ze had een sterk verhaal dat we van de universiteit waren gestuurd,' zei Otto, 'dat moet ze van jou hebben, ze lijkt zo zeker van haar zaak, dat is alles, en ze is onuitstaanbaar, Elias.'

'Ja, ze heeft een keer in mijn broekzakken gezocht en wat papieren gevonden, niets belangrijks, maar het leek me het beste om protesterende studenten van ons te maken, dat is een zaak die haar na aan het hart ligt, en dat kun je beter hebben dan dat ze met vrienden van haar over die papieren gaat praten.'

'Maar waarom ontloop je haar?' vroeg Cesar. 'Kun je het haar niet rechtuit zeggen?'

'Dat heb ik gedaan,' zei Elias. 'Het maakt geen enkel verschil. Ik heb haar gezegd dat ik haar niet meer wil zien, dat ik niet van haar hou. Ik heb gezegd dat ik haar zelfs niet aardig vind, wat een leugen is, want dat vind ik wel. Maar ze gelooft me niet. Ze denkt dat ik een toonbeeld van zelfopoffering ben. Ze denkt dat ik haar in het geheim liefheb en daarmee uit.'

'Tja, dat is iets anders,' zei Cesar, 'het was voor haar waarschijnlijk de eerste keer of zo.'

'Haar eerste keer?' zei Elias ongelovig. 'Ze heeft mij zo ongeveer verkracht. Ik denk dat ze het doet om haar moeder te ergeren. Ze zegt dat haar moeder elke dag als ze uit school komt haar broekje controleert op verraderlijke vlekken, daarom zorgt Clara ervoor dat ze zich les na les "verbroedert" met haar medestudenten, waarna ze een ander broekje aantrekt om thuis haar moeders onderzoek te ondergaan.'

'Weet haar moeder van jou af?' vroeg Otto.

'Nee, dat is de moeilijkheid zoals je weet; de signora Lanzini heeft zelf een oogje op me. Ze krijgt een toeval als ze het hoort. Ik heb Clara geheimhouding laten zweren, maar god weet hoe lang dat duurt, elke keer als ze ruzie heeft met haar moeder laat ze de alarmbel afgaan in hun flatgebouw, zodat alle buren kunnen komen luisteren. Het kan niet lang duren of de aap komt uit de mouw.'

Clara bleef naar de San Salvatore komen, ze kwam zelfs 's avonds, in de hoop Elias onverhoeds te treffen. Ze deed of ze nog steeds met hem omging, ze bracht zelfs een ring mee om aan ons te laten zien.

'Het is onze verlovingsring,' zei ze.

Haar fantasieën werden steeds buitensporiger.

Elias ontving haar nog één keer, waarbij wij allemaal opdracht kregen ons te verstoppen in het berghok om te horen wat er gebeurde.

'Waarom?' vroegen we.

'Omdat ze gek is,' zei hij, 'en omdat ik denk dat jullie allemaal met haar te maken krijgen als ik weg ben.'

Het berghok was lang en laag en zat stikvol met uit elkaar gehaalde koperen bedden, strijkijzers, kapotte stoelen waar je nooit meer veilig op zou kunnen zitten maar waar we geen afstand van konden doen en al de elektrische kacheltjes die het begeven hadden onder vorige bewoners maar die bewaard werden omdat je er ooit misschien nog iets aan kon hebben. Op een moment dat het zo slecht ging dat ook relieken weer in de mode zouden komen. Het was buitengewoon koud en ongemakkelijk om daar gehurkt te zitten onder het schuine dak. Op geen enkel punt in het hok kon een van ons rechtop staan.

Het onderhoud dat 'een paar minuten' zou duren sleepte zich voort onder tranen en beschuldigingen. Elias bleef heel kalm, maar Clara weigerde naar hem te luisteren, even resoluut als ze geweigerd had naar ons te luisteren.

'Ik ga vanavond weg, Clara, voorgoed.'

'*Non è vero.*'

'Ik kom niet meer terug.'

'Ik geloof je niet.'

'Vaarwel Clara.'

'Je houdt van me.'

'Nee.'

'Jawel.'

'Nee.'

Het gesprek ging eindeloos door. Cesar kreeg last van zijn benen.

'Ik ga eruit,' zei hij.

'Dat kan nu niet,' zei Otto, en hield hem aan zijn jasje vast om er zeker van te zijn dat hij het niet zou doen. Clara hoorde de schermutseling en vroeg wat dat voor geluid was.

'Ratten!' zei Elias met veel nadruk.

Het duurde meer dan drie uur voor Elias haar eindelijk de deur uit had.

Cesar was spierwit en blauw van de kou.

'Ik eis schadevergoeding,' zei hij, toen hij uit het hok in zijn bed was gekropen. 'Ik ben niet alleen verlamd, ik heb ook de bioscoop gemist.'

'Je hebt "scènes uit het ware leven" meegemaakt, waar heb je dan de bioscoop nog voor nodig?' zei Otto.

'Omdat het ware leven saai is, dat weet jij heel goed, of denk je soms dat je een soort Che Guevara bent, zoals Clara Lanzini gelooft?'

'Misschien,' zei Otto, 'maar vraag eens aan Lisaveta wie er aantrekkelijker uitziet, ik of jij, in je vermomming als opoe met al die sjaals om je kop. Alles wat jij nodig hebt is een stel breinaalden, en je kunt zo op voor die rol in Roodkapje.'

Er werd zelden ruzie gemaakt, behalve door Otto en mij, maar als het eenmaal zover was, werd er een enorme hoeveelheid oud zeer opgehaald, tientallen minieme griefjes werden gelucht en uit elkaar gepeuterd. Door geheel en al buiten het strijdgewoel te blijven en mijn oren open te houden, kwam ik uit die korte tirades meer te weten over het drietal en het verleden van elk van hen dan uit mijn vragen van een heel jaar. Maar altijd bereikten die ruzies een zekere hoogte, bleven daar hangen als een aangehouden hoge noot en braken dan abrupt af, waarbij de een of de ander een plaat opzette.

Na een misverstand, ruzie of onheil van welke aard ook, was het altijd Carl Orffs *Carmina Burana*, waarbij Cesar de eerste maten dirigeerde met een denkbeeldig stokje. '*O fortuna, velut luna.*' Altijd dezelfde muziek, keer op keer. Voor Otto waren het de Brandenburgse Concerten om bij te werken als hij alleen thuis was, voor Cesar het Eerste Pianoconcert van Tsjaikovski, dat hij uit zijn hoofd kende en waar hij nooit genoeg van kreeg. Hij had me eens verteld dat het zijn grote ambitie was geweest pianist te worden, maar dat zijn moeder het had verboden en de piano had verkocht, omdat ze geloofde dat pianisten homoseksuelen waren. Als we thuis zaten te drinken en we hadden een bepaald punt bereikt, dan werd het tijd om te luisteren naar Tonia la Negra, een zwarte zangeres met een diepe, stroperige stem die je onmiddellijk herkende. Al na één woord van een liedje wist je dat zij het was en geen ander, en haar stem werd enthousiast geprezen. Het vreemde was dat als ik haar bandjes overdag probeerde te draaien, of als we nuchter waren, er onveranderlijk in koor geroepen werd: 'Zet af!'

Raadselachtig genoeg was ze alleen geschikt voor de nacht, en zelfs dan werd ze ritualistisch bewaard voor bepaalde stemmingen.

Elias ging naar Milaan. Hij had belangstelling gekregen voor vliegtuigontwerpen, wat in de plaats kwam voor waterbouwkunde, wat in de plaats kwam van fotografie in al haar vormen. Elias verloor niet echt zijn interesse in zijn oude liefhebberijen, hij sloeg ze eenvoudig op, catalogiseerde ze en voegde er zo nu en dan iets aan toe. Maar hij stortte zich met zoveel geestdrift in de nieuwe liefhebberij dat zijn gretigheid hem oogkleppen gaf; hij had slechts oog voor één onderwerp tegelijk. Zolang zo'n bevlieging duurde, verzamelde hij fenomenale hoeveelheden informatie; had hij iets onder de knie, dan verloor het zijn betovering voor hem en begon hij aan iets nieuws. Als een onderwerp meer tijd vergde dan hij gedacht had, smokkelde hij er een beetje mee, door het op sleeptouw te houden tijdens andere vlagen van belangstelling en het vervolgens een tweede kans te geven. Hij was vaak heel goed in de dingen waar hij zich toe zette, of het nu vliegen was of topografie, mechanica of fotografie, vervalsingen of vuurwapens. Hij werd nooit ontmoedigd door mislukkingen. 'Mislukken is het begin van slagen,' zei hij altijd, en dan probeerde hij het opnieuw.

Elias had er ook slag van om nooit zonder auto te zitten of zonder genoeg geld om erin te rijden. Toch had zelfs Elias kort bij kas gezeten tijdens de maanden in de San Salvatore. Het was helemaal misgegaan met zijn bankzaken, niet één keer – een mogelijkheid waarmee hij altijd rekening hield – en zelfs geen twee keer, maar drie keer achter elkaar. Er stond bij twee banken geld op zijn naam. Maar hij was twee keer gedwongen geweest om van identiteit te veranderen en het geld stond op de afgelegde namen.

'Het is een beroepsrisico,' grapte hij, maar de armoede bekwam hem slecht. Misschien was het omdat hij zich in geen enkele categorie liet vangen, maar arm zijn hoorde niet van nature bij hem.

Cesar was geneigd zijn gebrek aan middelen te negeren, maar Otto en Elias kankerden als het hen overkwam. Elias vooral, want hij wilde weer gaan vliegen, en de tarieven daarvoor waren exorbitant. Hij schreef uit Milaan dat hij, als er niet snel wat geld opdaagde, in Scandinavië zou gaan werken. Otto was het half en half met hem eens, maar Cesar zei: 'Nooit!'

Clara kwam nog steeds bij ons; ze verzon brieven van Elias en hield vol dat hij haar binnenkort zou komen ophalen. Ze liet steeds meer lessen schieten op het conservatorium en dreigde te zakken voor haar volgende examens. Ze kwam alleen tegen ons praten, niet met ons, ze wilde niet luisteren naar raad en niet naar waarheid, ze zocht alleen de mogelijkheid om haar hart uit te storten en romantisch te doen. Nadat Elias naar Milaan was teruggekeerd, begonnen de wekelijkse uitnodigingen om bij Clara en haar ouders te komen eten af te nemen, tot we eind februari op een avond bij de flat van de Lanzini's aankwamen en te horen kregen dat de signora van gedachten was veranderd over ons. Het was de oude signor Annibale, Clara's vader, die het woord deed.

'Het spijt me erg,' zei hij, 'ze wil dat jullie niet meer komen.' Het leek of hij nog iets wou zeggen, maar hij geneerde zich te veel; zijn vrouw kwam echter met een rood gezicht van kwaadheid de hal in en zei het in zijn plaats.

'Annibale houdt zich op de vlakte,' schreeuwde ze, 'maar ik niet. Ik ben niet blind. Clara begint op Cesar te vallen en jullie moedigen haar allemaal aan. Ik wil niet dat jullie nog met mijn dochter omgaan.'

We vonden het jammer ons maal te missen, het enige goede maal van de week, met drie gangen en wijn, en zoveel eten als we wilden. We vonden het zelfs jammer signor Annibale te missen, met zijn blikken banjo en zijn kleine voorraad grapjes die hij steeds opnieuw vertelde. Ook vonden we het jammer dat we Clara niet meer hoorden spelen, want ze had onze avonden daar altijd besloten met een halfuurtje cello. Maar we waren opgetogen bij de gedachte dat ze niet meer naar de San Salvatore zou komen om ons lastig te vallen met haar verliefdheid en de steeds hysterischer scènes die ze maakte.

In de praktijk bleek het nieuwe verbod alleen betrekking te hebben op de maaltijden. Wij gingen nooit meer naar het huis van de Lanzini's, maar Clara bleef komen en ons kwellen. Ze kwam zelfs met nieuwe energie, ze bleef steeds langer, en afgezien van het vergrendelen van de deur leek het niet mogelijk van haar af te komen. We gingen doen of we er niet waren als ze kwam. Maar ze bleef uren op de overloop zitten wachten tot een van ons naar buiten kwam, en stapte dan naar binnen of volgde ons naar buiten. Ze was even blind voor onze groeiende tegenzin om haar te zien als ze was geweest voor Elias' gebrek aan liefde.

Otto begon weer rusteloos te worden en de invallen van Clara maakten dat er niet beter op.

'Ik heb al genoeg babysitproblemen,' zei hij, 'ik wil niets meer met haar te maken hebben,' en hij pakte zijn biezen om zich bij Elias in Milaan te voegen. Hij spoorde ons aan hem te volgen, maar Cesar wilde niet.

'Wat gaan we dan doen in Milaan?' vroeg hij.

'Wat doen we hier dan?' antwoordde Otto.

'Ik hou van Bologna,' zei Cesar.

'Maar we moeten bij elkaar blijven,' pleitte Otto.

'We gaan met je mee in de stoptrein,' beloofde Cesar, 'als je weer eens kaartjes krijgt naar Frankrijk.'

Otto gaf schoorvoetend toe. Het beviel hem niet dat we uit elkaar gingen, zelfs niet voor een paar maanden. Elias kwam en ging, maar dat was iets anders. Wij drieën moesten bij elkaar blijven, als een soort bijgelovige clan, alsof onze veiligheid alleen in het aantal lag.

Toen Otto weg was, namen de bezoeken van Clara toe, alsof ze bang was dat wij ook van de ene dag op de andere zouden vertrekken, zodat ze op een dag een leeg San Salvatore zou aantreffen en niemand meer zou hebben om tegen te praten. De winter werd met de dag strenger, met het dalen van de temperatuur waagde Cesar zich steeds minder op straat. Hij bleef het grootste deel van de dag in zijn bed, gewikkeld in al zijn dekens plus die van Otto, nauwelijks in staat zich te bewegen onder dat gewicht en tobbend met zijn gewrichtsontsteking. Ons enige elektrische kacheltje stond dag en nacht aan, maar zelfs dat deed niet meer dan de kou verdrijven uit de kleine halve cirkel ervoor. De rest van de flat was onvoorstelbaar klam en tochtig. Als Cesar de deur niet uitging hadden we bovendien niets te eten, want we waren voor ons voedsel geheel aangewezen op zijn strooptochten.

In de loop van de maand februari aten we steeds minder. We werden steeds meer afhankelijk van theezakjes, suiker en gekneusde groente van de markt. Ik was grootgebracht met warme chocolademelk, en dat was het enige waar ik echt niet buiten kon. Toen Otto weg was, hadden we geen melk meer, want hij was de enige die wist hoe je eraan kon komen. Ik behielp me dus met cacaopoeder (waarvan we blikjes genoeg hadden) aangelengd met water en suiker: ik dronk het liever zwart dan helemaal niet.

Soms kwam Chapolino aan onze deur snuffelen, dan klopten de oude dames van tegenover aan met een schoteltje crème caramel of één profiterole. *'E per la bambina,*' zeiden ze altijd, zeer tot Cesars ongenoegen. Beide dames bleven mij hardnekkig '*la bambina*' noemen. Ik denk dat het kwam doordat ze, toen we pas aangekomen waren, Otto, Elias en Cesar ieder afzonderlijk een keer op de trap hadden ontmoet en elke keer gevraagd hadden '*Chi è la bambina?*', doelend op mij, waarop ze elke keer te horen hadden gekregen dat ik hun vrouw was. Dat wil zeggen, Otto zei dat ik zijn vrouw was, Elias zei dat ik zijn vrouw was en Cesar zei dat ik zijn vrouw was. Pas toen we al maanden in de San Salvatore zaten en ik eindeloos was beklaagd en uitgehoord door de oude dames, realiseerden we ons wat er was gebeurd. Ze waren ervan overtuigd dat ik geen dag ouder was dan twaalf. Ze gaven me zelfs standjes als ik alleen de straat opging. Ik denk dat ze zich zo verveelden dat ze blij waren tenminste iemand te hebben met wie ze konden praten. Maar liever dan te aanvaarden wat ze beschouwd moeten hebben als onze grove zedeloosheid, bleven ze mij 'het kind' noemen, of soms '*la poverina*'. Dat laatste vooral nadat Otto en Elias waren vertrokken, waarschijnlijk omdat ze dachten dat ik was verlaten door twee van mijn echtgenoten.

Er waren dagen dat hun kleine voedselgaven het enige waren dat we die dag te eten kregen. Ze kwamen aan met een geroosterd kippevleugeltje of een appeltje met caramel erover en zeiden: 'We hebben maar heel weinig meegebracht, want jullie zullen het wel niet willen hebben. Het is maar een hapje voor *la bambina*.'

Hoewel ze zelden verder kwamen dan onze lege hal, kregen de *vecchiette* altijd iets in het oog, een boek, een tapijt, een lamp of een blikje; ze stortten zich erop en vroegen: 'Waar heb je dat gevonden? Wat heeft het gekost?'

En we ontdekten dat de enige manier waarop we iets konden terugdoen voor hun attenties het verzinnen was van winkels en prijzen, zodat zij alles wat we hadden en droegen konden onderbrengen in hun mentale catalogus.

In de tweede week van maart leek de winter zijn koudste punt te bereiken. De sneeuw was niet dikker en het ijs niet harder, maar we raakten uitgeput door het gebrek aan eten. Nog steeds gingen we elke dag peuken rapen voor Cesar, en we kwamen dan terug met schrijnende wintervoeten en vingers die stijf en blauw waren van de kou. We waren net van zo'n expeditie thuisgekomen en ik was bezig wat er over was van mijn schoenen uit te trekken om mijn voeten te warmen, toen het elektrische kacheltje letterlijk ontplofte. Er werd hevig tegen de vloer gebonsd door de mensen van beneden. Telkens als er een beetje rumoer was, bonkten die mensen tegen het plafond; er was er een bij die mank was, zij gebruikte haar kruk als protestwapen. Er schoot een vlam langs de draad, van de achterkant van het kacheltje tegen de muur op, over een oeroude, door houtworm aangevreten balk. Voor een van ons een hand had kunnen uitsteken stond de flat in brand. Na een moment van verstarring draaide ik de hoofdschakelaar uit, en toen stonden we allebei hulpeloos te kijken naar de kronkelende vlammen en de zwarte rook die de halve kamer vulde.

'Ik roep de brandweer,' zei ik.

'Dat kan niet,' zei Cesar, 'er ligt een illegaal draadje naar de flat beneden.'

'Wat moeten we dan doen?' vroeg ik, met een plotseling gevoel van nutteloosheid. Het hele gebouw was van hout. Ik zag al vier eeuwen in vlammen opgaan.

'Help me hiermee,' hijgde Cesar, die zijn berg dekens in het vuur duwde. Samen kregen we het uit, maar de muren waren geblakerd, de kamer stond blauw en de rook begon zich een weg te banen door de kieren in de luiken. We konden horen dat de buren zich voor onze deur begonnen te verzamelen. Het duurde niet lang of het bonzen begon.

'Ga weg,' zei Cesar vinnig.

'Er is brand,' riepen ze.

'Het is mijn vrouw,' riep Cesar boos, 'ze heeft het eten weer laten aanbranden. Ze kan niet koken, ze deugt nergens voor. Ik vermoord je,' schreeuwde hij, hoestend van de rook en vervloekingen over mij uitstortend. Toen richtte hij zich tot mij en zei: 'Ik heb je gewaarschuwd Lisaveta, geen eten meer te laten aanbranden. Nu zul je ervan lusten.'

Hoewel de brand amper twee minuten geduurd had, stond de flat vol rook. Ik keek hem vol verbazing aan. Hij gaf me tekens met zijn handen, maar ik kon door de rook niet zien wat hij wilde. 'Zullen we de brandweer halen?' riepen de buren gretig van achter de deur.

'Nee, nee,' hoestte Cesar, en tegen mij: 'Hou op met dat gejank. Als we vis hebben verbrand je de vis, als we karbonade hebben, verbrand je de karbonade.' Hij zei dat allemaal in het Italiaans, met zijn mond bijna tegen de voordeur aan. Ik ging erbij staan en samen voerden we een grote ruzie op, geheel ten gerieve van de buren, met gekrijs en klappen tegen de muur, terwijl ik snikte en hij me stijf vloekte. Na een minuut of tien gingen ze met goedkeurend gebrom weg. Niets doet het beter in een Italiaans huurhuis dan een echte, goede familieruzie. Na onze brand waren we zelfs een opwindende week lang het populairste stel van de buurt, maar onze faam was van korte duur, want de volgende zaterdag gooide iemand op de eerste verdieping zijn vrouw pardoes door het raam en moesten wij onze plaats in de schijnwerpers afstaan.

18

Cesar en ik bleven ook na onze brand in de San Salvatore, meer uit koppigheid dan om iets anders. Het was bitter koud, de twee gaspitten in de keuken waren onze enige verwarming; toen die na vier dagen constant gebruik eindelijk uitfloepten hadden we alleen een lege gasfles en de verschroeide resten van onze dekens. In sommige dekens zaten brandgaten, in andere waren ze op de vreemdste plaatsen tot keiharde klonten gesmolten. We probeerden een vuurtje te stoken in onze enige open haard, maar de rook walmde terug de kamer in en verergerde de roetvegen op de muren en luiken. Dat de schoorsteen blijkbaar niet wou trekken en dat ik bijna stikte in de rook was op zichzelf niet voldoende om het op te geven; pas toen ik me in de schoorsteen had gewrongen en er met een koperen roe in had rondgeprikt, bleek dat hij was dichtgemetseld en liet ik hem met rust.

Het was moeilijk te geloven dat dezelfde San Salvatore, die de afgelopen zomer zo'n uitkomst was geweest ons nu te gronde richtte. Ik had Otto vaak horen zeggen dat je geen bondgenoten had als je had verloren, en ik begon in te zien dat dit zowel op plaatsen als op mensen sloeg. Ik kon mij er niet toe brengen mijn familie de waarheid of zelfs een deel van de waarheid te vertellen omtrent onze toestand. Ze wisten dat ik in Italië zat, ze accepteerden dat mijn huwelijksreis jaren ging duren. Ik kon me indenken hoe mijn moeder mij zou verdedigen tegen buitenstaanders: 'Waarom niet, als ze daar nu zin in heeft?'

Ik had mijn studieplannen 'uitgesteld' om mij geheel te voegen bij de rijkelui die niet hoefden te werken. Ik had haar nooit verteld dat Cesar in Europa geen cent bezat. Het zou een te lang verhaal zijn geweest, mensen die gekleed gingen en zich gedroegen als Cesar, zaten eenvoudig niet zonder geld, en ik was te trots om haar te vertellen van mijn breuk met Serge. Ik weigerde terug te gaan naar Londen zolang ik hulp nodig had. Nu ik al hun raadgevingen voor mijn toekomst in de wind had geslagen, moest ik me op mijn eigen manier redden, en als dat niet lukte moest ik de mislukking zelf dragen.

Ik wist dat Cesar dezelfde lijn volgde en dat zijn familie ook geen idee had van zijn nood. Ik vroeg me af hoe lang het zou duren voor hij toegaf dat hij geld nodig had. Otto had gezegd: 'Cesar zal zijn familie nooit om hulp vragen. Het is zijn geld en zijn land daar, maar hij gaat liever dood dan dat hij toegeeft dat hij het niet kan redden.'

In onze laatste week in Bologna gingen we steeds minder de deur uit, we deden geen moeite om voedsel te zoeken, het was het kou lijden niet waard, er was geen manier om het te koken of onszelf te warmen als we van de straat kwamen. Clara kwam nog steeds langs, maar meestal lieten we haar op de deur hameren, tot de buren haar zeiden weg te gaan. Die behandeling schrikte haar niet af, ze bleef terugkomen en vergastte ons vanaf de overloop op haar narigheden.

'Ik trap de deur in,' schreeuwde ze, terwijl ze er zich in een vloed van tranen tegenaan gooide. 'Ik weet dat je er bent. Cesar, Lisaveta, laat me erin.'

Maar het kon ons niet meer schelen. Het was koud, het werd stil in de kamer. Er zat geen glas in de ramen, er waren alleen luiken, het was dag en nacht donker, zodat we niet konden lezen. We lagen in bed, onder het stijve allegaartje van geschroeide lompen, en praatten met elkaar, de eerste dagen. Toen de kou erger werd en het water bevroor in de stortbak van het toilet, en ook in de kraan en de gootsteen, lagen we alleen nog maar onder onze barricade van dekens, bij vlagen slapend, luisterend naar de doffe geluiden uit het huis en naar onze eigen versufte gedachten.

Zo nu en dan zei een van ons: 'Ben je daar nog?' en dat vroeg om een antwoord, ook al lagen we samen ingeklemd in hetzelfde bed.

Alles wat ik dacht of zei begon met 'als'. Als die driehonderd veertigduizend dollar niet waren geblokkeerd op de bank in Londen, dan hadden we het nu warm gehad, dan hadden we kunnen lezen en chocoladecake eten en alle taartjes kopen van de banketbakker op de hoek, dan had ik misschien zelfs de jas van vossebont tot op de enkel gedragen, die ik in Parijs had gezien. Als Clara eens ophield met op de deur te beuken, als het gasstel zou werken, als we niet zo lui waren dan zouden we naar de bioscoop kunnen gaan, als de peuken nu eens niet zo stonken. Cesar luisterde naar mijn jammerklachten tot hij er genoeg van had en zei dan: 'En als jij nu eens je mond hield, dan kon ik misschien een beetje slapen.' Cesar had het altijd over 'een beetje slapen', alsof hij in weken niet geslapen had.

Ik geloofde dat we niet terug konden naar Milaan en de anderen, die ongetwijfeld meer plezier hadden dan wij, omdat we onze nederlaag niet wilden erkennen. Omdat wij hadden vastgehouden aan het verblijf in Bologna, vond ik dat het nu een erezaak was geworden, zelfs als dat doodvriezen betekende. Het was net als in Italië blijven in plaats van ons boeltje pakken en naar huis in Londen gaan: nu we eenmaal onder een bepaald niveau waren gezonken, moesten we op eigen kracht weer bovenkomen. Daarom lag ik daar te wachten, omringd door de koude tocht die van alle kanten op me afkwam. Maar de apathie van Cesar was pure stijfkoppigheid. Zijn reacties op veranderingen in zijn lot waren zo traag dat ze onmerkbaar waren. Hij hield bovenal van geschiedenis, en hij verzette zich tegen elke verandering die het verleden dreigde te vernietigen. Het was altijd de toekomst die volgens hem veranderd moest worden, het verleden was onaantastbaar, of het goed was of slecht, het had een plaats in de geschiedenis. Maar de toekomst moest omgevormd worden om de plaats waardig te zijn die zij ooit zou moeten innemen naast helden als Napoleon en Alexander de Grote. Elk handelend optreden vergde daarom trage machinaties die onverstoorbaar woelden in zijn brein. Gewoonlijk was het probleem dat de aandacht vroeg, al opgelost tegen de tijd dat Cesar erover was uitgedacht, de toekomstige historische implicaties op een rij had gezet en het had beladen met het hele gewicht van een beslissende strategie. Als dat gebeurde, als problemen eenvoudig verdwenen of achterhaald raakten, haalde Cesar zijn schouders op en zei:'Dat waren dus geen echte problemen, nietwaar?' Hij was geen man voor snelle beslissingen in een crisis.

Op een morgen werd ik wakker, mijn benen stijf van de kou, mijn gewrichten in handen en voeten stram en verkrampt; ik fluisterde: 'Ben je daar nog?' tegen Cesar en merkte tot mijn ontzetting dat hij er niet meer was. Ik haalde mijn bontjas tussen de dekens uit en trok hem aan. Die van Cesar was weg, zag ik. Ik was in slaap gevallen in de overtuiging dat ik door de ondervoeding totaal verstijfd was, maar nu ik merkte dat ik alleen was, krabbelde ik in minder dan geen tijd mijn bed uit. Ik had natuurlijk tijd gehad om na te gaan hoe kwaad ik was over deze desertie toen Cesar opdook, beladen met van alles, van warm eten tot brieven van huis, en zelfs een klein flesje butagas.

Ik was zo uitgehongerd dat ik de pizza's die Cesar had meegebracht niet aankon. Die liet ik aan hem over, terwijl ik gestaag een hele doos cake en taart leeg at met een liter peresap erbij. Toen ik bijna halverwege was, vroeg ik hem hoe hij aan deze wonderbaarlijkheden was gekomen, maar hij wilde het niet zeggen.

'We gaan vandaag naar Milaan,' kondigde hij aan.

Ik was blij toe. De San Salvatore was een last geworden, hij stijfde me in al mijn fantasieën over langzaam wegteren en zo sterven. Ik was blij dat Otto me de laatste dagen niet gezien had, hij zou gezegd hebben dat ik in training was voor mijn roeping. Hij beweerde altijd dat ik besloten had martelares te worden.

'Je bent net de Laatste der Rechtvaardigen,' zei hij, 'lijdend voor de zonden van anderen.'

We pakten wat boeken en kleren in, sloten de flat af en namen afscheid van de *vecchiette*. Cesar had een cyclaam in een pot voor hen meegebracht.

'*E bella, guarda che bella*,' zeiden ze in koor, zoals ze zo vaak deden, en zwegen toen even. Ik wist dat ze op het punt stonden hun vragen te stellen. Altijd dezelfde vragen, of ze de hele wereld een prijskaartje wilden geven.

En daar kwam het: 'Waar hebt u hem gekocht? Hoeveel kostte hij?'

'Tot spoedig ziens,' zei Cesar die hun nieuwsgierigheid negeerde.

Ze schudden bedroefd het hoofd en een van hen zei: 'U hoeft niet te doen alsof. We hebben u allemaal zien komen en gaan, die met de baard en die met het manke been, die met het kind en die met de ringen. Ze komen nooit terug, en jullie ook niet.'

Ik hoopte dat ze ongelijk hadden, want ik had de helft van mijn bezittingen achtergelaten in de flat, en ik was vast van plan terug te komen zodra het weer zou omslaan.

Toen we bij het station waren, zei ik tegen Cesar: 'Ik heb mijn ringen vergeten.'

'Nee hoor,' zei hij, 'we hebben ze vanmorgen opgegeten,' en hij gaf me het bonnetje van de bank van lening.

'Waarom heb je de jouwe niet naar de lommerd gebracht,' zei ik, want ik zag dat hij ze nog droeg.

'Ik weet niet of we nog terugkomen,' zei hij kalm.

'Mooi is dat!'

'Je hebt je hangertje nog,' zei Cesar, 'je weet dat je daar pas echt om geeft.'

'Jij hebt er werkelijk geen flauwe notie van waar ik om geef,' loog ik, maar hij had gelijk. Hij had er een handje van gelijk te hebben op een manier die je razend maakte, aan het hangertje was ik het meest gehecht. Toch voelde ik me geroepen tot een gebaar van protest tegen het mogelijke verlies van mijn ringen, dus zei ik: 'Geef me mijn kaartje, ik ga niet bij jou in de trein zitten.'

'We hebben geen kaartjes,' zei Cesar.

'Waarom niet?'

'We hebben geen geld, weet je nog?'

'Als je maar weet dat ik niet ga liften,' zei ik. Ik had

een afschuw van liften, niet dat ik het ooit had gedaan, maar het leek mij een vertraagde versie van de Hanratty-moord.

'Ik peins er niet over om te gaan liften,' zei Cesar, 'we springen gewoon uit de trein voor we bij het station zijn.'

'Ik spring niet uit een trein,' zei ik, ontzet bij de gedachte alleen al.

Cesar haalde zijn schouders op en stapte in een tweedeklasrijtuig.

'Zoals je wilt,' zei hij, terwijl hij een plaatsje zocht.

Het vertreksein klonk, de deuren werden langs de hele trein dichtgesmeten, ik sprong Cesars compartiment in en ging tegenover hem zitten met een gevoel dat leek op haat.

In Modena was ik gekalmeerd, en het kwam bij me op dat dit de tweede keer was dat ik dacht dat ik hem haatte. In Reggio Emilia had ik zijn dolmakende kalmte afgewogen tegen zijn vele goede eigenschappen en besloten dat er ergere gebreken zijn dan onveranderlijkheid. In Parma was ik tot de conclusie gekomen dat ik van de drie het meest van Cesar hield. En heel de weg naar Piacenza, over de rivier de Taro en verder door Lombardije, zat ik me af te vragen wanneer ik precies van hen was gaan houden; ik dacht dat het op één moment in Bologna gebeurd moest zijn. In Piacenza kon ik het niet laten naar Cesar te glimlachen, die ontzettend opgelucht keek en wilde gaan praten; maar ik wilde kijken hoe de velden langs ons heenraasden en het volle gewicht van de reis voelen. Het was de allereerste reis die ik maakte om bij iemand te zijn, en niet alleen om de reis. Voor we in Lodi aankwamen gaf Cesar me mijn cameering met de Florentijnse zilveren zetting.

'Ik heb deze er voor je uitgehouden,' zei hij, 'ik weet dat Andrew hem heeft meegebracht uit de oorlog.'

Voor mij was hij weer een mens geworden, maar dat duurde niet lang.

'We moeten er nu al gauwuitspringen,' zei hij, 'het gaat heel gemakkelijk.'

Hij kon mijn tegenzin zien, ik trok het gezicht waar hij een hekel aan had, de ezel op het pontje. 'Je hoeft niet,' zei hij, 'maar dan word je in Milaan gearresteerd wegens het oplichten van de spoorwegen.'

We hoefden niet echt te springen, er was alleen een verre stap naar de spoorbaan nodig toen de trein tot stilstand kwam voor het seinhuis bij Milaan.

'Hoe wist je dat de trein hier zou stoppen?' vroeg ik, met opgeschorte rokken voor het hollen langs de baan.

'Dat doet hij altijd,' zei hij.

Hoe vreselijk Milaan er ook uitzag als we er weggingen, als we terugkwamen zat er altijd iets stralends onder het zwart. Hetzelfde gold voor Parijs, en Bologna, en alle andere plaatsen waar we langer bleven. Overal begon zo'n plaats pas aan ons te knagen in onze laatste dagen daar. De straten waren nietszeggend, de etalages vol kwade voortekens, de mensen roofdierachtig. We kregen het gevoel dat iedereen ons schaduwde, de politie steeds naar het pistool greep, andere auto's het op ons gemunt hadden, zelfs het eten smakeloos werd en de wijn zuur. Dan vertrokken we, bij voorbaat blij om weg te komen. Na een tijdje begon de nieuwe plaats tegen te vallen en dan kwamen we terug, dan zagen we alle dingen die we de vorige keer gemist hadden. Zo werd Milaan opnieuw de prima donna.

We herontdekten Il Duomo en betastten de wit-marmeren platen of het de eerste keer was, we vonden het model ervan dat binnen stond, verkleind tot de schaal van een vorstelijk speeltje, compleet met al zijn torentjes. En we voerden de duiven aan de voet van het monument op de Piazza del Duomo, en Otto klom op een nacht dat hij dronken was, op het paard van Victor Emanuel ii en verklaarde dat hij Otto i was en Cesar zei dat hij Otto ii moest zijn, en Otto had ge-daan of hij moest huilen, zo hard dat de carabinieri er aankwamen en we het op een lopen moesten zetten, achternagezeten over de kasseien van de achteraf-straatjes, en we elkaar pas weer in de ochtendschemer hadden teruggevonden.

Elias vond een nieuw logeeradres voor ons in Milaan. Het was in de oude stad, bij de Via Dante, en de trams rammelden er vlak langs de ramen. Het was een ge-deelte van de tussenverdieping van een verbouwd pa-leis; de lambrizeringen en de tot de vloer doorlopende luiken hadden een elegantie waar we niet aan gewend waren. Er waren vrijwel geen meubels, alleen bedden, doeken en twee schildersezels, een geïmproviseerde keuken en verder niets.

'We kunnen hier blijven tot juni,' zei Elias. Hij was duidelijk niet van plan meer te vertellen en hij hield er niet van uitgevraagd te worden, en zo kwamen we er nooit achter wiens flat het was.

De weken gingen snel voorbij in Milaan. We bekeken weer bezienswaardigheden, we gingen op bezoek bij Tito die weer een overval beraamde en ons voortdu-rend aanbood mee te doen, en bij Athos, die nog steeds kans zag de eindjes aan elkaar te knopen, met doeken om zijn polsen tegen de artritis, en zijn gerant-soeneerde wijn en zijn lijmsculptuur. Elias steunde ons met geld in die periode, met een schijnbaar einde-loos stroompje contanten van een van zijn geheimzin-nige bankrekeningen. Hij had zich vast voorgenomen Italië te verlaten als de ergste winter voorbij was, om in Zweden te gaan werken. Net als Tito stopte hij veel tijd in pogingen ons voor zijn idee te werven. Maar Cesar was onvermurwbaar. Liever viel hij in handen van de nazi's dan de slaaf te zijn van de een of andere obscure Scandinavische brouwerij. Tevergeefs legde Elias uit welke voordelen het had om de zomer op een nieuwe plek door te brengen. 'Jij hoeft niet te werken,' zei hij, 'je kunt toch zomaar meegaan?'

'En zeker als een pooier leven van wat jij verdient,' zei Cesar, 'ik denk er niet aan.'

'Maar hier delen we ons geld toch ook,' wierp Elias tegen.

'Ja, maar hier doen we allemaal ons best. Ik vind werken niet erg,' zei Cesar, 'maar dan wel op mijn ma-nier. Ik vertik het om iemands sjouwer te zijn.'

'Mooi hoor,' hoonde Otto, 'je raapt wel peuken op handen en voeten, maar een baantje wil je niet.'

'Nee!' zei Cesar; zijn armen gingen over elkaar, en dat was dat.

Elias was zo brutaal geworden met 'winkelen' bij Stan-da dat hij er gebruik van maakte alsof hij er een reke-ning had. Hij vroeg de winkelbedienden zelfs hem dingen aan te geven die buiten zijn bereik achter de toonbank stonden. Hij vroeg om delicatessen: hadden ze palinglevertjes, of Tiptree-jam? Zonder dat hem iets werd gevraagd liep hij in en uit, nam alles mee wat wij nodig hadden of waar ik zin in kreeg.

'Alles wat je nodig hebt is zelfvertrouwen,' zei hij altijd. 'Luister naar mijn raad, pik nooit iets uit een winkel,' zei hij tegen mij, 'je bloost te erg en je mist de natuurlijke flair. Iets groots, dat zou je nog wel lukken, maar voor de kleine dingen heb je vaak meer koelbloedigheid nodig. Je moet erop afgaan als een grote jongen, dan durft niemand je tegen te houden.'

Naar zijn succes te oordelen moest hij wel gelijk hebben, dacht ik. Er was niets dat Elias niet stelen kon, hoe onhandig of groot ook. Als er twee mensen nodig waren om een televisietoestel uit een warenhuis te halen, dan vroeg hij iemand hem te helpen bij het naar buiten rijden, zodat Cesar niet 'zonder' hoefde te zitten. Als het regende, schoot hij bij Standa naar binnen en kwam terug met vier paraplu's, een voor ieder van ons. Elias tartte het gevaar voor zijn plezier, we waren gaan denken dat hij nooit gepakt zou worden. En toen, op een dag midden in april, liep hij bij Standa in de val.

Hij was bij Tito geweest, die ons het nieuws bracht.

'Kon hij niet wegrennen?' vroeg Cesar.

'Nee,' zei Tito, 'het was een opgezette val. Hij ging de roltrap af naar de levensmiddelenafdeling in het souterrain, maar ze stonden hem op te wachten. Ik moest een nieuwe stekker hebben en was daarvoor naar boven gegaan. Het lawaai bracht me terug. Het klonk of de hele winkel aan het krijsen was. Elias was beneden, ze hadden de roltrap gestopt en de levensmiddelenhal afgezet, aan de ene kant was een massa klanten bij elkaar gedreven en Elias was, met zijn kleren aan flarden, aan het vechten als een waanzinnige. Er lagen agenten op de grond, hele rekken met levensmiddelen waren omvergesmeten en zes man probeerden hem vast te houden. Ik weet niet wie er lichamelijk het ergste aan toe was, maar ten slotte kregen ze hem eronder.'

Niemand wilde iets zeggen, maar iedereen had dezelfde gedachte. Heel die avond hielden we de wacht, we durfden de stilte nauwelijks te verbreken. We lieten het licht uit en zaten op de vloer onder het raam, luisterend naar het rammelen van de trams, hopend dat Elias op de een of andere manier zou ontsnappen, wetend dat hij hoogstwaarschijnlijk zou sterven. Gevangenen vielen nogal eens dood in Italië, het was dat jaar al gebeurd met een vriend van Tito. Toen de avond vorderde voelde ik me weer een buitenstaander, de buurvrouw die op Elias' dodenwake kwam. We waren er allemaal, alleen het lijk was er niet. Ik dacht dat we zijn lichaam waarschijnlijk nooit meer zouden zien, zijn koperkleurige, volmaakte lichaam, als een roodstenen beeld van Atahualpa, de koning.

19

We liepen gevaar gearresteerd te worden door die nacht in de flat te blijven, want het was Elias' flat, en dat moeten ze geweten hebben, maar het kon hen blijkbaar niet schelen. Tito was de eerste die in beweging kwam. Hij had gehuild, met zijn rug tegen de luiken, en ik had hem benijd om zijn tranen. Ik was zo verdoofd dat ik niet kon huilen. In theorie had ik geweten dat dit elk ogenblik kon gebeuren. Soms werden we daaraan herinnerd; een keer, voor de boekwinkel Oepli, was de motor van een auto teruggeslagen als een pistoolschot, er was een steen uit de goot gevlogen tegen Otto's been aan, en ik zag aan zijn reactie dat hij dacht door een kogel te zijn geraakt. Het gezicht van Cesar, dat ik weerspiegeld zag in de etalageruit, was grijs geweest van berustend verdriet. Altijd wisten ze dat de man naast hen dood neer kon vallen, en dat ze zelf elk ogenblik konden worden gearresteerd. Maar ze zetten het uit hun hoofd en concentreerden zich op hun succes. Elke dag was een succes, voor Elias betekende het weer een dag dat hij zijn doodvonnis had ontlopen.

Tito stond op om te vertrekken.

'Er is een kleine kans,' zei hij, 'dat zijn dekmantel het houdt. Als er iemand geluk heeft dan is Elias het wel.'

Hij kneep Cesar en Otto in de schouder en stapte voorzichtig over hun benen.

'Ik heb vrienden die vrienden hebben,' zei hij, 'en ik zal zien wat ik te weten kan komen.' De kamer was donker, hij deed het licht aan bij de deur, bedacht zich en knipte het weer uit.

'Jij zou hier niet moeten zijn, Otto,' zei hij, 'ze stonden hem op te wachten in Standa, misschien staan ze hier ook wel voor de deur te wachten.'

'Nee,' zei Otto, 'ze hebben dit hier nog niet gevonden. Ik denk dat het dan vreemder zou aanvoelen dan nu.'

'Dit is geen moment voor voodoo,' kwam Cesar ertussen. 'Tito heeft gelijk. Waarom ga je niet met hem mee kijken of er iets te ontdekken valt?'

Otto gaf geen antwoord, maar stond op en liep de kamer uit. Hij kwam terug met zijn schoudertas en een doos papieren. Hij leek blij weer in beweging te zijn. Hij deed het licht aan en wees op de papieren.

'Verbrand ze,' zei hij tegen mij. Ik knikte, maar verroerde me niet. 'Nu!' zei hij, 'en verstrooi de as. Blijf dan hier bij Cesar. Als jullie weg zijn als ik terugkom, neem ik aan dat jullie gearresteerd zijn.' Hij schopte zachtjes tegen een contactdoos in de plint. 'Als er iets gebeurt, doe dan met je voet dit knopje omlaag.' Hij had het tegen mij. Cesar zat in gedachten verzonken op de grond met een gezicht van steen. 'Ik ben zo terug,' riep hij ten afscheid.

Ik begon in de doos met papieren te bladeren en ging daarna op zoek naar iets om ze in te verbranden. Ik vroeg me af hoe lang Otto weg zou blijven. Zijn 'zo terug' gaf geen houvast. Dat zeiden ze altijd, en ik wist dat het geen verband hield met tijd. Ik hoopte dat Tito het ons zou vertellen als er iets met hem gebeurde. Hij liep meer kans gearresteerd te worden dan wij. Ik wou dat we allemaal samen waren gegaan. Het was altijd fataal als je uit elkaar ging. Zo ging het in griezelfilms. Spoken kwamen alleen op je af als je alleen was. Maar Cesar werd onbeweeglijk bij een ramp. Hij had tijd nodig om te reageren. Als hij eenmaal tot een bepaalde gedragslijn had besloten, was hij een strategisch genie, maar terwijl hij over de beslissing nadacht was hij totaal verstard. Ik vroeg me zelfs af of hij me kon zien terwijl ik met onze papieren in de weer was.

Ik verbrandde alles wat we hadden, op kleren en boeken na. Ik verbrandde Elias' foto's, vooral die met mensen erop. Zelfs onbekenden die toevallig voor de Duomo hadden gestaan moesten in brand. Alleen de foto's van Cesar en mij, met niemand anders erop, niet in Ticinese en niet bij Tito, alleen Cesar en ik op beroemde plaatsen, mochten blijven. Ik verbrandde rijbewijzen, vergunningen, bankafschriften en identiteitsbewijzen. Er waren twee paspoorten. Het leek me verkeerd die in brand te steken, dus vroeg ik het aan Cesar. Ik moest hem door elkaar schudden, zo ver was hij heen.

'Wat doe ik hiermee?'

'Weet ik niet,' zei hij.

'Maar Otto zei dat ik ze moest verbranden.'

'Verbrand ze dan,' zei hij, 'waarom moet je het mij vragen?'

Er was niemand anders die ik het kon vragen. Het spul brandde slecht, vooral de foto's en de paspoorten met hun harde kaften. Ik gebruikte een bloempot als verbrandingsoventje, maar na elke steekvlam bleven er verraderlijke resten over. Wat er overbleef van mijn brandstapel zag er verdachter uit dan de oorspronkelijke papieren; ik verloor het besef van tijd, terwijl ik alles met stamper en vijzel tot een zwarte pasta mengde en mijn eigen brieven verbrandde als stookmiddel voor de weerbarstige doos met documenten en paperassen.

Otto kwam alleen terug, hij keek met vaderlijke toegeeflijkheid naar mijn zwarte handen en het hoopje verschroeid bewijsmateriaal.

'Goed,' knikte hij en richtte zich vervolgens alleen tot Cesar.

Ik was verbaasd te zien hoe waakzaam Cesar werd, ik had gedacht dat hij sliep.

'Wat is er voor nieuws?' vroeg hij, en voor Otto een woord had kunnen zeggen: 'Zeg eerst of het goed is of slecht.'

'Ik weet het nog niet, maar misschien is het goed,' zei Otto, draaide zich toen naar mij om en zei: 'Je mag luisteren als je wilt,' wat ik al deed, en wendde zich weer tot Cesar. 'Ze hebben hem meegenomen naar een wijkpolitiebureau en daar lens geslagen, en daarna is er een vent van de Immigrazione bijgehaald. Elias had deze keer zijn Peruaanse papieren bij zich. Hij is naar een ondervragingscentrum overgebracht.'

'Hoe weet je dat?' vroeg Cesar.

'Tito's vriend kent iemand bij de afdeling inschrijving.'

'Hebben ze hem gezien?' vroeg Cesar.

'Ja. Ze zeggen dat hij eruit kwam als een heel ander mens dan hij erin ging, ze hebben zijn gezicht uit de vorm geslagen.'

'Godzijdank,' zei Cesar.

'Wat bedoel je?' vroeg ik.

'Dan is er een kans dat ze hem niet herkennen.'

'Maar de vingerafdrukken dan?' vroeg ik. Zelfs in zijn paspoorten stonden vingerafdrukken.

'Elias is nooit eerder gepakt,' zei Otto, 'ze kunnen hem alleen identificeren van foto's, en als hij gaat praten.'

'Wat denk je?' vroeg Cesar aan Otto.

'Ik durf het nauwelijks te denken,' zei Otto, 'maar er is een kansje dat hij alleen winkeldiefstal en die vechtpartij in Standa aan zijn broek krijgt. Heel misschien komt hij eruit.'

Cesar pakte een sigaret en stak haar op.

'Komt Tito nog terug?' vroeg hij.

'Als hij denkt dat het veilig is, zo niet dan kunnen we hem vinden op de hoek van de straat waar de tram stopt, om de twee uur op het hele uur.'

'Heeft hij een vriend in dat nieuwe gebouw?'

'Min of meer, er zit een neef van die jongen Marcello. Tito zegt dat hij nooit erg toeschietelijk is, maar dat hij wel deugt.' Op dat moment keerde Otto zich naar mij en vroeg of ik klaar was met het verbranden van de papieren.

'Niet helemaal,' zei ik, en wist meteen dat ik iets verkeerds had gezegd. Hij keek me kwaad aan, er bestond alleen ja en nee. Ik ging terug naar de bloempot, maar die was gebarsten.

'Neem een steelpan,' snauwde Otto.

Toen ik terugkwam uit het keukentje, waren Cesar en hij iets op fluisterende toon aan het bespreken. Terwijl ik aan kwam lopen duwde Otto haastig twee pakjes in zijn tas. Ik herkende ze aan hun vorm en omvang.

'Waar zijn die pistolen voor?'

'Misschien moeten we hier plotseling weg,' zei Cesar.

'Waarom verberg je die dingen dan voor mij?' vroeg ik verontwaardigd.

'Kun je ermee omgaan?' wilde Otto weten.

'Nee, maar...'

'Ga dan door met wat je wel kunt, en vraag niet zoveel.'

Ik ruimde alle asresten op en spoelde ze in drie porties door het toilet. Er kwam een vuile rand in de pot en ik begon hem schoon te maken. Otto kwam binnen en aaide me over mijn haar.

'Ik weet wel dat je niet echt zoveel vraagt,' zei hij. Ik moest bijna huilen omdat hij tegen me praatte, daarom bleef ik me over de toiletpot bukken. 'Tito zegt dat ze Elias niet hier in Milaan zullen doden, of hij moet uit een raam vallen. Hij is een buitenlander, ze hoeven niet op de proppen te komen met zijn lijk, ze zullen hem dus waarschijnlijk naar elders brengen. De mannen van Tito houden alle toegangen tot het ondervragingscentrum in de gaten, ze gaan proberen misschien hem te kidnappen.'

'Dat zou zelfmoord zijn,' zei ik.

'Ze willen het toch doen. Tot vanavond heb ik nooit geweten hoe populair Elias hier is. Ze willen het proberen.'

'Dank je,' zei ik.

'Doe nou ook iets voor mij,' zei Otto, 'trek één keer in je leven die lange kleren uit. Als je met ons meegaat, zie er dan tenminste uit zoals wij.'

Ik maakte de toiletpot schoon en ging me toen omkleden, waarbij ik van alle drie kleren leende tot ik tevreden was over het resultaat. Maar we gingen nergens heen, we zaten maar te wachten in de lege flat. Otto ging die nacht nog twee keer de deur uit, maar hij bracht geen enkel nieuw bericht mee. Cesar sliep tegen de muur geleund, en verhuisde toen naar zijn matras.

'Elias weet hoeveel ik van hem hou,' zei hij, 'maar ik kan niet langer wakker blijven.' Hij trok een deken over zich heen en rolde zich op. 'Roep me als je me nodig hebt.'

Tito kwam 's morgens om zeven uur binnen, holoogig en ongeschoren. Hij had een zak verse broodjes bij zich.

'Ik moet naar mijn werk,' zei hij. Hij had een kantoorbaan als ambtenaar. 'Ik hou contact met de jongens en met jullie. Ik ben alleen bang dat er nog geen nieuws is.'

'Helemaal niets?' zei Otto, die strak naar Tito's handen keek. Tito zat te friemelen met een stukje papier van de broodjeszak.

'Nou ja... er is vanmorgen een man van Interpol naar binnen gegaan, en... "de Apostel" is er ook gezien.'

Zelfs ik had gehoord van die 'Apostel'. Hij was de schrik van Milaan, de meest meedogenloze ondervrager sinds de ss de stad had verlaten.

'Er is nog een kans dat hij bij iemand anders is gehaald,' voegde Tito eraan toe. 'We weten niet of het voor Elias was.'

De anderen luisterden niet meer. Tito merkte het. Hij pakte zijn hoed en sjaal en nam afscheid.

'Ik moet nu naar mijn werk.' Hij aarzelde echter met weggaan, hij had nog iets op zijn hart. 'Ik... ik zou de spullen weg kunnen halen uit Ticinese,' zei hij zacht.

'Dat hoeft niet,' zei Otto, 'Elias slaat niet door.'

Tito keek opgelucht. 'Ik weet van mezelf,' legde hij uit, 'dat ik misschien wel zou doorslaan bij "de Apostel". Het spijt me.'

'Nee,' zei Otto nog eens, 'Elias zal niet gaan praten, maar "de Apostel" is een beest, als Elias niet doet of hij praat, maakt hij hem misschien dood voor zijn plezier.'

'Elias is niet gek,' zei Cesar, 'die zegt wel iets, die snapt dat wel.'

Tito kwam terug tijdens zijn lunchpauze.

'Hij zit bij "de Apostel",' bevestigde hij. 'Maar Marcello's neef zegt dat ze nog steeds niet weten wie hij is.'

Nadat hij vertrokken was, vroeg ik Otto hoe lang het zou duren voor ze ontdekten dat zijn paspoort vals was.

'Maar het is niet vals,' zei hij.

'Het is toch zijn naam niet?'

'Nee, maar het is wel de naam van een bestaand iemand, iemand die nooit een paspoort heeft gehad, en die beloofd heeft zich een jaar of tvee gedekt te houden. De foto en de vingerafdrukken zijn van Elias, en de stempels en handtekeningen zijn allemaal echt.'

Ik had niet eerder begrepen dat een vals paspoort ook echt kon zijn.

'Bedoel je dat als Elias zelf niets zegt en zij hem niet herkennen, er ook eigenlijk geen manier is om hem op het spoor te komen?'

'Zo is het,' zei Otto, zonder veel hoop, 'als die schoft hem laat leven, zouden ze misschien de Peruaanse consul erbij kunnen halen en hem het land uitzetten.'

'En als die consul zijn accent herkent?' vroeg ik weifelend.

'Ach, die man die Trotski doodde sprak allerlei talen, en zo is Elias ook, hij is gewoon een Zuidamerikaan, hij zou overal uit dat werelddeel vandaan kunnen komen, hij is er overal en nergens thuis. Hij zwerft al rond sinds zijn veertiende, en hij heeft een stel hersens als een computer.'

Tito kwam 's avonds terug met het bericht dat men 'de Apostel' het gebouw had zien verlaten.

'Ze hebben contact opgenomen met de Peruaanse

ambassade,' zei hij, 'de vice-consul komt hem morgen opzoeken. Als die hem niet herkent, en ik denk dat niemand dat kan zoals zijn gezicht er nu uitziet, dan wordt hij uitgezet.'

Tito nam zijn pistolen weer mee, gewikkeld in dezelfde lappen van de avond daarvoor. 'Die heb je nu niet nodig,' zei hij, 'op dit moment heb je er meer last dan gemak van.'

We brachten de avond door met enkelen van Tito's 'mannen'. De meesten kenden we niet, maar de gebeurtenissen van de laatste vierentwintig uur hadden ons plotseling dicht bij elkaar gebracht, met Elias als onze gemeenschappelijke zaak. Nu Elias' kans op ontsnapping toenam, verminderde het gevoel van verering waarmee we hem in zijn afwezigheid hadden behandeld. Iedereen stond te kijken van het absurde van de situatie. De Milanese politie had een internationaal gezochte misdadiger te pakken en ze wisten het niet, ze verhoorden hem om informatie te krijgen over veel onbelangrijker mensen die gezocht werden voor veel kleinere misdaden. Diezelfde politie had zijn gezicht onherkenbaar tot moes geslagen. Als ze onder de kneuzingen hadden kunnen kijken, zouden ze de man gezien hebben wiens portret in elk politiearchief in Europa zat, wiens foto in handen was van elke toevallige huurmoordenaar die ooit voor Interpol had gewerkt: Elias die zei 'Ik ben geen gangster, ik ben een soldaat.' Elias die een pogrom had veranderd in een burgeroorlog. Ik had in Parijs een CIA-foto gezien van Elias in actie, met een mikpunt op zijn borst getekend in de hoek tussen zijn arm en zijn machinegeweer. Ik kon maar niet geloven dat de politie werkelijk zo stom kon zijn om hem te pakken en te verhoren en dan nog door haar net te laten glippen.

Elias werd de volgende morgen definitief weggehaald uit het ondervragingscentrum. We werden nauwkeurig op de hoogte gehouden door Marcello's neef, die informatie kreeg door het combineren van geruchten en zo nu en dan een glimp van Elias zelf opving. Een keer zag hij hoe Elias door een gang werd gedragen. Hij was bewusteloos. Tito bespaarde ons de bijzonderheden, maar later hoorden we ze van Marcello's neef, die het tafereel beschreef met een rijkdom aan bloedig Latijns elan.

'Hij zag eruit als een monster,' zei hij, 'een monster zonder huid op zijn gezicht.'

Elias werd het land uitgezet. Hij kreeg een politie-escorte tot aan de Italiaanse grens. De ironie van het lot wilde dat ze hem op de stoptrein naar Simplon zetten, dezelfde trein waarin we zo vaak samen hadden gereisd.

Onze informant vertelde ons hoe laat hij zou vertrekken en Tito reed ons naar het station. Elias was met handboeien vastgeklonken aan twee bewakers in uniform. Daaraan herkenden we hem, en aan zijn manier van lopen, want zijn gezicht was gezwollen tot een afschuwelijke purperen massa. Ze geleidden hem als een blinde, zijn ogen zaten bijna helemaal dicht.

'Hoe moet hij zich redden als hij aankomt?' vroeg ik.

'Hij redt zich wel,' zei Otto.

Ik was de enige 'legale' persoon van de groep, de enige die niets te verliezen had door met Elias te worden gezien.

'Ga hen achterna de trein in en zeg hem daar gedag,' zei Otto, 'laat hem weten dat wij weten dat het goed met hem is.'

Toen ik in de trein voor Elias stond, van aangezicht tot aangezicht met hem en zijn gewapende escorte, wist ik ineens niet wat ik moest zeggen. Ik zou hem misschien nooit meer zien, hij kon nog steeds sterven, en ik had hem nooit verteld hoeveel ik van hem hield, hoe ik hem miste, wilde dat hij zou blijven. Ik had één volmaakt zinnetje nodig om alle ongerustheid en alle genegenheid in samen te vatten. De fluit klonk, de trein stond op punt van vertrek. De politiebewakers drongen zich langs mij en trokken Elias aan zijn polsen mee. Het was nu of nooit, en één zinnetje was niet genoeg.

'Dag,' zei ik. Hij kon me net onderscheiden door een halfopen oog.

'Geronimo!' kraste hij, en liep achter de bewakers aan.

Ik beet op mijn lip en sprong de trein uit. De anderen stonden op me te wachten.

'Wat heeft hij gezegd?' vroegen ze allemaal tegelijk.

Ik vertelde het en ze moesten lachen, maar ik voelde me ellendig.

'Zeg eens wat.' Otto gaf me een duwtje om me op te vrolijken.

'Ik weet dat je de pest in hebt omdat je niet wist wat je moest zeggen in de trein,' fluisterde Otto tegen me in de auto.

Ik knikte, we praatten er niet meer over. Het was de tweede keer in een jaar dat woorden mij in de steek lieten. In Venetië, leunend over een van de kleinere bruggen, had ik een oude man gezien die mijn richting uitkwam, in een waas van wit haar. Hij liep gebogen en leek ouder dan normaal mogelijk is. Er was iets aan hem waardoor ik bleef kijken en toen herkende ik hem. Terwijl hij dichterbij kwam, zei ik tegen Cesar: 'Dat is Ezra Pound.'

'Spreek hem aan,' zei Cesar, 'die kans krijg je nooit weer.' Ik stapte de straat op en toen, terwijl ik keek naar een oude man met een gerimpeld, door de wind gebruind gezicht, die van zijn wandeling liep te genieten, zakten alle woorden uit mij weg.

'Zeg iets tegen hem,' spoorde Cesar mij aan, 'het is nu of nooit.'

Maar niets dat ik tegen hem zei, zou evenveel voor hem betekenen als niets zeggen, en hem ongestoord van zijn wandeling als negentigjarige door Venetië te laten genieten. Opnieuw, opgevouwen achter in Tito's gehavende Fiat Cinquecento, voelde ik me bedrogen door de welsprekendheid van het zwijgen.

20

Otto placht te zeggen dat slecht nieuws in drieën kwam, en vaak kreeg hij gelijk. Hoewel, als je eenmaal in getallen begint te denken, is het makkelijk de feiten ernaar te schikken. Elias' arrestatie kon je beschouwen als een geluk of een ongeluk. Een ongeluk om te worden gearresteerd, geregistreerd, afgetuigd en het land uitgezet, maar bovenal een geluk om er zo af te komen. Onze moeilijkheden met de Lanzini's daarentegen, ofschoon op een veel kleinere schaal, waren alleen maar ongeluk en onheil en er zat geen enkele goede kant aan.

We gingen uit Milaan weg nadat Elias was vertrokken. Zonder hem was de stad niet dezelfde. Milaan was op een vreemde manier altijd meer zijn stad geweest. Hij had er gestudeerd en gewerkt, zijn dochter had er gewoond al was het maar kort; ze was met haar moeder teruggegaan naar Duitsland en we kregen haar nooit meer te zien. Door alle straten zoemde nog zijn laatste woord, 'Geronimo!', de strijdkreet die hij van de Indiaanse krijgers in cowboyfilms had overgenomen, terwijl hij over de keien ratelde, voetgangers opjagend en demonstrerend hoe goed hij wel was achter het stuur.

Elias had een afschuw van bewaren. Daarin was hij het tegendeel van Cesar en mij. Wij waren allebei potters, die alles bewaarden, van stukjes hout tot buskaartjes. Elias leefde graag omringd door dure spullen, die hij ook zo weer achterliet om verder te trekken en opnieuw te beginnen. Misschien was het een ingebouwd verdedigingsmechanisme, dat hem in staat stelde met zo'n ogenschijnlijk gemak telkens op te breken.

Toen hij weg was, zaten wij met al zijn bezittingen. Zijn stereo-installatie, zijn camera, zijn boeken en zijn kleren. Otto haalde er een paar suède schoenen, een vechtjack en twee delen Liddell Hart uit.

'Die wil hij zeker houden,' zei hij, 'die zou hij meegenomen hebben, met een paar fototoestellen misschien.'

'Wat doen we met de rest?' vroeg Cesar, terwijl hij een Duitse verrekijker bij het stapeltje legde.

'We moesten het maar verkopen,' zei Otto.

'Kunnen we dat wel doen?' vroeg Cesar een beetje ongemakkelijk.

'Ach, onder de omstandigheden kunnen we dat beter doen dan alles op een vlot laden en dan in een gloed van vlammen de Adriatische Zee opduwen,' zei Otto. 'Hij is niet dood moet je weten,' zei hij stijfjes, 'ik ben geen lijkenpikker.'

'Dat neem ik aan,' gaf Cesar aarzelend toe. Maar hij hield nog een paar dingen van Elias achter om te voldoen aan zijn gevoel voor ritueel.

We konden veilig aannemen dat alles wat Elias bezat onrechtmatig verkregen was, daarom namen we niet het risico van verpanden, of zelfs verkopen op de open markt. In plaats daarvan zochten we onze toevlucht tot een van de vele louche handelaren die maar al te blij waren de hand te kunnen leggen op een partijtje kwaliteitsspullen. We kregen nog geen kwart van wat ze waard waren, maar na de transactie hadden we genoeg geld om naar een trattoria te gaan en kaartjes te kopen naar Florence en weer terug naar Bologna.

'Waarom Florence?' vroeg ik verbaasd.

'Je kunt niet in Italië zijn zonder Florence te hebben gezien,' zei Otto. 'En er gaan een paar dagen overheen voor de bedrading in de San Salvatore weer in orde is. Ik heb iemand gevonden die de elektriciteit weer wil aansluiten.'

Onze trein stopte in Bologna voor hij verder ging naar Florence, en Cesar zei dat hij in de verleiding kwam uit te stappen en naar huis te gaan, naar de San Salvatore. Otto en ik wilden doorgaan.

'Ik word zeeziek als ik doorga,' waarschuwde Cesár.

'Maar we gaan niet naar de zee.'

'Kan me niet schelen, ik zeg je dat ik zeeziek word als ik doorga.'

We kwamen in Florence aan in een waas van ongenoegen. Ik had een lijst van dingen die ik wilde zien en die ik ook ging bekijken, ondanks Cesars ellendige bui. Ik wist dat hij voor het eind van het jaar terug wilde naar Bologna. Het was 27 april, en een van Cesars jaareinden was altijd zijn verjaardag, op 29 april. Hij deed altijd net of hij niet aan zijn verjaardag dacht, maar in het geheim stelde hij zichzelf doelen die voor die tijd bereikt moesten zijn, willekeurige doelen, zoals het passeren van bepaalde lijnen in het wegdek in een bepaalde tijd. En nu had hij een soort rituele behoefte geen bezienswaardigheden af te lopen aan het begin van zijn zevenendertigste jaar.

Binnen zijn normale duur eindigde elk jaar voor Cesar verschillende keren: je had nieuwjaar zelf, zijn verjaardag, dan 18 augustus, de dag waarop zijn vader dertien jaar tevoren was gestorven, en de dag dat zijn oom was begraven, de begrafenis die hij niet had kunnen bijwonen. Op al die dagen, en de dagen ervoor, was Cesar altijd onbenaderbaar somber. Dat was hij dan ook in Florence, hoewel hij weigerde de oorzaak toe te geven van die somberheid, die hem bezocht als een jaarlijkse miskraam van zijn ambities.

We bezochten zoveel paleizen als we konden voordat Cesar onze terugkeer afdwong. Het was laat en donker, en het leek onzinnig om niet nog een paar dagen in Florence te blijven. Maar Cesars behoefte om te vertrekken was sterker dan onze nieuwsgierigheid, dus gaven we toe. Het was te donker om vanuit de trein iets anders te kunnen zien dan de namen van de stations die opdoemden en weer verdwenen, Firenze, Prato, Pistoia. Ik sliep op het ritme van de wielen, met mijn hoofd op Otto's schouder, want Cesar wilde altijd alleen zitten.

We konden de deur in de San Salvatore bijna niet open krijgen, zoveel brieven waren er onderdoor geschoven. We staken een kaars aan en gingen naar bed, dicht bij elkaar voor de warmte.

'Van wie denk je dat al die brieven zijn?' vroeg ik Otto voor we in slaap vielen.

'Van onze fanclub, denk ik.'

'Wie zijn dat dan?'

'Er is er maar één,' zei hij, 'Clara Lanzini.'

'Hoe weet je dat zij het is?'

'Ze heeft het vreselijkste handschrift aan deze kant van de Alpen,' zei hij, 'ik herken het onmiddellijk.'

'Als jullie me nu niet even laten slapen...' dreigde Cesar.

De volgende morgen was Cesar al op toen ik wakker werd, en bezig met Otto de stapel brieven te sorteren. Er waren tweeëntwintig boodschappen van Clara zelf, in hanepoten van grijze inkt, en ook twee lange manilla enveloppen. Die laatste kwamen van de advocaat van de Lanzini's, en behelsden een voorlopige dagvaarding van Cesar en mij voor wat zij noemden 'verleiding van minderjarigen'. Otto was naast vele andere dingen ook jurist.

'Gewoon negeren,' zei hij, 'ze zijn niet goed wijs als ze denken dat ze een van jullie kunnen vervolgen. Elias is tot daaraan toe, maar Lisaveta is zelf minderjarig.'

Op dat uur, voor het ontbijt, met de luiken wijd open in de vrieskou van de ochtend om het licht binnen te laten, leek de hele kwestie een hoop onzin; we gooiden alle brieven in een grote reiskoffer met allerlei rommel en begonnen aan het herstel van de schade in de flat. Op de 1ste mei hadden we ons gewapend met petroleumkacheltjes, olielampen, kaarsen en een flinke voorraad essentiële levensmiddelen die ik beslist had willen inslaan, ondanks de protesten van de beide anderen die mijn vooruitziende blik afwezen als 'vervelend gedoe'. Toen de flat warmer was, bleven we niet binnen om te genieten van ons nieuw verwonen comfort, maar brachten steeds meer tijd op straat door. We zagen de 1-mei-optochten vanaf de trappen voor de kathedraal en we keken hoe een rondreizende poppenspeler een voorstelling gaf voor een troepje kleumende kinderen die hem net zo lang pestten tot hij ermee ophield, waarna Otto hem overhaalde de voorstelling nog eens te geven voor ons drieën, alleen op een met keien geplaveide binnenplaats, terwijl de hagelkorrels zich in ons haar nestelden. En toen een jonge studente zich van de Torre Garisenda gooide, waren wij erbij, in de menigte die op afstand van de deken werd gehouden die daar lag en die te plat leek om echt iemand te bedekken. We stonden naast de dikke oude dames die hun hoofd schudden over de zelfmoord. 'Wat zonde, wat zonde,' hoorde ik van alle kanten. Maar er waren er maar weinig die echt mededogen hadden met het dode meisje. De Bolognezen waren dapperder dan de meesten van hun landgenoten, harder, ze hadden geen sympathie voor 'de makkelijke uitweg'. Het was inderdaad makkelijk van de scheve torens te vallen, het was in feite moeilijk dat niet te doen. En ze geloofden niet in het zwakke geslacht, ze hadden al vanaf de veertiende eeuw vrouwelijke docenten. Wat ze wel betreurden was het lot van de torens zelf.

Die van Pisa was een van de zeven wereldwonderen, terwijl hun twee torens werden vergeten en veronachtzaamd. Alleen zijzelf dachten er nog aan en hielden ze in ere bij dit soort zeldzame gelegenheden, als iemand de stad de eer aandeed zich naar beneden te werpen. Dan stemden ze allemaal in met het koor van 'wat zonde'. Wat zonde dat de wereld geen oog had voor hun scheve torens, voor de geleerdheid en de schoonheid van hun stad.

Clara Lanzini kwam, dat was onvermijdelijk, maar Otto zette haar het huis uit.

Nadat ze weg was, zei hij: 'Het is maar het beste als ze nooit meer komt.'

'Hoe hou je haar tegen?' vroeg Cesar.

'Je moet gewoon streng zijn,' zei Otto, 'zoals ik. Ze zal ons nu niet meer lastig vallen.'

Tot verbazing van Cesar en mij kwam ze inderdaad de volgende dag niet, maar de dag daarop had ze een koffer bij zich.

'We drijven uit elkaar,' verklaarde ze. 'Ik ben thuis weggegaan, ik kom hier wonen. Dat is de enige manier.'

Otto was woedend, Cesar sprakeloos, ik weet niet of het van woede of van verbazing was.

'Hoor eens hier,' riep Otto, terwijl hij haar naar de deur duwde, 'we kunnen hier geen groupies gebruiken...' Hij zei groupies in het Engels.

'Geen wat?' vroeg Clara.

'Geen groupies,' herhaalde Otto, nu wat aarzelender, kennelijk twijfelend of hij het goed zei.

'Wat bedoel je?' vroeg Clara, die door dit nieuwe woord geheel van haar stuk was gebracht.

'Je tast de kwaliteit van het bestaan aan,' legde Otto uit. 'We zouden je best aardig gevonden hebben, in theorie vinden we je ook best aardig, maar het zit me tot hier,' schreeuwde hij terwijl hij abrupt zijn vinger langs zijn voorhoofd haalde. 'Wij zijn Elias niet, en Elias is god niet,' zei hij, terwijl hij de deur voor haar openhield.

Otto was nooit op zijn best voor het ontbijt, nooit als hij een kater had, en hij had er een afschuw van gemanipuleerd te worden. Hij was die morgen ongewoon hard tegen Clara, maar ik moet wel zeggen dat geen enkele andere benadering ons had kunnen verlossen van wat je gerust haar vervolging kon noemen. Daar stond tegenover dat Clara de neiging had om toe te geven aan hysterie: soms moedigde ze die bepaald aan bij zichzelf. Bij haar thuis had ik haar meer dan eens schoppend en schreeuwend op de grond zien liggen. Het kwam daardoor niet echt als een verrassing toen ze Otto's uitbarsting beantwoordde met een serie doordringende, scherpe gillen. Eenmaal op dreef verhevigde ze die tot ritmisch gekrijs dat in een perfect staccato het hele gebouw deed trillen.

De twee oude dames van de overkant verschenen

het eerst op het toneel, een tegenstribbelende en blaffende Chapolino achter zich aan slepend. Ze keken naar ons, die hulpeloos in ons halletje stonden, en naar Clara, die met haar handen in de zij op de overloop stond en het volume van haar protest opvoerde naarmate het gehoor om haar heen aangroeide. Ik had geen idee dat we zoveel buren hadden. Ze leken uit de kieren in het hout te komen. Het huis was een verlaten gebouw, met nooit meer dan een onderstroom van roddel en maar heel zelden een bezoeker voor de hogere verdiepingen, en toch waren ze daar, elkaar de trap opduwend en dringend op de overloop.

'*Che cosa? Che c'è? Che cosa?*'

Iedereen wilde weten wat er gebeurde, en meer nog wat er gebeurd was. Clara was niet te stoppen. Ik kon Otto zien spelen met de gedachte om de deur gewoon dicht te doen, maar er stonden meer voeten tussen dan hij aankon, daarom wachtte hij met de anderen op Clara's verhaal. Ze hield even plotseling op met gillen als ze begonnen was. Ze weigerde de storm van vragen te beantwoorden, er was er niet één bij waar ze speciaal op inging. Maar ze pakte haar koffer op en baande zich een weg naar beneden, terwijl ze zei: 'Zij hebben mij dit aangedaan. Ze hebben me weggehouden van de man van wie ik hou, en ze breken mijn hart.'

Een luide wolk van medelijdende ah's volgde haar naar beneden en Clara sloeg de buitendeur dicht met de beslissende klap van de prima donna.

'*Poverina,*' murmelden de buren, zelfs de *vecchiette* deden mee. Ik keek hen verwijtend aan, ik was de *poverina*. Ze zagen mij kijken en ik bespeurde een vleugje loyaliteit, maar de anderen hadden zich geheel tegen ons gekeerd. Ik dacht dat Otto een redevoering zou gaan houden. Hij was een machtig redenaar als hij wilde, ik had gehoord dat hij een vijandige menigte van duizenden op zijn hand kon krijgen. Maar hij keek naar de gezichten die boos naar boven staarden, wendde zich tot Cesar en zei: 'Heb je gemerkt dat mensen gehoorzamen aan een soort wet van de zwaartekracht? Wij drieën zijn bepaald aan het zakken.' Hij zwaaide met zijn *Corriere della Sera* van de vorige dag, en ik kon hem daarachter zien grijnzen. Het was een grimmige, vreugdeloze grijns, die ik eerder bij hem had opgemerkt in momenten van spanning of ongeloof.

'Praat jij met hen, Veta,' zei hij.

Ik wilde absoluut niets te maken hebben met de bende woedende dames die voor me stond, maar Otto zei: 'Wees een engel, Lisa, ik geloof dat ik allergisch ben voor het hele stel.' Hij glimlachte en boog licht naar de mensen, die verbaasd waren over zijn Spaans en even waren opgehouden met praten. Ik stapte de overloop op en Otto sloeg, als een goede vriend, de deur achter me dicht, zodat ik alleen tussen al die mensen stond. Ik bezweek voor mijn natuurlijke neiging en barstte in tranen uit.

Het waren de twee *vecchiette* die mij bijsprongen door mij woorden en argumenten in de mond te leggen.

'Ze is zelf nog maar een kind,' legden ze uit aan de anderen. 'Ik denk dat die del het met haar man wilde aanleggen.'

'Wie is haar man dan?' wilden de anderen weten. Op dat moment begon ik luid te wenen, met het idee dat wat Clara gelukt was ook mij zou moeten lukken, terwijl ik tegelijkertijd de twee oude dames de verlegenheid bespaarde dat ze moesten toegeven nog steeds niet te weten wie nu eigenlijk mijn man was.

'Wat was dat nu allemaal?' vroeg Cesar, toen het allemaal voorbij was.

'Het is de zomer die in de lucht zit,' zei Otto. 'Ik heb de kracht niet om Clara door haar neurose te helpen,' voegde hij eraan toe, 'ik denk dat we ons allemaal uit de voeten moeten maken. We kunnen naar Zweden gaan om wat geld te verdienen en weg te komen uit al die hysterie.'

Maar Cesar wilde niet weg, hij kon niet loskomen van de route die zich ongeveer van Londen tot Milaan uitstrekte, en ik wilde in onze huidige toestand niet terug naar Londen, en Cesar zei dat hij liever dood zou gaan dan in Parijs wonen, en Milaan was vervuld van de afwezigheid van Elias, zodat we het niet eens konden worden.

Ten slotte ging Otto alleen, op het laatste moment in tranen, verscheurd tussen de twee helften van onze groep. Elias stuurde ons dagelijks telegrammen uit Straatsburg, waarin hij ons aanspoorde met hem iets te ondernemen in Scandinavië. Maar in sommige dingen stond Cesar feilloos pal, en dit was er een van. Hij leek Italië met al zijn beroering nodig te hebben, hij leek niet buiten die ene route te kunnen met Milaan als middelpunt. Otto vroeg de *vecchiette* voor ons te zorgen.

Het was weer zomer, maar nog vroeg genoeg om de hitte plezierig te vinden en kort genoeg na de winter om ons de kou te herinneren.

De twee oude dames waren heel lief voor ons; voor ons zorgen legden ze zo uit dat ze ons aangenaam bezig moesten houden. Dat deden ze door dagelijks stapels oude tijdschriften van vorstenhuizen te brengen, die ze voor onze deur neerlegden. Elke avond kwamen ze die weer ophalen, en dan zaten we een uurtje of wat te praten over de wederwaardigheden van prinses Alexandra, of over koningin Sofia en haar zwager, het zwarte schaap Jaime, en een schandaal aan het Spaanse hof rond een zekere Cesar, die ze altijd aanduidden als 'Cesare-net-als-u'. Ze verleenden hun goedkeuring aan bepaalde huwelijken en vergeleken de ene trouwpartij met de andere, waarbij ze letten op de juiste bloemenkeuze of een tekort aan voldoende pages. Ze wisten van elk schandaal aan enig Europees koninklijk hof dat ooit was gemeld. Ze hadden een eindeloze voorraad tijdschriften die twee decennia besloeg en abrupt ophield in 1966. Ik had nooit de moed te vragen waarom ze daar ophielden, maar ik kreeg de indruk dat in dat jaar de derde zuster was overleden.

Ze bewaarden al hun tijdschriften in een serie metalen kisten op de overloop, in de hoek onder de zoldertrap. Ze zaten altijd in een halve kring om die kisten heen, met een lege stoel voor hun overleden zuster en nog een voor de zoon van een van hen die nooit kwam, en lazen zich daar door de tijdschriften heen, stapel na stapel, telkens opnieuw door de jaren heen, tot de bladzijden gingen slijten en de inkt onderaan in de hoeken vervaagde.

Heel mei en juni en juli volgden Cesar en ik een spoedcursus in hofetiquette; we hoorden van elke koninklijke geboorte, elk sterfgeval en elke rimpeling die zich voordeed tussen 1949 en 1966. We bespraken zulke zaken zelfs als we onder elkaar waren. Waarom had de kroonprins van Griekenland dit huwelijk gesloten, waarom was hij niet met een van de andere koninklijke prinsessen getrouwd? Waarom was de een getrouwd met iemand uit het volk en waarom een ander juist niet? Waarom deed de groothertogin alsof ze haar eigen nicht niet kende? We hielden ons zelfs urenlang bezig met de vraag in welke rangorde de verschillende koninklijke families zouden staan als ze ooit allemaal bij elkaar kwamen.

Ik weet niet of de zomer van 1971 werkelijk koeler was dan die daarvoor, het kon ook zijn dat we nu beter tegen de hitte bestand waren, maar we slaagden erin de heetste maanden door te komen met veel meer gratie en gemak dan het jaar daarvoor. We sliepen nog steeds door de meeste dagen heen, ofschoon we soms de *vecchiette* gezelschap hielden bij hun zwijgende wake in het schemerlicht van de overloop, waarbij we de twee lege stoelen bezetten die ze elke morgen naar buiten sleepten en elke avond weer binnenhaalden. We sliepen ook nog steeds van top tot teen in onze lakens gewikkeld terwijl de horden muggen onze huid ruïneerden, stekend en zuigend met dezelfde woedende razernij. Maar we hadden geleerd minder verwachtingen te hebben op het gebied van eten, geld en post, en de flat leek zichzelf te bestieren in een soort kloosterlijke regelmaat die ons met zich meevoerde. We probeerden zelfs niet meer te vechten tegen de hitte, maar accepteerden dat ze onontkoombaar was; als we het '*fa caldo*' uitwisselden met de buren, was het zonder onze vroegere opstandigheid. Zoals de wind over het graafschap Norfolk jaagt, nergens onderbroken recht uit de Oeral, zonder dat iemand er iets aan probeert te doen of erover klaagt, zo blies de hete lucht rechtstreeks uit de Sahara naar Bologna, zonder dat iemand haar kracht probeerde te ontkennen.

21

Het ritueel van onze tweede zomer in Bologna nam toe, tot het alleen nog onderdeed voor het ritueel van de twee oude dames aan de andere kant van de overloop in de San Salvatore. Hun patronen lagen zo vast, dat toen een van hen van de trap viel omdat ze verstrikt was geraakt in Chapolino's riem en haar enkel verstuikte, de ander niet afweek van haar routine en niet de beurt van haar zuster overnam in het rooster van het dagelijks uitlaten. Chapolino lag daardoor om de andere dag te kwijnen met zijn droevige spaniëlogen. Chapolino's wandelingen bestonden hieruit dat hij naar beneden werd geleid, waar hij precies lang genoeg werd losgelaten in het onsamenhangende straatje om zijn behoefte te doen. Dan volgde er een drafje, altijd hetzelfde, de trap weer op naar de bovenverdieping waar hij woonde.

De twee bejaarde zusjes hadden strenge opvattingen over wat een hond nodig had en wat niet; ze waren ervan overtuigd dat Chapolino het best vond om de trap op te hollen en bijna geen frisse lucht te krijgen. Hij deelde alleen maar hun eigen afgezonderde leven. De boodschappen werden bij hen thuis bezorgd, hun was werd afgeleverd in het portaal en hun enige vrienden waren degenen die hen kwamen opzoeken op hun overloop. Verschillende keren tijdens ons verblijf had Cesar aangeboden Chapolino mee uit te nemen voor een wandeling. Maar de twee zusters beschouwden dat als een onbehoorlijk voorstel. Chapolino werd evenzeer van het leven afgehouden als zijzelf; ze vonden niemand anders betrouwbaar genoeg om hem naar behoren te chaperonneren in de stad, die zij beschouwden als een soort poel des verderfs. Ik verdacht hen ervan dat hun laatste uitstapje op straat weleens in maart 1966 kon zijn geweest, de datum van hun meest recente vorstentijdschrift.

Cesar had gevraagd of ze een van die tijdschriften regelmatig toegezonden wilden krijgen, maar 'nee', hadden ze op geschokte toon gezegd, 'dan leest iemand ze misschien'. Alsof ze alleen voor hun ogen bestemd waren, en voor de ogen van een paar ingewijden. Toen Cesar aanbood hun wat recenter nieuws over de kroonprinsen te brengen, wezen ze dat af.

'O nee, we hebben niet meer de invloed die we vroeger hadden,' legden ze uit, 'het is lang geleden dat we ons hebben teruggetrokken.'

Ik had de moed niet hun te vragen waaruit, ik wist dat zij geloofden dat ze het bolwerk van de stad waren en dat ze, als de stad zichzelf had overleefd, als overlevenden van een kernramp zouden overblijven, onaantastbaar op hun overloop, waar het leven zelf zo onwerkelijk was. Ze behandelden zichzelf als een museum in oprichting. Elk voorwerp in hun flat had een eigen plaats die heilig was, de dingen werden alleen verschoven langs bepaalde voorbestemde lijnen, en alleen de stoelen met hun bewerkte leer werden ooit echt verplaatst, naar buiten en weer naar binnen met devote toewijding, met de twee extra stoelen voor de twee vermisten. Aan alles in hun flat zat een label, als in de kamers van koningin Victoria; overal hingen de bagagelabels met hun gave schuinschrift aan dunne draadjes. Je had grootmama's naaidoos uit Wenen, 'keukenkruk', 'vleesmes', 'kooi van Jenny Lind' enzovoort. Jenny Lind was hun kanarie, die onder een doek in de keuken leefde en even weinig van licht leek te houden als haar vrouwtjes.

Hoe meer we hun tijdschriften lazen, des te nader we hen kwamen. Ze nodigden ons uit om hun levenswerk van catalogisering te komen bekijken. Alles wat ze ooit gekregen hadden, was geregistreerd en gelabeld, en uit elke hoek kwam een overweldigende geur van motteballen. Cesar en ik wedijverden met hen in hun vroegere status als adviseurs van de koninklijke hoven van Europa. Zittend op de bedompte overloop bespraken we het komen en gaan in de verschillende paleizen met steeds meer gemak. Eindelijk spraken we hun taal. Daarvoor hadden we wel woorden gewisseld, maar afgezien van de keer dat Cesar hun suiker had aangeboden, bevonden wij ons in een moderne wereld die geen relatie had met de hunne. Nu dreven we terug in hun verleden, waar ze ons binnenvoerden met een tot dusver ongekende hartelijkheid.

Op een avond in juni, nadat we ons hadden bezonnen op de voor- en nadelen van de opleiding van de jonge Engelse prinsen, kwamen de twee zusjes voor den dag met een bos sleutels en vroegen ons een beetje verlegen of we wilden zien wat zij op hun vliering bewaarden. Wij hadden nog nooit aan de vliering gedacht, maar we zeiden gretig ja, en stelden ons voor dat er nog meer hofkronieken te voorschijn zouden komen, hoog opgetast, van de eeuwwisseling tot aan het uitbreken van de oorlog. Achter de door houtworm aangetaste ladder en het gewone planken zolderluik ging echter een lange, lage kamer schuil die vol stond met schatten in alle soorten.

'Dat zijn allemaal dingen van mamma,' zei de oudste zuster trots.

Er lagen opgerolde Perzische tapijten, onberispelijk asymmetrisch, met hun opzettelijk ingeweven foutjes omdat alleen Allah volmaakt is, en schoorsteenstukken van verguld houtsnijwerk die op elkaar gestapeld waren. Er waren penant-tafeltjes en kandelaars, kroonluchters en rijen karaffen in dozen. En langs de lage wanden, achter de poten van de stoelen en tafels en een klavecimbel zonder poten, stonden schilderijen met en zonder lijst, portretten en landschappen, met hier en daar een streep waar de zon een strook van het doek had verbleekt. Alles op deze vliering had maar één label, 'de dingen van mamma'. Wie 'mamma' geweest was, hoe, waardoor en wanneer ze die rijkdommen had verworven, hebben we nooit gevraagd. Het was genoeg om alleen maar onder die schat te slapen en het plezier te zien op de gezichten van de zusjes als ze ons vroegen, vanaf dat moment elke dag opnieuw: '*Come vi pare?* Wat vindt u ervan?' waarop Cesar dan lyrisch zijn waardering uitte.

Op een dag vroeg ik hem of hij of een van de anderen ooit dingen van de oude dames zou stelen.

'Natuurlijk niet,' zei hij diep geschokt.

Ik was opgelucht, maar ik begreep het niet helemaal. Waarom was de tombe van Alexander Borgia vogelvrij en de vliering van de *vecchiette* niet?

'Waarom niet?' vroeg ik uit pure nieuwsgierigheid.

'Omdat ze iets betekenen voor die twee oude dames,' zei Cesar. Hij was een tijdje stil en zei toen: 'En als je ook maar een vinger naar een van die dingen uitsteekt, Lisaveta, dan is dat het laatste wat je doet.'

Hij was al bij voorbaat bleek van woede. Ik wees hem niet op het belachelijke van wat hij had gezegd, het stelde me alleen maar gerust dat hij voor één keer mijn puriteinse scrupules had verwoord.

'Ik ga naar ze toe,' zei hij, en haastte zich naar hun deur alsof hij vluchtte voor mijn onreine gedachten. Hij bleef voor de *vecchiette* staan en haalde een gloednieuwe leren honderiem voor de dag. 'Ik neem Chapolino mee uit wandelen,' kondigde hij aan.

'E bello,' merkte een van de zusjes op, 'waar hebt u hem gekocht?'

'Wat heeft hij gekost?' echode haar zus.

'Ik zei dat ik Chapolino mee uit wandelen neem,' herhaalde Cesar.

'Waar hebt u hem gekocht?' zei de een dromerig.

'Wat heeft hij gekost?' vulde de ander aan.

'Waar hebt u hem gekocht, wat heeft hij gekost?' herhaalden zij, gefascineerd als eksters die op het punt staan een duikvlucht te nemen. Een van hen trok aan de koperen gesp, '*Dove l'hai incontrato, quanto ti costò?*' Ze waren onverzettelijk. Cesar negeerde hen, drong zich naar Chapolino die op de grond aan hun voeten zat. Hij klikte de riem aan zijn halsband en trok hem de trap af. Op de een of andere manier had hij hen in zijn macht, hij pakte hun hond af en zij protesteerden niet eens, alleen hun 'waar hebt u hem gekocht' dreef hem achterna de uitgedroogde trappen af.

Ondanks de hitte liep ik achter hem aan, geïntrigeerd door de gevoelens die hij bij anderen opwekte. Ik bleef een meter of drie achter hem lopen luisteren. Hij praatte tegen Chapolino, knikkend met zijn hoofd terwijl ze voortliepen. Hij hield er een regelmatige pas in, met de ingebouwde schommeling van een trein. Er was een eentonig spoorwegritme in zijn stem gekomen bij het praten tegen de hond. 'Waar-hebt-u-het-gekocht, wat-heeft-het-gekost. *Do-ve-l'hai-incontrato, quanto-ti-cos-tò?*' Hij versnelde zijn vaart, een uitgelaten Chapolino met zich meevoerend door straat na straat van ongekende vrijheid. Weduwen die zaten te slapen in hun deuropening werden wakker en staarden naar hem, maar hij merkte het niet, hij herhaalde de onophoudelijke vragen van de twee oude dames, de woorden die Chapolino het beste kende. Hij liep onder een balkon door, waar een lange, gebruinde vrouw zich overheen boog om naar hem te kijken. Enkele ogenblikken later verscheen ze op straat om Cesar en de hond te volgen; we vormden een gestage optocht, voorop Cesar die onverdroten doorging met zijn wijsje, dan Chapolino, de cocker spaniël, waarvan hij de riem had laten vallen maar die hem toch bleef volgen, dan de gebruinde vrouw die gefascineerd al zijn bewegingen volgde en helemaal achteraan ik, als een overbodige wagon die zich niet zelf kon loskoppelen.

Het was zo heet dat de hitte als met trommelslagen tegen mijn slapen bonkte. Cesars stem weergalmde onder de lege arcaden, brak als een proclamatie door de vijf dode uren van de siësta. Alle winkels waren op slot, de rolluiken omlaag, de stad rouwde in de middagzon, terwijl Cesar door de verlaten straten marcheerde en geleidelijk de daklozen van de stad achter zich aan kreeg. Waar hebt u het gekócht? Wat heeft het gekost? Op de Piazza Vittorio Emmanuele kregen we gezelschap van een zigeunerjongen met zijn hond, en een magere vermoeide man sloot zich achter hem aan voor de Palazzo della Podestà.

Cesars stem was nu luider geworden, duidelijk te horen in mijn positie in de achterhoede; zij boorde zich door het terracotta en trok overal kinderen en bedelaars aan. Hij stond even stil bij de gedenkplaten voor de oorlogsgevallenen en haalde adem of hij iets wilde zeggen. Toen leek hij te beseffen waar hij was, een vage notie van wat hij had gedaan drong tot hem door, hij draaide zich om en bloosde. Er stond een hele troep mensen achter hem te wachten. Hij keek hen in ijzige verlegenheid aan, kreeg mij in het oog en riep: 'Veta, pak deze hond vast,' alsof Chapolino zijn afwijkend gedrag had veroorzaakt en alsof Chapolino een vreemde voor hem was. Ik ontfermde me over het dier dat zijn ergernis had gewekt, en we wachtten alsof er niets was gebeurd, terwijl Cesar zachtjes floot, ik de gedenkplaten bestudeerde, tot de menigte zich had verspreid.

Ten slotte was er niemand meer, behalve de gebruinde dame die van haar balkon was gekomen.

'Dat heb ik nu altijd willen doen,' zei ze, terwijl ze zich voorstelde als Bianca, zonder meer, 'maar ik durf nooit stoom af te blazen in de stad. Ik ben blij dat ik niet de enige ben hier die ziek wordt van dat zakendoen.' Cesar geneerde zich te veel om iets te zeggen; ik kon zien dat hij zich stond af te vragen wat hij precies had gedaan, en hoe hij die stoom had afgeblazen waar Bianca het over had.

'Ik heb een huisje op het land,' ging ze verder, 'jullie moeten daar bij me komen logeren.' Met die woorden drukte ze een kaartje in Cesars slappe hand, draaide zich om en was verdwenen.

Chapolino werd teruggebracht, het incident werd nooit meer ter sprake gebracht, maar twee weken later zochten we Bianca op en aanvaardden haar uitnodiging om te komen logeren in haar huis op het land. Het bleek in de buurt van Ravenna te zijn, en uiteindelijk ging Bianca zelf niet mee, maar vertrouwde ze ons toe aan een lange, knappe man van een jaar of vijftig, die ze voorstelde als haar man, Gianni.

'Gianni zal voor jullie zorgen,' zei ze, 'geen probleem.'

Cesar stapte met tegenzin in de auto, ik zag dat hij aarzelde tussen ervandoor gaan of alles over zich heen laten komen.

'Als dit een ontvoering is,' fluisterde hij, toen onze gastheer en chauffeur buiten gehoorsafstand de kofferbak inruimden, 'dan vermoorden ze ons.'

'Waarom?' vroeg ik.

'Omdat mijn moeder liever haar eigen hand zou afsnijden met een broodmes dan geld afgeven aan vreemden.'

Ik zag de logica van die gedachtengang niet in en liet me achteroverzakken, vastbesloten om van het landschap te genieten, ook als Cesar met alle geweld zo somber zijn laatste ogenblikken bij elkaar zat te verzinnen.

Op weg naar Ravenna begon ik Elias nog erger te missen dan ik tot dat moment had gedaan. Elias was verliefd op snelheid, maar deze Gianni was een maniak achter het stuur. Zoals veel Italianen vatte hij autorijden heel persoonlijk op. Elke auto die het waagde ons in te halen werd 'een lesje geleerd' dat ons op de achterbank als pluimballen van de ene deur tegen de andere gooide. Alles wat we onderweg zagen werd verduisterd door een donzig waas van pure snelheid. Zelfs Cesar werd uit zijn rêverie geschud en besefte dat de directe situatie waarin we verkeerden veel eerder een tragisch einde zou kunnen nemen dan welke ontvoering ook. Toch vond hij de tijd om onheilspellend te zeggen: 'We gaan naar het land van de Abruzzi.'

De Abruzzi waren de boemannen van het zuiden. Tito, Otto, Elias en Cesar geloofden allemaal de meest verbazingwekkende dingen over hen. Inderdaad hadden ze de reputatie wild, onhandelbaar, onwetend en bruut te zijn. Maar Cesar en de anderen stapelden de zonden van de hele natie op het hoofd van deze argeloze herders. Toen Elias werd gearresteerd, kwam dat door de 'wraakgierige razernij' van de Abruzzi, en zijn ontsnapping was te danken aan hun 'aangeboren stupiditeit'. Taxichauffeurs die meer overvroegen dan fatsoenlijk was, waren automatisch 'Abruzzi' en alle moordenaars en gangsters, dronkaards en struikrovers waren 'duidelijk Abruzzi'. Alleen voor d'Annunzio, de dichter en redenaar, was er redding uit zijn verworpen ras, en dat was alleen omdat, zoals Otto zei, 'niemand volmaakt is, dus waarom zouden de Abruzzi zich onderscheiden door volmaakt slecht te zijn'.

We vlogen voort met honderdtachtig kilometer per uur met gierende remmen en namen zelfs kleine bochten in de weg op twee wielen terwijl Cesar met toenemende somberheid het gebied van de Abruzzi zag naderen. We waren daarom verbaasd toen we ver voor Ravenna van de grote weg afgingen, een paar dorpjes schrik aanjoegen en abrupt stilstonden voor een dubbel gietijzeren hek, met hoge zuilen aan weerskanten, waarop twee griffioenen met wapenschilden kwaad op ons neer zaten te kijken. Gianni drukte op een knop en het hek ging elektronisch open, vervolgens joeg hij de auto een laatste spurt in die eindigde op het voorterras van een indrukwekkend Palladiaans landhuis.

'Ik kan niet blijven,' kondigde hij aan, 'maar ik breng jullie onderdak en dan redden jullie je wel. Maar ik zal jullie eerst aan mijn vader voorstellen.'

Er was een oude gebogen man naar de deur gekomen, ik wilde hem een hand geven, maar Cesar hield me tegen.

'Wacht,' zei hij.

De man kwam naar de auto, zei goedemorgen en begon de bagage uit te laden. Toen hij bij ons gehavende valies kwam, zei Gianni: 'Breng de bagage van de signori naar de schuur.'

Cesar gaf me een veelbetekenend knikje, maar ik weigerde me te laten meeslepen in zijn paranoia. Niettemin had het dichtvallen van het hek achter ons me een beetje ongerust gemaakt.

De hal was koel, een koelte als we die hele zomer niet hadden gevoeld. Hij was ongeveer vijftien meter diep, en vrijwel leeg. Maar aan de muren hingen schilderijen in rijkelijk versierde gouden lijsten, en langs het plafond was een beschilderde strook met nogal opgewonden cherubijntjes, en de vloer was een mooi, pastelkleurig mozaïek.

Een andere man, minder spookachtig en minder gebogen dan de eerste, begroette ons in de hal en bracht ons naar een lange, schemerig verlichte kamer aan onze linkerhand. Ook die kamer leek eerst leeg, maar toen mijn ogen aan het donker gewend waren, kon ik een gedaante onderscheiden die kaarsrecht in een enorme tenen rolstoel zat. Gianni liep naar voren en vroeg, half geknield voor die stoel: 'Benedizione, padre.'

De oude man in de stoel verroerde zich niet en zei geen woord. Hij droeg het gala-uniform van het Italiaanse leger, en uit de trosjes onderscheidingstekens maakte ik op dat zijn rang vroeger heel hoog moet zijn geweest, maar zelf was hij zo mager en versleten dat hij werd opgeslokt door het uniform, waarvan de boord als een onnatuurlijke lijst om zijn oude hoofd zat. Gianni stelde ons voor aan zijn vader en Cesar stak zijn hand uit. 'Hij is blind,' zei Gianni.

Cesar trok zijn hand terug, klakte zijn hielen tegen

elkaar en sprak enkele formele begroetingswoorden. 'Hij is doof,' zei Gianni.

De oude man had zich niet bewogen vanaf het moment dat wij de kamer inkwamen, en ik vroeg me af of hij misschien ook nog dood was. Maar dat hield ik voor me, en we verlieten de oude man en kwamen weer in de grote hal.

'Ik dacht dat jullie het misschien beter naar de zin zouden hebben in de schuur,' zei Gianni, 'ik zal jullie laten zien waar het is.'

Zelfs de schuur leek te verkiezen boven de spookachtige menage waar we net vandaan kwamen, daarom volgden we Gianni over een slingerend pad, en stonden opnieuw verbaasd toen hij ons bij de deur bracht van een achttiende-eeuws landhuis.

'Dit is de schuur,' zei Gianni, vaag wuivend met zijn hand in de richting van het huis met zijn terrasvormige gazons, levende pauwen en stenen urnen.

'Wie woont er in het varkenskot?' grapte Cesar.

Gianni lachte. 'Mijn over-over-grootvader was een stijfhoofdig man. Hij was verlamd, maar hij weigerde te sterven. Zijn oudste zoon wachtte vergeefs op het moment dat hij de landerijen zou erven, maar er gebeurde niets, en nog op zijn vijftigste liet zijn vader hem in zijn kinderkamers slapen en verbood hem te trouwen voor hijzelf dood was. Op een dag zei de zoon tegen zijn vader: "Of u geeft me een huis, of ik ga emigreren." Maar zijn vader zei: "Zoon, je bent nog een kind, je hoort nog te spelen. Een huis kun je niet krijgen, maar je kunt de schuur krijgen om in te spelen."' En de zoon nam de schuur en ontwierp dit huis eromheen, dat zijn vader nooit te zien kreeg omdat hij niet van zijn bed kon komen. De vader leefde nog achttien jaar, en al die tijd vervolmaakte de zoon dit huis, dat nooit anders geheten heeft dan 'de schuur'.

Gianni leidde ons rond, bracht ons bij een groep kamers die uitwaaierde van een achtergang en stelde ons voor aan een kloeke dame die La Romana heette.

'La Romana zal voor jullie zorgen,' zei hij, zowel tegen ons als tegen haar, en liet ons bewonderend achter in zijn fantastische schuur, met op de achtergrond het gegier van zijn remmen terwijl hij knallend wegreed tot hij in de verte verdwenen was. De structuur van de schuur was er nog, als een pit midden in het huis; op de begane grond in een lange keuken met een plavuis-vloer, die uitliep op een onregelmatig gebouwde plantenkas; op de eerste verdieping in een bibliotheek, aan een kant ongeveer vijfentwintig meter lang, met aan de andere kant een eetkamer. Verder naar boven lag een opeenvolging van slaapkamers en zitkamers, met zoveel zolderkamertjes dat ik de tel kwijtraakte.

Van La Romana hoorden we dat we op de Azienda Santa Maria waren, een enorm landgoed met wijngaarden en olijfbossen. De eerste twee weken dat hij er was, bleef Cesar maar zeggen: 'Knijp me en zeg me dat dit echt is.'

Het was ook moeilijk te geloven dat we waren losgelaten in deze Hof van Eden met daarbij niet alleen het genot van achttiende-eeuwse architectuur, maar ook alle moderne gemak. Na de helse hitte van de San Salvatore in juli zei Cesar dat de loop der gebeurtenissen hem bijna weer in God deed geloven.

Onze gastheer en gastvrouw brachten ons twee vluchtige bezoeken tijdens de eerste week en waren weer verdwenen voor we goed de kans hadden gekregen hen te leren kennen of te bedanken. Elke morgen om klokslag negen uur kwam La Romana onze kamer binnen, deed de gordijnen open en zei dat het ontbijt klaarstond. Ze kwam altijd met de pen in de hand vragen wat we die dag wilden eten. Cesar vroeg om niets anders dan varkensvlees, varkensvlees en nog eens varkensvlees.

'Maar La Donna heeft gezegd dat u alles kunt krijgen waar u om vraagt,' klaagde La Romana.

'Dan vraag ik weer varkensvlees,' hield Cesar vol.

La Romana kon hem niet begrijpen. 'Zo'n keurige heer,' vertrouwde ze me een keer toe over Cesar, 'en die wil alleen maar boerenkost.'

Ik voegde avontuurlijker uitschieters aan haar lijstjes toe, en nam de gelegenheid te baat om al die dingen te eten waar ik het voorafgaande jaar vergeefs naar had verlangd. Ik bestelde cacao en chocolaatjes, asperges (waar ze, buiten het seizoen, aan wist te komen) en artisjokken, zalm en paddestoelen, garnalen en biefstuk en wat je maar aan vruchten kon bedenken. La Romana deed net of ze dat allemaal opschreef, maar ik ontdekte algauw dat ze niet kon schrijven en haar papier alleen meebracht voor de show; ze onthield alles wat we haar vroegen.

Er was een rond zwembad in de tuin met blauwe mozaïektegeltjes aan de binnenkant die het water altijd blauw maakten, en eromheen waren wigvormige marmeren platen in het gazon gelegd. La Romana bracht elke dag een half kratje wijn, een Sangiovese die geproduceerd werd op de Azienda, en een halve fles olijfolie, ook zelf geperst. Cesar bracht lange uren in het zwembad door, met flessen wijn op strategische punten langs de rand; hij zwom dan van de ene kant naar de andere, vulde zijn glas nu eens uit de ene, dan weer uit de andere fles, en nam zo nu en dan ook een slok olijfolie. Dat laatste was volgens hem het beste van alles, maar ik kon me er niet toe brengen het te proberen.

Hoewel we de Azienda wel verkenden en zo nu en dan een wandeling maakten door de bosjes en boomgaarden, lagen we ons de meeste tijd te koesteren in de tuin van de schuur, of zaten we in de lange bibliotheek. Het hele huis leek een magazijn voor antiek aan Portobello Road, met zoveel meubels dat er in elke kamer stapels tafelbladen, speelborden en voetstukken stonden opgetast; de wandkleden en tapijten lagen op sommige plaatsen met drie op elkaar. Het huis maakte de indruk van een filmdecor dat net verlaten of nog niet in gebruik was: een uitgekristalliseerde elegantie die bezig was stof te verzamelen.

Bij een van haar korte bezoeken vertelde Bianca mij dat er te weinig meubels in het huis hadden gestaan toen ze trouwde, en dat ze direct na de oorlog veel dingen had 'opgepikt' in Parijs. Ze zei niet veel, maar ze was heel gevoelig en ze had ogen die spraken waar zij zweeg. 'Sommige dingen die we toen oppikten waren erg beschadigd,' ging ze voort, 'maar die bewaar ik nog op zolderkamertjes, want ik heb het hart niet om ze weg te gooien. Zo heb ik een wandtapijt waar ik erg op ben gesteld, het is heel mooi, maar het is te gehavend om te gebruiken. Iemand als jij zou het waarschijnlijk wel kunnen maken,' zei ze, 'maar ik heb er het geduld niet voor.'

Ik voelde ineens de behoefte om op een of andere manier mijn dankbaarheid te tonen, dus vroeg ik Bianca het tapijt beneden te brengen zodat ik het kon repareren; we gingen samen naar Bologna om garen te kopen voor de onderneming.

Ik had het werkstuk nog amper gezien, of ik had al spijt van mijn aanbod; het was drie meter bij tweeënhalf, en de mot had er eeuwenlang in huisgehouden.

'Ik zal een begin maken,' zei ik een beetje beschaamd, 'het kost jaren om het af te maken.'

'Het zou mij jaren kosten om te beginnen,' zei Bianca.

Voor ze die avond wegging riep ze me de tuin in, waar we zwijgend een minuut of twintig rondliepen. Toen schraapte ze haar keel en zei: 'Heeft iemand je ooit gewaarschuwd je niet te zeer door Cesar in beslag te laten nemen?' Ze sprak het uit als Cesare, zoals alle Italianen.

'Soms,' zei ik afhoudend.

'Nu, laat mij het dan nog eens zeggen, zodat het niet ongezegd blijft.'

We gingen weer naar binnen en Bianca vertrok naar Bologna. Jaren later hoorde ik dat ze schrijfster was. Toentertijd kwam het niet in me op te vragen wie ze was. Ik dacht dat ik het wist; ze was een vrouw die van haar balkon was afgekomen en Cesar door de straten had gevolgd. En daarna was ze de vrouw die ons een maand van geluk gaf in haar schuur, en die hetzelfde zei dat Serge had gezegd, mij gewaarschuwd tegen Cesar of hij een soort virusziekte was.

Zo zat ik de laatste drie weken aan de rand van het zwembad, of in de oude Thonetstoel in de plantenkas, of op een van de vervallen chaises-longues in de bibliotheek en sleepte overal het zware wandtapijt mee waaraan ik was gaan borduren. Ik werkte eraan tot mijn vingers bloedden van de dikke naalden, ik stopte er steeds meer uren in, alsof ik onze half onbekende weldoenster wilde bewijzen dat ik nog in staat was tot geduld, dat ik haar gehavende kleed nog kon veranderen in een kleed van goud, al was ik dan 'in beslag genomen' door Cesar.

Zowat halverwege ons verblijf accepteerde Cesar dat het echt was, en veranderde zijn standaardopmerking in 'Otto zal dit nooit geloven' als hij weer eens zin had om iets te zeggen. Naarmate de maand augustus vorderde en op zijn eind liep, begonnen we ons te generen voor de lange duur van ons verblijf. Bianca noch haar man, noch de oude man in het landhuis die we nooit meer te zien kregen, noch een van de bedienden zei ooit iets over weggaan, maar Cesar besliste dat we op de 1ste september zouden vertrekken, om te voorkomen dat we langer bleven dan we gewenst waren. We hadden er de sterfdag van zijn vader herdacht; hij had me meegenomen naar een heuvel boven de olijfbosjes en had daar de hele dag gezeten met mij naast zich. Het enige dat hij zei was: 'Mijn vader zou dit een mooi gezicht gevonden hebben.'

Ik wist dat zijn vader de gangmaker was geweest van de avocadoteelt in Venezuela, en ik realiseerde me dat de olijfbosjes nogal moesten lijken op zijn eigen landgoed in de Andes. Zijn vader was gestorven aan zijn zesde hartaanval op 18 augustus 1958. Na deze dertiende verjaardag van zijn dood veranderde Cesar zijn vaste uitdrukking. In plaats van 'als we ooit naar Venezuela gaan' zei hij nu 'wanneer we naar Venezuela gaan.' Hij begon weer belangstelling te krijgen voor het leven op een manier die hij eerder niet had gekend.

22

Na meer dan een maand een paradijselijk bestaan te hebben geleid op de Azienda Santa Maria keerden we vol goede voornemens naar Bologna terug. Ik had zelfs de bijzonder slap geworden draad van mijn opleiding weer opgevat, op het punt waar ik hem had laten vallen, net voor mijn ziekte in Milaan. Zowel Cesar als ik besteedden bovendien meerdere uren per dag aan de verschillende talen die we de laatste tijd hadden geleerd. Engels hoorde daar voor Cesar nooit bij. Het was een deel van zijn 'noodlot' geworden dat hij die taal nooit zou leren. Hoogstens was hij bereid 'later' te zeggen.

De twee oude dames en Chapolino waren overgelukkig met onze terugkomst. Ze hadden alle tijdschriften opgespaard die we gelezen zouden hebben als we gebleven waren; ze leverden commentaar op de kroning van 1953 en dat hele zomerseizoen alsof we het net waren misgelopen. Toen we hen die avond alleen wilden laten, riep de oudste, die vaak voor hen beiden sprak, ons achterna: 'We hebben niets tegen ze gezegd.' Cesar maakte rechtsomkeert en liep terug of hij aan Chapolino's riem naar hen werd toegetrokken.

'Tegen wie hebt u niets gezegd?' vroeg hij heftig.

'De carabinieri,' zei ze, 'de politie. Ze zijn hier geweest, ze zochten u.'

Cesar was op zijn vertraagde beweging overgegaan.

Hij praatte zelfs traag, met een lange pauze voor zijn volgende woorden.

'Wanneer zijn ze geweest?'

'Ze kwamen boven tijdens de kroning,' herinnerde haar zuster haar.

'Ja,' peinsde ze, 'oktober... dat moet dan twee weken geleden zijn, hmm, zowat midden augustus.' Hun tijdrekening was dikwijls vaag, gebaseerd op de tijdschriften waar ze net aan toe waren, en viel dan weer op haar plek in de werkelijkheid.

'Wat zeiden ze?' vroeg Cesar.

'Ze wilden weten waar u was. Het was makkelijk genoeg om dat niet te zeggen, we wisten het niet. En ze wilden u alleen maar spreken.'

'Als u "ze" zegt, over hoeveel hebt u het dan?'

'Veel hoor,' wierp de andere zus ertussen.

Ik kreeg visioenen van een hele brigade die in paradepas de vervallen trap opstampte, met overal om hen heen wolken houtwormstof.

'Er was een meneer, en twee carabinieri, en de signora Lanzini en nog twee anderen.'

'Hoe wist u dat het de signora Lanzini was?'

De twee zusjes bloosden en kuchten weifelend.

'We zagen haar toevallig toen ze hier bij u op bezoek was.'

Er was in Italië niet veel dat je buren 'toevallig' niet van je zagen. Ze kenden waarschijnlijk ons schamele rijtje gasten uit hun hoofd. Ze wisten waarschijnlijk al bij wie we geweest waren voor we zelf de naam hoorden. Deze zusjes waren door de wol geverfde waarneemsters.

'O, dan is het goed,' zei Cesar geruststellend.

'Weet u het zeker?' vroegen ze bedenkelijk.

We dachten van wel en glimlachten.

Het bleek dat we ongelijk hadden. De campagne die de signora Lanzini tegen ons voerde, deed de inspanningen van Interpol verbleken tot een parochiefeestje. Clara Lanzini zelf leek ons even hartstochtelijk vergeten te zijn als ze ons de vorige zomer had opgepikt. Het ellendige was dat ze zich even weinig interesseerde voor de wensen van haar moeder als daarvoor. Het kon haar geen zier schelen dat haar moeder ons met uitgesproken genoegen vervolgde, ons opjoeg met een wraakgierigheid waar ik haar nooit toe in staat had geacht. Ze was vastbesloten ons te laten arresteren, berechten en veroordelen wegens 'verleiding van minderjarigen'.

In tegenstelling tot wat Otto ons daarover had gezegd, kregen we van Bianca's advocaat te horen dat het volgens de Italiaanse wet heel goed mogelijk was daarvoor veroordeeld te worden en dat de maximumstraf negentien jaar was. Cesar hoorde de feiten aan, nam ze in zich op, maar weigerde in beweging te komen. Hij zat de hele dag voor het raam in de San Salvatore, neerkijkend op de kleine binnenplaats beneden, waar een oude man wol zat te kaarden; van bovenaf leek het of hij in een witte, donzige wolk zat.

'Ik wil ook niet weg, Cesar,' zei ik, 'maar ik denk dat het moet.'

'Nee,' hield Cesar vol.

Hij wilde niet weglopen.

'Als we weggaan uit Italië,' zei hij, 'dan zal het zijn omdat we dat willen, of omdat het niet anders kan. Maar er moet een goede reden zijn.' Ik vond het een nare gedachte weg te moeten van de plek waar we besloten hadden ons te vestigen, alleen vanwege de belachelijke beschuldigingen van de signora Lanzini. Clara en ik waren in feite even oud, en wij waren er bepaald niet op uit geweest haar op het slechte pad te brengen, we hadden juist niets liever gewild dan dat ze ons met rust zou laten.

De signora Lanzini kwam met en zonder haar advocaat. Ze verzamelde verklaringen van iedereen in het gebouw, waaruit een belastend beeld oprees van Clara's beproevingen daar. Alleen de twee loyale *vecchiette* deden een goed woordje voor ons. De overige buren waren het er allemaal over eens dat Cesar en ik een onnatuurlijk paar waren, dat we maar één keer ruzie hadden gehad (de brand), wat op zichzelf al bewees dat we ontaard waren, dat we de radio boycotten, dat ik lange jurken droeg, en dan was er het verhaal van Clara's hysterie op de trap, herhaald en opgeblazen in vijftien verschillende versies.

'Het is een schamele troost,' had Bianca gezegd, 'maar als de zaak voor de rechter komt, denk ik dat Lisaveta wel wordt vrijgesproken.'

Daarna zei Cesar elke keer als ik hem probeerde over te halen weg te gaan voor de zaak op de spits werd gedreven: 'Jij hoeft je geen zorgen te maken, Bianca zei dat jij vrijuit gaat.'

Ik werd nijdig op Cesar als ik naar hem keek die maand; hem haatte ik niet, maar zijn hulpeloosheid wel.

'Wat is er toch met jou aan de hand,' tartte ik hem, 'wil je terug naar de cárcel?'

'Ik ben het vluchten moe,' zei hij, 'ik wil me niet meer verbergen, ik heb genoeg van vreemde geluiden op de trap, van mensen die "boe" zeggen in het donker.' Hij wilde er eigenlijk niet over praten, nooit, elk woord moest uit hem getrokken worden.

'Als er iets gebeurt, dan zien we wel. Deze manier

van leven kan van een man een lafaard maken. Waarom zou ik bang zijn voor de Lanzini's? Ik ben niet bang om te sterven,' zei hij, 'waarom zou ik dan bang zijn voor hen?'

'Het gaat niet om hen,' zei ik voor de zoveelste keer, 'het gaat om wat ze je kunnen aandoen.'

'Doe niet zo kinderachtig, Veta,' zei hij dan, 'denk nu toch na. Wat kunnen ze nu helemaal doen?'

De aanblik van Cesar die als een gevangen vlieg tussen de rug van zijn stoel en het open raam zat, maakte me ongeruster dan alles wat hij eerder had gedaan. Het leek of hij alleen naar de oude man keek die beneden zat te kaarden, maar hij kon zo ook de trap zien die naar beneden draaide; hij zat te wachten op de terugkeer van de mannen die zeiden dat ze hem konden arresteren wanneer ze maar wilden.

'Er zijn tijden,' zei Cesar, 'dat je de vijand recht in de ogen moet zien.'

'Jawel,' zei ik dan nijdig, 'maar waarom zou je dat doen als je alles zo tegen je hebt? Clara's moeder zoekt geen recht, ze wil bloed zien, en in een vreemd land heb je geen schijn van kans.'

'Misschien,' zei Cesar, 'maar een man moet met zichzelf in het reine zijn en dat ben ik niet als ik op de loop ga voor la signora Lanzini.'

'In 's hemelsnaam!' riep ik, 'zie je dan het verschil niet tussen dapper zijn en gewoon stom doen?'

'Is er dan verschil?'

Op een dag kwam ik op weg naar de poste restante op straat de oude signor Annibale Lanzini tegen. Hij wilde me voorbijlopen zonder een teken van herkenning. Maar toen hij zijn hoofd liet zakken en zijn pas versnelde, sprak ik hem aan.

'Buongiorno, signor Annibale.'

'Het spijt me,' zei hij, terwijl hij zijn handen een halve cirkel van welsprekende treurigheid liet beschrijven, 'het spijt me. Ik heb dit niet gewild,' en hij bracht zijn armen omhoog of hij het instorten van het zwerk wilde aangeven, 'maar Luciana wil het. Als zij iets wil, dan krijgt ze het ook. Wil zij een nieuwe auto, dan krijgen we een nieuwe auto,' zei hij met een hulpeloos schouderophalen, 'wil zij een nieuwe flat, dan komt er een nieuwe flat, wil ze meer geld, dan werk ik tot ik erbij neerval. Ze krijgt alles wat ze wil,' zei hij met een droeve glimlach, 'maar ze wil dat ik weer jong ben, en ik ben een oude man, daarom is ze altijd zo boos. Ik wil het niet, ik mag jullie graag, *Cesare è un bravo ragazzo.*' Hij zweeg en tikte met zijn glimmend gepoetste schoen op de straatstenen. Hij vond blijkbaar dat hij alles had gezegd wat hij kon, gedaan had wat hij kon. Toen kreeg hij een kleur, geërgerd door zijn schuldgevoel. '*Porca Madonna,*' zei hij, 'het is mijn schuld niet.'

Ik glimlachte en we namen afscheid, maar hij wilde me geen hand geven.

'Luciana heeft me heel haar leven bespioneerd. Als ik gezien ben terwijl ik met jou stond te praten, kan ik zeggen dat ik je eens goed de waarheid heb gezegd. Maar als ze zien dat ik je een hand geef,' hij trok zijn schouders op en liet zijn ogen rollen van ontzetting, 'begrijp je wel,' zei hij verontschuldigend en liep weg.

De advocaat van Lanzini was het soort man dat mijn moeder zou hebben omschreven als niet te vertrouwen met kleine kinderen en aaibare dieren. We hadden juridisch advies gevraagd via Bianca en haar echtgenoot en kenden onze rechten, we hadden begrepen dat we niet verplicht waren die man ons huis binnen te laten. Maar hij kwam vaak en stond dan op de trap naar binnen te staren door het raam waarvoor Cesar als een standbeeld terugstaarde. Elke keer had hij een dossier bij zich, dat dagelijks dikker werd. Dat, zo deelde hij ons mee, was het dossier van de beschuldigingen die tegen ons waren ingebracht. Het waren alle bewijsstukken die hij had weten te verzamelen. Het hele proces was opgeschort omdat hij en de signora Lanzini eerst de verblijfplaats van Elias wilden opsporen.

'*Dov'è Elia*?' galmde het door het gebouw.

De carabinieri kwamen terug. Ze hadden geen documentatie over 'die man Elia'. Van elke buitenlander met een visum werd aantekening gehouden door de inspectie.

'Wie is Elia?'

'Dat weet ik werkelijk niet,' antwoordde Cesar langzaam.

'Hij heeft hier gewoond,' snauwde een carabiniere, terwijl hij zijn geweer dreigend liet zakken tot bij Cesars arm.

Cesar duwde de loop opzij.

'Nee,' zei hij, 'wij wonen hier, mijn vrouw en ik.'

Al hun vragen draaiden in een kringetje rond, Elias was geen persoon, het was een naam, en niet eens een echte naam. Er was geen achternaam, niets. Clara had een van zijn schuilnamen opgegeven, maar dat maakte de zaak alleen maar verwarrender. Ten slotte moesten ze vaststellen dat er twee mannen verdwenen waren, die met de schuilnaam en nog iemand die zich Elias noemde. Daarop wijzigde de signora haar verklaring en liet het hele gewicht van de beschuldigingen op Cesar en mij neerkomen. Maar nu vooral op Cesar, die onder andere werd beschuldigd van verkrachting.

'Het is ernstiger dan je denkt,' zei Bianca, 'alles wat ze hoeven te doen is Clara onderzoeken, en als ze geen maagd is en als bekend is dat ze bij je op bezoek kwam, ben jij de schuldige.'

Cesar weigerde nog steeds in beweging te komen.

'Laat ze maar komen als ze durven,' zei hij.

Maar het was Tito die kwam, op een avond tegen het einde van september.

'We gaan,' zei hij opgewonden.

'Waarheen?' vroeg ik.

Cesar en Tito keken me lang en strak aan. Ik had weer iets verkeerds gezegd.

'Wanneer?' vroeg Cesar. Hij zei het goede woord, want Tito begon op fluisterende samenzweerderstoon uit te leggen wat hij bedoelde.

'Ik zal jullie de details besparen,' zei hij nogal gewichtig, 'maar mijn groep gaat er over twee dagen op los.'

Cesar noch ik zei daar iets op, want we wisten niet zo zeker wat er van ons verwacht werd. Tito wachtte en zei toen: 'Jullie kijken allebei zo ernstig, wat is er aan de hand?'

'Niets,' loog Cesar, 'we hebben een lange zomer achter de rug.'

'We hebben een heel programma uitgewerkt,' begon Tito opnieuw. 'We beginnen met een bank, en ik hoop dat je niet zoveel kritiek zult hebben op mijn methoden als op sommige van mijn landgenoten.' Cesar begon te protesteren. 'En dan,' ging Tito verder, terwijl hij hem tot stilte maande, 'gaan we naar Napels, dan terug naar Rome en dan duiken we een paar jaar onder.'

'En je baan?' vroeg Cesar.

'Ik ben met buitengewoon verlof,' zei Tito, 'naar mijn tante in Amerika, in Piscataway om precies te zijn.'

'Waarom drie banken?' vroeg Cesar bedenkelijk.

'Omdat we een echt grote niet aankunnen,' legde Tito uit. 'Als jullie er niet mee opgehouden waren,' zei hij spijtig, 'dan hadden we de zaak beter kunnen opzetten. Maar wij doen het voor het eerst, dus pakken we er drie. Als het lukt,' voegde hij eraan toe, 'hebben we genoeg om van te leven en *echt* iets te gaan doen.'

'Zoals een tweede president Tito?' vroeg Cesar.

'Ik zou het presidentschap van Italië mijn ergste vijand nog niet toewensen,' lachte Tito, 'maar we zouden er dicht in de buurt kunnen komen.'

Ik zette thee, we gingen terug naar het raam dat we weer openzetten. Het was heel stil, met alleen het gezoem van de muggen in de lucht en de flauwe geur van wolvet die omhoogdreef uit de put waar de berg ongekaarde wol lag te wachten. Er was ook een sterkere lucht van citronellaolie, die mijn moeder me had gestuurd om de muggen af te schrikken. Het spul had een eigenaardig, overweldigend effect. Het wordt vooral gebruikt als kattenafweermiddel om onwelkome katers weg te houden. Tito dronk zijn thee en snoof.

'Wat een rare lucht,' zei hij.

'Ja, dat is Lisaveta,' zei Cesar, 'het jaagt de insekten weg.'

'Dat zal wel,' zei Tito, 'je zou er zelfs een Duitse pantserdivisie mee wegjagen. Met dat luchtje kun je heel Europa in je macht krijgen.'

Ik was zo gewend aan de geur dat ik hem nauwelijks merkte. Ik beschouwde Tito's opmerkingen als zwaar overdreven, wreef me met nog een flinke scheut glimmende olie in en vroeg me ondertussen af waarom Tito werkelijk was gekomen en wat hij werkelijk wilde zeggen.

De avond leek voorbij te kruipen. Tito vroeg zo nu en dan iets en Cesar gaf antwoord, maar Tito wilde iets zeggen waarvoor hij de juiste woorden niet kon vinden; hij voelde zich daar ongemakkelijk over, en wij daardoor ook.

'Hoe gaat het met Elias?' vroeg hij.

'Heel goed,' zei Cesar, 'hij is eerst naar Straatsburg gegaan en zit nu in Scandinavië.'

'In Scandinavië,' zei Tito verrast, maar wij wisten dat hij dat al wist, we hadden het hem zelf verteld voor we de stad uitgingen.

'Ja, hij werkt in Zweden, samen met Otto, in een bierbrouwerij. Otto is daar begin augustus aangekomen en loopt sindsdien met een kater rond.'

'Bier is gevaarlijk drinken,' knikte Tito.

Weer viel er een lange stilte. De hele avond had bestaan uit lange stiltes en het herhalen van nieuws dat we allemaal al kenden, en commentaren op de citronella.

Tito ging van het Italiaans, zijn moedertaal, over op het Spaans dat hij vloeiend sprak, met een Cubaans accent.

'Ik hou jullie niet voor de gek,' zei hij, 'wat ik echt wil zeggen is dat we allemaal zo genoeg hebben van het nietsdoen dat we er liever op los gaan, ook al verliezen we het.'

Cesar knikte bemoedigend. Tito was maar een paar jaar jonger dan hij, maar hij had Cesar heel hoog.

'Als we gepakt worden, slaat er misschien iemand

door, of de politie kan dingen ontdekken en combineren, ze kunnen de apparatuur vinden, ontdekken dat jullie daar hebben gewoond.'

Tito sprak nu heel vlug, terwijl hij de redenen op elkaar stapelde. Maar Cesar onderbrak hem.

'We hebben vierentwintig uur om deze flat te ontruimen, is dat het?'

Tito slaakte een zucht van verlichting.

'Ja,' zei hij.

Ik begreep het niet, dus ik vroeg: 'Waarom?'

'Omdat Tito hier ook korte tijd heeft gewoond, en als hij gepakt wordt kan de politie zijn spoor volgen naar dit adres en ons hier vinden, en aannemen dat wij iets te maken hebben met alles wat onze vriend heeft gedaan.'

'Vind je het erg?' vroeg Tito schuldbewust.

'Natuurlijk niet. We dachten er toch al over om weg te gaan, nietwaar Lisaveta?' Cesar liet dit 'nietwaar' vergezeld gaan van een enorme trap tegen mijn schenen. Ik piepte en hij keek me kwaad aan.

'Ja,' zei ik.

'Ga jij nu maar terug,' opperde Cesar, 'naar je tante in Piscataway.'

'Ja,' zei Tito, 'als alles goed gaat ben ik over drie weken terug in Milaan. Ik zoek contact met jullie via de poste restante hier, en op de gewone manier. Als je niets van me hoort, doe dan geen moeite, ga dan gewoon weg. En hou je ondertussen schuil voor een week of drie.'

'Maak je geen zorgen,' zei Cesar. 'Ik weet al precies waar we heengaan.'

Tito stond op om weg te gaan. We wensten hem succes en brachten hem naar de deur.

'Veel succes met de voorstelling,' zei Cesar nog eens.

'Let maar op de recensies in de kranten,' zei Tito.

In plaats van meteen de trap af te gaan, draaide Tito zich nog eens om en kuste ons allebei. Ik gaf hem een extra kus, omdat hij ons van de gramschap van de Lanzini's had gered. Nadat hij vertrokken was, leek Cesar heel opgewekt.

'Wat moeten we nu met al onze spullen?' vroeg ik.

'We kunnen ze meenemen, of hier laten, of opslaan.' Ik was erg gehecht geraakt aan bepaalde dingen in de San Salvatore, vooral aan de boeken en snuisterijen, maar alles zat vol herinneringen en was moeilijk achter te laten.

'Laten we er een nachtje over slapen,' stelde Cesar voor.

In de San Salvatore stonden vijf metalen hutkoffers, twee bedekt met kaki canvas en drie niet. We vulden ze met boeken, en een voor de helft met onze kleren en wat kleinigheden. We spraken met de *vecchiette* af dat twee koffers in hun flat mochten staan en de drie andere tegen de muur op de overloop, waar ze niet in de weg stonden.

'Waar gaan we naar toe?' vroeg ik Cesar.

'Eigenlijk nergens heen,' zei hij, 'we hebben geen geld en geen onderdak. We sturen Otto een telegram, en wachten in Bologna op antwoord.'

'Waar betaal je dat telegram van?'

'Van jouw spaargeld,' zei hij.

'En waar slapen we?'

'Buiten.'

Het is niet makkelijk buiten te slapen in een zo ordelijke stad als Bologna. De zaken waren er geregeld met een ijver die zijn weerslag vond in alles wat we deden.

Waar je ook ging, de gemeenteraad zag je. We telegrafeerden Otto in zijn bierbrouwerij en hoopten dat hij nuchter genoeg zou zijn om te beseffen hoezeer we in nood zaten.

'En als hij nu niet antwoordt?' vroeg ik.

'Dat doet hij wel.'

'Maar als hij het niet doet?'

'Dan schrijf ik mijn rentmeester om wat geld over te maken.'

Ik stond verbaasd, tot zo'n maatregel had Cesar nooit eerder aanstalten gemaakt, zelfs niet wanneer de nood hoog was gestegen.

'Gewoon zomaar?' vroeg ik, knippend met mijn vingers. 'Ja,' zei hij, 'maak je dus geen zorgen.'

Vier dagen lang kwam er geen antwoord van Otto, en we stuurden ook geen telegram naar de rentmeester. We leefden van de hand in de tand en zagen de onderkant van de stad. Ik vond dat we terug moesten gaan naar Bianca en haar echtgenoot, of logeren bij de *vecchiette* of vertrekken naar Milaan. Maar Cesar zei: 'als het verkeerd gaat, wil ik geen van die mensen erbij betrekken. Ze zijn altijd aardig voor ons geweest. Het minste dat we kunnen doen is bij hen vandaan blijven.'

Om te beginnen legden we onze ideeën naast elkaar over de verschillende plaatsen waar je misschien zou kunnen slapen. We konden uit vele kiezen: je had de kerken, het station, de wachtkamer daar, het park, het Neptunusplein waar je tegen de fontein kon leunen, wat beter ging in de zomer dan in de winter, maar het kon. Je had de bioscoop en de banken voor bezoekers in de musea. We probeerden ze één voor één uit, maar overal werden we weggestuurd. Voor Cesar was slapen belangrijker dan eten of wat ook, terwijl ik met plezier al die vier nachten wakker zou zijn gebleven, als er zo nu en dan maar de mogelijkheid was geweest iets warms te drinken en een hap te eten.

Narigheid ligt zichtbaar op je schouders, als roos, en kondigt zich aan als de ratel van een melaatse. De portier van de bioscoop wierp één blik op ons en schuifelde toen zijn hokje in, waarbij hij de zware deuren achter zich sloot. We hadden iets vertrapts over ons waar hij over viel; ik zag dat hij ons niet alleen niet meer gratis binnen zou laten, maar dat hij ook dacht aan alle keren dat hij dat wel had gedaan, en dat hij ons onze schuld kwalijk nam. Op het station kwam elk anderhalf uur een vrijwilliger de kaartjes controleren.

'We wachten op een trein,' zei Cesar.

'Ja, ja,' knikte de vrijwilliger. 'Welke trein?'

Cesar keek omhoog naar het bord met de aankondigingen, hij had heel scherpe ogen en las: 'Bari.'

'U kunt niet in de wachtkamer wachten,' zei de vrijwilliger, 'u moet buiten gaan zitten.'

Er zat iets kruistochtachtigs in de ijver waarmee de stadsdienaren ervoor zorgden dat alles op rolletjes liep. We werden het station uitgezet en zochten onze toevlucht in een van de parken. Maar overal werd slapen vervolgd of het een soort misdaad was. Elke keer dat Cesars hoofd op mijn schouder zakte, kwam iemand in uniform ons een standje geven, alsof ze ons betrapt hadden op het kalken van graffiti op een van de onberispelijke bruinrode muren. De kerken waren meestal dicht, behalve tijdens de mis, en zo sjokten we de stad rond tot het donker werd en zochten dan onze toevlucht op de brede trappen voor de kathedraal, stevig in onze jassen gewikkeld en leunend tegen de stenen pilaren. We hadden daar zo vaak eerder gezeten dat er in het begin van de avond nog wel mensen kwamen die we kenden en met wie we konden praten over de politiek en de prijs van het brood, maar het was geen zomer meer en ze verdwenen algauw.

Om middernacht begonnen de klokken van de stad te slaan. Een oude bedelaar pakte zijn spullen bij elkaar en knoopte ze in een versleten tafelkleed.

'Je kan hier niet blijven,' zei hij tegen ons, terwijl hij de treden afstrompelde.

'Waarom niet?' vroeg Cesar zo vriendelijk als hij kon nu hij net plotseling wakker was gemaakt.

'Ze geven je de kans niet,' zei de oude man onheilspellend.

'Wie zijn ze?'

Maar de bedelaar had genoeg van ons, hij perste zijn lippen op elkaar, schudde zijn hoofd en liep weg.

'We mogen van geluk spreken als we zijn vlooien niet krijgen,' zei Cesar, die zich nog eens omdraaide en weer wegdoezelde.

Om één uur stopte er een vrachtwagen en er werd een grote slang uitgerold. We zaten nog als enigen op de treden, want onze laatste metgezel, een jongen met slechte longen, had een minuut of tien geleden omhooggekeken naar de klok van de kathedraal en was daarop snel weggegaan. Een ploeg mannen met helmen op sprong uit de wagen.

'*Uno, due, tre,*' riepen ze in koor, en de grote brandslang begon over de treden te zwiepen; alle hoeken en gaten werden kletsnat gespoten tot er geen droge plek meer was om te zitten of weg te kruipen.

Om twee uur kwamen de zieke jongen en de bedelaar en een paar zigeuners weer terug.

'Ik heb je gezegd dat je daar niet kon blijven,' zei de bedelaar triomfantelijk.

'Jij smerig zwijn,' mompelde Cesar binnensmonds. We waren nog steeds bezig het water uit onze kleren te wringen.

'Ze komen elke nacht,' zei de zieke jongen, 'dit is de enige plek in de stad waar je de hele nacht kunt zitten, dus komen ze om één uur en nog eens om vier uur om de zwervers weg te spuiten.'

Ondanks de nattigheid en het ongemak bleken die treden de enige plek waar je kon blijven en we kozen daar domicilie, naast de stek van de zieke jongen. Hij zei dat hij Umberto Nobile heette.

'Mijn moeder heeft me vernoemd naar een beroemde generaal, ze dacht dat dat me geluk zou brengen. Ik ben blij dat ze dood is,' zei hij, 'ze zou me niet graag hier gezien hebben, met die hoest.'

Als je rust nodig hebt, is het verbazend hoe weinig plaatsen er zijn waar je langer dan een paar minuten kunt zitten zonder gestoord te worden. Zelfs in het vrouwentoilet op het station, waar ik Otto's voorbeeld uit Grenoble volgde en sliep op de closetbril, kwam de dikke toiletjuffrouw na tien minuten op de deur bonzen met een humeurig: 'De tijd is om.'

'Waarom laten ze ons niet met rust,' mopperde ik tegen Cesar.

'Omdat je in paniek raakt,' zei hij vriendelijk. 'Ontspan je, dan doen ze het wel.' Maar ik kon me niet ontspannen. Toen was er een cheque van Otto bij de poste restante, we gingen ermee naar een bank waar ze zeiden: 'Die kunnen we pas over drie dagen uitbetalen.' Vanaf dat moment begon ik plezier te krijgen in de nieuwigheid van het leven op straat en de voordelen te zien van een situatie waarin we niets te verliezen hadden. Het kon van nu af aan alleen maar beter gaan. Zelfs een gevangeniscel had vier muren en een dak. Maar Cesar zei: 'Je bent gek. Wij eindigen allemaal op een dag dood of in de cárcel; waarom zou jij dat jezelf toewensen? Jij bent de enige van ons die niet in de val zit, begrijp je dat dan niet?'

Ik begreep best dat er geen beloning op mijn hoofd stond en dat mijn naam niet voorkwam op de zwarte lijsten die op de immigratiebalies van elk vliegveld liggen. Maar de dag was voorbij waarop ik Cesar een nieuw ultimatum had durven stellen. Ik wist dat ik Cesar nodig had, en de anderen. Ik had ze alle drie nodig om me door het leven te slaan. Of het echt liefde was, en hoeveel daarvan uitging naar elk van de drie, of het alleen maar de macht der gewoonte was, ik wilde het niet eens weten.

'We houden ons rustig,' zei Cesar, 'tot het geld van de cheque er is, dan gaan we naar Venetië en vervolgens naar Parijs.'

'Waarom naar Venetië?' vroeg ik.

'Je kunt niet in Italië wonen en nooit in Venetië zijn geweest,' legde Cesar uit.

'Maar ik heb Venetië vorig jaar gezien,' herinnerde ik hem.

'Dit is geen geheel verzorgde busreis,' zei hij korzelig, 'de meeste mensen zouden Venetië de moeite waard vinden om twee keer te zien.'

23

We gingen naar Venetië gewapend met een reisgids en Cesars valies met voor een week chocolade, schone sokken, lectuur en wat ik daar nog aan kleinigheden tussen had kunnen proppen. Om de een of andere reden wilde Cesar niet naar het Lido, niet naar het centrale plein en ook niet naar een van de andere plaatsen die ik de een na de ander voorstelde als beginpunt van onze tocht door de stad. We kwamen ten slotte terecht in een café aan de haven, waar we bier dronken. Na een stuk of wat blikjes werd Cesar slaperig; hij ontdekte een bank aan die winderige hoek van de Adriatische Zee met aan de andere kant een horizon vol fabrieken. Met zijn valies als kussen installeerde hij zich voor een wintersiësta.

'Ga jij ook maar even slapen,' stelde hij voor. Maar ik had meer zin om de San Marco op te zoeken en een paar andere kerken en om op mijn eentje door de smalle straatjes te slenteren. Het regende, het was koud, het kostte me de hele middag om mijn weg terug te vinden naar Cesar en het café en de bank waar ik hem had achtergelaten. Hij leek ongewoon blij me terug te zien, en verontschuldigde zich dat hij zo vlug in slaap was gevallen.

'Morgen hebben we een fijne dag,' beloofde hij. Maar morgen was mijn dag niet. Ik had me de hele dag gevoeld als een nieuw meisje op school, een buitenbeentje in de grijze mist. De blikken van de grote stad hadden me gekwetst toen ik haar als een manke krab verkende, en ik had geen zin om mijn bezeerde zwakke plekken nu weer te laten genezen. Venetië had me geconfronteerd met mijn eenzaamheid. De klokken hadden mijn naam gespeld, de verweerde engelen met hun halfvergane ogen en neuzen hadden mijn gezicht een spiegel voorgehouden. Zelfs de grachten, waarop geliefden voeren die minutenlang tegen elkaar praatten en elkaars hand vasthielden, hadden iets bitters toegevoegd aan de last van mijn achttien jaren. Ik vond dat ik mijn leven had verdaan: Rimbaud was negentien geweest toen het afgelopen was. Ik was de boze stiefmoeder uit Sneeuwwitje, die niets anders overbleef dan dansen van kwaadheid en wegvluchten. Het regende, het was koud, en ik was niet in de stemming om te dansen, daarom wou ik wegvluchten, de eerste trein naar Parijs nemen en niet terugkomen.

Ik vertelde Cesar dat ik weg wilde, hij haalde zijn schouders op en zei minzaam dat ik niet zo moest piekeren.

'Wat is nu een slechte dag?' zei hij. 'Je hebt je hele leven nog voor je.'

Maar voor mij had hij ongelijk, ik had mijn hele leven achter mij, de laatste flarden ervan flapperden over het pad. Ik had heel wat vrouwen de middelbare leeftijd zien ingaan met de troostende gedachte dat het leven bij veertig begint, maar niemand had me ooit gewaarschuwd voor de ellende waarmee de ouderdom begint bij achttien.

We gingen naar Parijs. En we keken iedere dag uit naar nieuws over Tito en zijn bende. Er waren in de twee weken sinds zijn bezoek zeven roofovervallen geweest, twee schietpartijen in Rome, een hele serie ontvoeringen, overvallen op geldtransporten, mislukte pogingen tot juwelendiefstal, maar er kwamen geen bijzonderheden die antwoord konden geven op onze brandende vragen. Aan het eind van die twee weken nam Tito geen contact met ons op, zodat we wel moesten aannemen dat er iets niet in orde was. Maar zijn naam dook niet op in de krantekoppen, zelfs op de achterpagina's van de plaatselijke pers werd hij niet één keer genoemd. We volgden dus zijn instructies en 'bleven uit de buurt'.

We bleven zo lang in Parijs als, zoals Cesar zei, menselijkerwijs mogelijk was. Otto zou ons daar ontmoeten, maar het kwam niet als een verrassing dat hij dag na dag niet verscheen.

'Het is net als een afspraakje maken met een hoer,' zei Cesar, 'hij laat je altijd vallen voor een beter aanbod.'

We logeerden weer bij Melina en Vitaliano in hun voodooflat bij de Bastille. Vitaliano's vader was gestorven en hij zou naar huis gaan, naar Venezuela. Melina daarentegen was gedwongen te blijven. Ze stonden al maanden op het punt van scheiden, maar nu het moment van afscheid naderbij kwam, waren ze weer dichter tot elkaar gekomen en hadden hun grieven bijgelegd. Vitaliano wachtte alleen nog maar op zijn ticket en praatte de hele tijd over Venezuela. Cesar werd er dubbel ongedurig van, en hij reageerde zijn humeurigheid af op het mikpunt van zijn grootste minachting: de Parijzenaars. We konden bijna nergens komen zonder in de problemen te raken. In het Louvre werd hij bijna gearresteerd wegens ordeverstoring. Hij had zijn drie franc entree betaald en ging recht op de afdeling Griekse oudheden af, waar hij zich met de armen over elkaar opstelde voor de Venus van Milo; daar bleef hij drieënhalf uur bewegingloos staan. Ik liep af en aan door de onoverzichtelijke zalen en werd ten slotte naar hem teruggedreven doordat de enorme uitstalling mijn waardering afstompte.

'Wil je niet een paar schilderijen zien?' vroeg ik.

'Ik kan niet op een morgen binnenlopen en er tweehonderd duizend bekijken,' zei hij, 'maar één werk gaat wel. Dus als je het niet erg vindt, dan bekijk ik deze Venus.' Zo om het halfuur werd er tegen hem aangeduwd door de kudde van een rondleiding, maar hij week niet van zijn plaats en negeerde de verschillende talen waarin telkens opnieuw dezelfde zinnetjes werden opgedreund. Tot hij ineens zijn armen liet zakken en hijgde: 'Ik krijg hier geen lucht meer, het zijn allemaal Fransen hier, kom gauw,' waarop hij me het museum uitsleepte. Tien minuten later ging hij terug om 'de Venus af te maken', en kreeg te horen dat hij opnieuw moest betalen. We kwamen er niet meer in, maar ik vermoed dat die portier zich wel tweemaal zal bedenken voor hij weer iemand van Cesars postuur beledigt.

'Waarom heb je je kaartje niet bewaard?' vroeg ik hem naderhand.

'Weet ik niet.'

'Wat heb je er dan mee gedaan?'

'Opgegeten.'

'Waarom?' hield ik vol.

'Sinds wanneer ben jij bij de inquisitie,' zei hij en beende weg in boos zwijgen, terug naar de flat bij de Bastille, aan mij de keus latend of ik achter hem aan zou draven of maar zien waar ik bleef.

We kregen twee telegrammen van Otto, een uit Stockholm met de tekst 'Aankomst Orly 2 oktober' en de andere, afgestempeld in Jönköping met de duistere woorden 'Vergeef mij, mon général' en gedateerd 10 oktober. Mijn verjaardag op 2 oktober was ondertussen voorbijgegaan, onopgemerkt door Cesar, die beweerde dat verjaardagen onzin waren, behalve dan die van hemzelf. Ik had als cadeautje van mijn moeder een flinke cheque gekregen. Om de valutabepalingen te omzeilen was hij verstuurd via Chechaouèn in Marokko, waar een van mijn zwagers hoofd was van een rodekruiskliniek, en het was het eerste geld dat ik voor mezelf kreeg sinds mijn vervreemding van Serge.

Cesar pikte onmiddellijk een gedeelte van dat geld in en telegrafeerde naar Otto, poste restante Jönköping: 'En ik ben God niet, jij onderdanig zwijn.' Er volgde een hele correspondentie per telegram die een flink gat sloeg in mijn verjaardagsgeld en die Europa doorkruiste met een wirwar van boodschappen die niet op elkaar sloegen. Wij kregen zijn telegrammen, maar ik denk niet dat hij er ook maar een van ons kreeg. Het laatste woord dat we van hem hoorden was een nachttelegram uit Göteborg met de raadselachtige kreet 'Avanti!'; volgens Cesar betekende het dat we elkaar in Londen weer zouden zien.

'Hoe weet je dat Londen vooruit is en niet achteruit?' vroeg ik hem.

'Omdat het dichter bij Southampton ligt,' zei hij.

De logica van die opmerking ontging mij. 'Wat heeft Southampton met Otto te maken?'

'Niet met Otto,' zei hij, 'met ons, wij gaan naar Venezuela.'

Het was de eerste keer dat ik iets hoorde over een concreet plan, en ik voelde me bedrogen en buitengesloten. Ik vroeg me af hoe lang ze dat al wisten. Er moest een hele reeks brieven zijn geweest waar ik niets van wist. De brief uit Caracas die de weg vrijmaakte voor Cesars terugkeer, de onvermijdelijke discussies die daarop waren gevolgd. Ik wist dat de anderen overwogen naar Chili te gaan, en ik herinnerde me een avond, een paar weken terug, waarop Cesar me had gevraagd: 'Waar zou je liever heengaan, Veta, naar Chili of naar Venezuela?' Ik had Chili gekozen, en nu gingen we dus de andere kant uit en lieten de anderen achter.

We liepen zwijgend van de poste restante naar huis. Cesar legde zijn arm om mijn schouder en drukte me tegen zich aan. Ik was zo verbaasd dat ik mijn verdriet vergat, het was de allereerste keer dat hij me op straat aanraakte. Een paar seconden later kwam hij tot bezinning en liet me los.

'Laten we vanavond gaan,' zei hij, en vervolgde op vertrouwelijke toon, alsof hij me iets vertelde wat ik onmogelijk had kunnen raden: 'Ik hou niet van Parijs.'

De reis van Parijs naar Duinkerken was die avond ongewoon rustig. Veel rustiger zelfs dan de lege bankjes in het Luxembourg op de regenachtige dagen dat we er zaten en de bladeren zagen vallen en de plassen groeien. In de trein ging het versleten, geruite pluche van de zitting ongemerkt over in de Schotse ruit van mijn jurk, die verschoten was door de laatste vochtige dagen in Bologna en tot op de draad versleten op de trappen van de kathedraal. Cesars grijze tweed was ook doorgesleten, maar hem kon dat niet schelen. 'Je kunt lompen dragen als je ze maar goed draagt,' placht hij te zeggen.

Ons compartiment was leeg, en Cesar leek nog afstandelijker dan gewoonlijk; hij had zich met lectuur omringd alsof het een veiligheidsgordel was. Aan de ene kant van hem lagen twee levensbeschrijvingen van de 'Grote Keizer', zoals hij Napoleon noemde, aan de andere kant de dagboeken van Columbus, de admiraal, en voor hem lag een dun boekje in het Italiaans, getiteld *Lavorare Stanca*, 'werken vermoeit'. Cesar had dat vaak bij zich als een soort visitekaartje, want de titel was zeer toepasselijk op een man als hij die zo weinig uitvoerde. Had hij een spraakzamere bui, dan ging hij me al die boeken overhoren.

'Wie heeft de Engelsen verraden in Marokko?'

'Pétain?'

'Wie is met Columbus meegevaren op zijn derde reis?'

'Briceño, de bisschop.'

'En waar zijn de Briceños nu?' vroeg hij dan.

Ik haalde mijn schouders op, ik wist dat hij me wilde laten zeggen: 'Allemaal dood.'

Ik wist dat er niet veel meer over waren, en dat Cesar er zelf een van was, maar in zijn opwinding ontkende hij die verwantschap. 'Ik ben een de Labastida,' zei hij dan, alsof die afstamming elke andere uitsloot. Cesar kreeg vaak zelf het eerst genoeg van die ondervragingen; dan dommelde hij even in en ging vervolgens weer verder met het afvuren van zijn vragen als een negentiende-eeuwse dominee.

'Wie nam altijd een bad voor de veldslag?'

'Napoleon.'

Het was meer geruststelling dan plezier wat Cesar uit die sessies haalde, alsof het er alleen maar om ging vast te stellen dat ik mijn feiten en voorkeuren op een rij had. Ik denk dat de voorkeuren het belangrijkste waren en soms kwam ik hem daarin een beetje tegemoet. Maar in dit saaie compartiment had ik geen zin in zijn vraag-en-antwoordspelletje, ik liet hem over aan het schommelen van de trein en het bonken van de wielen, dat hem nu eens deed lezen en dan weer in slaap wiegde. Ik keek naar hem met een mengeling van verbazing en opluchting; na twee jaar was hij nog steeds het raadsel dat zijn voet tussen de deur had gezet en was gaan zitten in de keuken.

Het tochtte door alle kieren in het raam en er kwamen onregelmatige stoten hete lucht uit de roosters achter mijn voeten. Ik had graag willen lezen en slapen zoals Cesar, maar het leek of ik door die tegenstromen van hete en koude lucht in een toestand van overspannen waakzaamheid was gebracht. De trein leek een dodenwake voor de jaren die ik achter mij liet. Na twee jaar doelloos zwerven had iemand aan de noodrem van ons bestaan getrokken, we zouden moeten stoppen en opnieuw beginnen. Mijn verdriet had iets van een weelderig baldakijn, ik deed mijn best om alles te laten bijdragen aan mijn droefenis. Ik werd treurig van het stof in de hoekjes van de bank en van het zwarte roet op de roosters. En van de vuile spiegel boven mijn hoofd en van het kapotte bagagerek en van het deurgordijntje dat stuk was. Zelfs de aarzelende graffiti die met potlood op de rolgordijnen waren gekrabbeld, kregen plotseling gewicht en dreiging.

Deze reis naar Duinkerken leek mijn laatste reis, ik wilde dat alles van bijzondere betekenis werd, zoals een laatste wandeling voor een operatie. Cesar had het licht laaggedraaid en sliep nu in zijn hoek als een rechtop gezette dode, zwaar door zijn mond ademend als gevolg, naar hij beweerde, van een misvormd stukje kraakbeen in zijn neus.

De trein splitste zich in wervels, aan elkaar gekoppelde vormen als gladde doodkisten die over de rails rammelden, en de oude brok in mijn keel kwam me vertellen dat ik nooit in deze stoptrein terug zou keren. Het was een vertrouwde brok, die een vertrouwde, bittere wending aan mijn gedachten gaf. Hij voedde zich met wat ik maar aan droeve herinneringen bij elkaar kon schrapen, het was de schrijn van de martelares. Die was bespat met het bloed van mijn tamme ratje, dat door onze buren in Wimbledon in een aanval van goed bedoelde razernij met een bijl was doodgeslagen, het was de oude dr Tausig, gevlucht voor de Duitsers, terechtgekomen in het dorre land van Zuid-Londen, waar hij zich op de been hield met kalmeringsmiddelen tot de dood de zwarte wallen onder zijn ogen verzachtte. En het was Veronica uit Leningrad, met haar handbeschilderde kistje dat ze aan mij gaf omdat ze geen erven of familie had. Ze vertelde me dat die, nadat de katten en de honden en de ratten en de schoenen waren opgegeten tijdens het beleg, toch allemaal van honger waren gestorven en dat zij alleen was overgebleven met het Paliak-kistje dat voor haar dochter bestemd was geweest. En het was de salamander waar ik op school een dubbeltje voor had betaald om mee naar huis te nemen en te verzorgen, maar die dood was gegaan in zijn glazen pot voor mijn raam, en die drie maanden op de vensterbank bleef staan in het aangroeiende slijm, de onwetende meester van mijn schuldgevoel en fascinatie. Het compartiment was net een dunne korf; die korf, vastgebonden op een muilezel, aan één kant breder zoals een doodkist, werd schommelend in de wind langs een kronkelpaadje de met laag kreupelhout bedekte hellingen van de Andes opgezeuld. In die geïmproviseerde doodkist, die met oude grammofoonnaalden in plaats van de gewone nagels was dichtgespijkerd, zaten Cesars woorden, zijn biografieën van Napoleon, een kussen, mijn vijf hutkoffers vol boeken en mijn lange jurken, mijn brieven van Serge; dan waren er mijn Russische kistje, de dode aster van het standbeeld van Tolstoi en alles wat ik me kon herinneren van mijn familie, gewikkeld in Elias' anorak en ingeklemd tussen zijn twee delen Liddell Hart. De muilezel verloor zijn evenwicht en de doodkist begon te glijden, kletterde over de rotsen, brak open en kwam stil te liggen. Toen schreeuwde een stem: 'Dunkerque!', en de trein schokte achteruit door de kracht van de remmen en stond stil, en het slaan van de portieren kwam langzaam in onze richting; de conducteur ontruimde de rijtuigen en dreef ons naar de kade. Cesar sliep nog half. Hij zag er ontzettend afgetobd uit in het ochtendlicht, ziek en ongeschoren.

'Je ziet er vreselijk uit,' zei hij.

We moesten in de rij staan om bij zee te komen. Onze bagage, de vijf metalen hutkoffers uit de San Salvatore, werd apart vervoerd zodat we maar één koffer en het valies te dragen hadden. Er stonden niet veel mensen te wachten om aan boord te gaan, maar dat leek voor de wachttijd niets uit te maken. De vertraging stond in de voorschriften. Zowel Cesar als Otto werd gefascineerd door het verschijnsel in de rij staan.

'Je kunt de wereld verdelen in mensen die in de rij staan en mensen die tekeergaan,' had een van hen eens gezegd.

'Ga jij slapen op de boot?' vroeg Cesar.

'Nee, ik denk dat ik citroenthee ga drinken,' zei ik.

Tussen de kartonnen broodjes en de sneetjes watten, de ham waar het water letterlijk uitdroop, de frietjes van polytheen en de vis van geroosterde flanel, de wisselende kwaliteit van zowel de Franse als de Engelse kost op de schepen, was de citroenthee altijd goed. En als je met genadeloos ellebogenwerk door de menigte heen het buitenste restaurant bereikte, kon je een tafeltje veroveren voor twee of meer personen, met een schoon gestreken kleedje en voor zolang je er tijdens de overtocht gebruik van wilde maken. Je kon er niet op zee uitkijken, je had er geen frisse windvlagen, maar er dreef een vage geur van zeewier naar beneden, zelfs naar de lager gelegen dekken; het was de beste manier om uit het gewoel te raken.

Een uur voor Dover gingen we aan dek en hingen over de reling in de golven te staren, terwijl de zee tegen het schip kolkte en het schuim en de straffe noordoostenwind ons naar adem deden snakken. Toen kwam de gewone opwinding bij het naderen van de beroemde witte rotsen. Als Elias bij ons was geweest, zou hij gezegd hebben: 'Wat is het dat een meertje in het veld zo boeiend maakt, en het land zo verbazingwekkend vanuit zee?'

Dat was zijn 'aankomst-in-Dover-opmerking', het werd van hem verwacht. Net zoals Cesar altijd 'Dunkerque!' zei, met een zucht van bewondering, als we daar op het perron stapten.

Ooit had ik Elias gevraagd: 'Waarom zeg je toch altijd hetzelfde?'

'Het is een onderzoek,' zei hij, 'net als het Kinseyrapport over seks; ik wil uitzoeken hoe lang ik het vol kan houden.'

'En hoe lang is dat?'

'Eindeloos, daar ziet het tenminste naar uit, maar ik kan het pas echt uitrekenen als ik doodga.' Hij had verontschuldigend gegrijnsd en zijn schouders opgehaald: 'Wetenschap is wetenschap.'

'Net als Geronimo?' ging ik door, want ik wilde nu ook weten hoe het zat.

'Ja, precies.'

'Wat betekent dat?'

'Geronimo? Eigenlijk niets; het is gewoon een strijdkreet. Het had net zo goed "shampoo" of "Pepsi Cola" kunnen zijn. Ik vind Geronimo gewoon aardiger.'

Je ging Elias gauw missen.

Het kostte vijf dagen om weer helemaal aan het Engels te wennen, en nog langer om thuis te raken in de veranderingen in het algemeen. Maar Cesar schakelde onmiddellijk om. Hij had nog geen voet op Engelse bodem gezet of hij handelde alweer volgens een nieuwe ridderlijke code, strikter en eleganter dan waar hij zich in Italië aan had gehouden. Hij was weer de volmaakte gentleman. Hij was de klassieke anglofiel, blind voor alle misdragingen van Engeland en voor het voorbijgaan van de tijd.

We logeerden vijf dagen in de flat van mijn moeder en brachten die tijd voornamelijk door met eten en baden in een erg hete oplossing van kleurige badolie, die het water de consistentie gaf van dunne marmelade. Otto arriveerde lawaaiig op de vijfde dag, beladen met geschenken en te dronken om de deurklopper te vinden. Om drie uur in de nacht bonsde en schreeuwde hij tot hij binnengelaten werd.

'Elias komt eraan,' verklaarde hij en viel prompt in slaap in een leunstoel in de zitkamer. Vol verwachting bleven we op tot halfvijf en gingen toen maar weer naar bed.

Otto kwam pas de volgende middag bij. Hij zag er bepaald niet goed uit, zijn huid was onrustbarend geel. In tegenstelling tot Cesar deed hij deze keer niet of we nooit uit elkaar waren geweest. Hij wilde niet dat wij weggingen.

'We zijn hier nu bijna drie jaar samen,' betoogde hij, 'wat kan nog een jaartje voor jullie uitmaken?'

Maar Cesar was onvermurwbaar. 'Ik sterf liever,' was alles wat hij wilde zeggen.

'Maar niemand vraagt je om te sterven, Cesar, alleen maar om te blijven.' Hij wachtte even. 'We hebben nu geld,' zei hij op overredende toon, 'we gaan binnenkort naar Chili. Zuid-Amerika. Daar wil jij toch ook heen?'

'Nee,' zei Cesar beslist, 'ik wil naar huis.'

'Maar wij kunnen dat niet,' zei Otto, 'en we zouden allemaal bij elkaar kunnen blijven.'

'Ik wil je nooit in de steek laten, Otto, dat weet je, maar...'

'Maar maar maar,' hoonde Otto en stormde de kamer uit.

Elias arriveerde op het moment dat hem uitkwam; we namen een appartement in een hotel in Evelyn Gardens in Chelsea en we zetten daar onze discussie een volle week voort. Otto en Elias wilden dat we bij elkaar bleven, Cesar wilde gaan, en ik wilde bij Cesar en de anderen blijven en niet uit elkaar gaan, en heimelijk wilde ik ook nog naar Chili. Cesar bleef onwrikbaar. De anderen bewerkten mij, samen en apart; ze probeerden mij aan hun kant te krijgen, maar voor ik Cesar had kunnen bewerken voor hun zaak, kwam hij uit eigen beweging met een nieuw compromis.

'Als jij echt niet wilt,' zei hij op een nacht, 'dan blijven we.'

Ik wist inmiddels hoeveel het voor hem betekende; zijn aanbod brak al mijn tegenstand, ik voelde mijn hele campagne wegsmelten in een simpel: 'Ik wil echt wel,' en ik ging slapen met het gevoel een echte overloper te zijn en de idioot waarvoor Otto me altijd had uitgescholden. Ik voelde me alsof ik weer dat korte boordbaleintje had getrokken net als toen in Grenoble, en wist dat ik het ook nu toch wel gekregen had. Nu ik eenmaal partij had gekozen voor Cesar, gaven Otto en Elias zich ruiterlijk gewonnen en het gekrakeel hield op. Altijd kwam er wel een moment overdag of 's avonds dat Otto het zo plooide dat hij met mij alleen was, en dan probeerde hij me altijd te waarschuwen voor het oord waar ik naar toe wilde gaan.

'Het maakt je kapot,' zei hij, 'ik weet waar je terechtkomt, en geloof me, het is daar prima voor Cesar, die is er een deel van, maar het is er feodaal en boosaardig en ze zullen je nooit accepteren.'

Ik zei dan dat ik me wel zou redden, en hij zei bedroefd: 'Je begrijpt het niet.'

Misschien begreep ik het inderdaad niet, maar ik begon dat afgelegen landgoed in de Andes met nieuwe ogen te bekijken; in het leven van eenzame afzondering waar ik dacht te worden heengevoerd, ontdekte ik een interessante onderstroom van geweld. Het was niet zomaar een plek waar suiker groeide, het was een plek waar mensen de dood in werden gejaagd, een plek waar Cesar met zijn slaperige charme werd geacht een tiran te zijn, een feodale heerser, het was een oord van verraderlijk kwaad. Alles wat Otto bereikte met zijn goed bedoelde raad was dat ik het tamelijk saai begon te vinden om naar een huis aan zee in Chili te gaan. Ik begon te denken dat, waar ik nu heenging, niet alleen het landgoed was dat me op zichzelf al zo boeiend had geleken, maar een plaats die ook in het algemeen belangwekkend en sinister was, een plaats waar een uitdaging van uitging.

24

Elias en Otto vertrokken naar Lyon voor wat zij een zakenreis noemden en wij brachten hen naar de boottrein op Charing Cross. Daarna trokken Cesar en ik weer in de flat van mijn moeder in Clapham om nog een tijdje bij haar te zijn nu onze reis vaststond. Cesar wachtte weer eens op een brief. Deze keer zouden onze kaartjes voor de overtocht naar La Guaira in Venezuela erin zitten. We wachtten en we wachtten, maar er kwam niets. De telefoon ging vaak om twee of drie uur in de nacht, Cesar strompelde dan de lange gang door om hem op te nemen en stond dan soms een halfuur de nadrukkelijkste eenlettergrepige klanken uit te stoten. Elke morgen nadat er zo'n lang transatlantisch gesprek was gevoerd, verklaarde Cesar: 'De tickets kunnen er elke dag zijn.'

Veertien dagen lang wachtte ik op dat 'elke dag' en genoot van alles wat ik deed als van het allerlaatste, voor de boot mij naar die vreemde, nieuwe plek in Venezuela zou brengen. Langzamerhand begon het echter bij me te dagen dat die tickets weleens even denkbeeldig zouden kunnen blijven als die andere brieven van Cesar, dat ze misschien nooit zouden aankomen.

De anderen waren teruggekomen met weer een nieuwe Mercedes, nog schitterender zilvergrijs dan de laatste, waarmee Elias zo trots uit Zweden naar huis was komen rijden. Bij zijn terugkeer gaf hij dit eerdere model aan Cesar en mij; hij gooide ons de sleutels toe met een nonchalant 'Hier', en zei er toen bij: 'Je kunt je alleen beter niet laten aanhouden, ik heb hem niet bepaald bij de showroom gekocht.' Met de komst van deze nieuwe auto in Clapham bereikte Cesar voor mijn moeder eindelijk die hoogten waar hij geen kwaad meer kon doen. Elias had haar vaak met de auto naar de tuchtschool gereden waar ze werkte, ze had genoten van die gedeeltelijke terugkeer tot haar oude levensstijl, als het bewaakte hek openging om haar door te laten. Nu zag ze de komst van Elias' 'oude' Mercedes als een nieuw bewijs van Cesars ridderlijkheid. We vertelden haar natuurlijk niet dat hij gestolen was, maar zelfs al hadden we het haar verteld, dan had ze het waarschijnlijk niet geloofd.

Vijf vreselijke dagen lang worstelden we met die auto. Cesar had nog nooit in Engeland gereden en dus ook nooit links. Hij kende niet één verkeersteken en zijn kennis van de straten van Londen was te verwaarlozen. Ik wist al van Elias' manier van rijden dat rotondes dwars oversteken en op het trottoir rijden en u-bochten maken waarschijnlijk een tweede natuur waren voor de gemiddelde Venezolaan. Misschien had Cesar het nog wel gered als hij er niet op had gestaan dat ik fungeerde als zijn tweede piloot. Hij weigerde te geloven dat ik echt de weg niet kende in Londen en dat ik geen verstand had van het verkeersreglement. De eerste drie dagen zei hij voortdurend: 'Wat moet ik nu doen?' en 'Wat betekent dat?'

Misschien is het in werkelijkheid niet vaker gebeurd dan ik op de vingers van één hand kan natellen, maar mijn herinnering aan die auto bestaat geheel uit het tegen stromen vijandig verkeer in rijden, de verkeerde kant op in straten met eenrichtingsverkeer. Het ergste was toen we merkten dat we aan de verkeerde kant reden op de A40, toen we een beagle-puppy gingen ophalen die Cesar wou hebben.

'Waarom een beagle?'

'Omdat mijn grootvader beagles had,' zei Cesar. 'Hij bracht de eerste mee uit New York in 1904 – die heette Reddy.'

De kennel lag even buiten Oxford. De reis was een ramp, toen Cesar aankwam was hij sprakeloos van woede. We zochten een pup uit, Ross, en namen hem mee naar huis, waarbij we kans zagen onderweg niet één, maar twee keer te worden aangehouden: een keer wegens het negeren van een bord voor eenrichtingsverkeer, de tweede wegens parkeren bij een dubbele gele streep, omdat Ross, de nieuwe pup, vreselijk moest overgeven. Beide keren liet de agent in kwestie ons gaan met een vermanend woord en zelfs een woord van goede raad over de aanpak van de misselijkheid van het hondje.

Waar we ook gingen, overal was er politie die ons liet stoppen, al was het maar om ons te waarschuwen voor een wegomlegging; we leefden voortdurend in angst dat we de autopapieren zouden moeten laten zien. Mijn moeder was de enige die genoot van die auto, maar zelfs zij leek mee te doen aan de samenzwering ertegen: ze drukte haar raampje omlaag en riep allerlei loslopende agenten aan om de weg te vragen als we verdwaald waren. Cesar zat dan verstijfd achter het stuur terwijl zich druppels ijskoud zweet op zijn bovenlip vormden en mijn hart klopte in mijn keel terwijl mijn moeder een praatje maakte en de precieze tint en de elektrisch bewegende raampjes besprak met elke vertegenwoordiger van de wet die ze te pakken kon krijgen.

Nadat we het hondje hadden opgehaald en de lastige auto veilig hadden geparkeerd voor het flatgebouw, zei Cesar: 'Ik hou niet van die auto.'

We probeerden hem terug te geven aan Elias, maar Otto zei dat hij naar Hastings was. 'Wil jij hem dan?' vroeg Cesar.

'Ik kijk wel uit, aan dat ding kun je alleen je handen maar branden. Als je hem niet wilt, dump hem dan.'

Dat leek iets vreselijks voor een bijna splinternieuwe Mercedes.

'Wat mankeert er eigenlijk aan?' vroeg Otto.

'Ik hou er niet van,' zei Cesar.

We besloten ermee naar een rustige weg ergens bij Regent's Park te rijden en hem daar achter te laten. Maar de volgende dag kwamen we tot de ontdekking dat de benzinetank was leeggetapt. Cesar liep alleen naar de garage op de hoek van Abbeville Road. Ik keek hem na vanaf de buitendeur en zag hoe een man bij het moordenaarshuis op de hoek van de straat opdook en hem aansprak, en hoe Cesar bevroor. Ze stonden een paar minuten te praten en daarna liep Cesar verder. Hij kwam tien minuten later terug. Hij zette het benzineblik neer en zei: 'Ik zit in moeilijkheden, Veta.'

'Was het die man?' vroeg ik.

'Ja,' zei hij. 'Het gekke is dat ik dacht dat het om de auto ging.'

De schok had hem merkwaardig spraakzaam gemaakt.

'Ik was er zeker van dat het om de auto ging. Maar hij zegt dat hij een CIA-agent is.'

'Nou, dan is hij in ieder geval niet van Venezuela of Interpol,' zei ik.

Cesar woelde met korte, wanhopige rukjes met zijn vingers door zijn haar. 'Je begrijpt toch wel dat dit nog erger is,' zei hij.

Maar ik begreep het niet en vroeg: 'Waarom?'

'Denk alleen maar aan het woord "olie",' zei hij, en wachtte even. 'We hebben een president in Caracas die een marionet is, onze olie is grotendeels in Amerikaanse handen. Als hij echt van de CIA is, dan is hij de baas. In elk geval hebben ze ons steeds in de gaten gehad. Hij wist van al mijn bewegingen in Italië afgelopen zomer.'

'Alle twee de bewegingen?' gooide ik ertussen.

Cesar keerde zich met flikkerende ogen naar me om. 'Het is geen grapje, Veta, hij heeft ons geschaduwd naar de kennel toen we Ross gingen kopen, hij schaduwt ons naar de tuchtschool, hij kent ons café, de Embankment Gardens.'

'En?' vroeg ik.

'En waarom mij?'

'Denk je dat ze je zullen doodschieten?' vroeg ik ineens. Ik dacht dat hij zou zeggen: 'Doe niet zo gek,' of zoiets, maar dat deed hij niet. Hij zei: 'Misschien. Misschien komen we uiteindelijk toch niet in Venezuela.'

Ik zag dat hij heel snel nadacht.

'Het is gek dat hij niets zei over de auto,' zei hij.

'En over de anderen?'

'Hij had het twee keer over mijn "vrienden", hij noemde geen namen. Hij wil dat ik morgen naar hem toe kom in het Cumberland Hotel, om drie uur.'

'Je gaat toch zeker niet?' zei ik geschrokken.

'Jawel,' zei Cesar, 'ik wil weten wat hij wil.'

'En de anderen?' herhaalde ik.

'Die moeten we waarschuwen,' zei hij.

'Ik zou via de achtertuin kunnen gaan en binnen twee uur heen en terug zijn,' stelde ik voor, zonder de geringste hoop dat Cesar het plan zou goedkeuren of overnemen, meestal vond hij mijn ideeën voor tactische manoeuvres alleen maar belachelijk. Maar deze ene keer zei hij: 'Goed,' en toen: 'Zeg hun wat er is gebeurd, en dat ik niet weet wat er verder gebeurt.'

Ik klom over de hoge schutting van onze gemeenschappelijke achtertuin, kwam terecht in een even groezelig stuk gras aan de andere kant dat ook een gemeenschappelijke achtertuin was en liep langs de vuilnisbakken in een privé-doorgang tot ik op de straat kwam aan de andere kant van ons blok. Ik had vaak kinderen stiekem door onze tuin en over de schutting zien gaan; het was voor hen de kortste weg naar de basisschool in de buurt.

Otto en Elias zaten te schaken in hun appartement in Evelyn Gardens; tot mijn teleurstelling gaven ze niet direct blijk van verrassing toen ik over de nieuwste wending van de gebeurtenissen vertelde; ze wilden eerst dat ik bleef theedrinken, daarna dronken we samen een fles wijn leeg en ten slotte zei Otto: 'Je kunt nu beter teruggaan anders wordt Cesar ongerust, en wij moeten onze spullen pakken en vertrekken.'

Ze belden een taxi voor me, die me zou oppikken op de hoek van de straat.

'Bedankt dat je gekomen bent,' zei Otto, en toen ik wegging: 'Als er iets met Cesar gebeurt, kom dan naar ons toe.' En nog eens: 'Je weet hoe je met ons in contact moet komen als we hier niet zijn?'

Dat wist ik. Er was een systeem van codes ontworpen dat onder alle omstandigheden moest werken, en dat was het enige dat ik uit mijn hoofd leerde in elke stad waar we heengingen.

Buiten was het donker, ik kon niet zien of ik gevolgd werd. Ik was niet gevolgd op weg naar hen toe, en dat leek het belangrijkste. Terug in Clapham ging ik weer via de achtertuinen naar huis, maar ik durfde niet meer met de vuilnisbakkenlift met de krakende kabels buitenom naar boven, naar onze flat op de tweede verdieping. Ik ging daarom vlug in het donker naar binnen en hoopte er het beste van. Er was niemand op de trap, en toen ik binnenkwam zag ik dat Cesar in een leunstoel voor de televisie lag te slapen, gewikkeld in een Schotse plaid die mijn moeder over hem heen had gelegd.

De volgende dag wilde ik beslist met Cesar mee naar Hyde Park om daar een eindje voorbij het Cumberland Hotel aan de overkant van de weg op hem te wachten, terwijl hij ging praten met de CIA-man die zich Mr. Green noemde. Hij besteedde die dag de uiterste zorg aan zijn kleren, keurde nog meer overhemden af dan hij anders al deed en strikte zijn zijden das een onnodig aantal keren opnieuw. Zijn voorbereidselen maakten mij ongeduldig.

'Waarom moet dat allemaal,' klaagde ik.

'Waarom niet?' zei hij raadselachtig.

'Als je Ross meeneemt,' voegde hij eraan toe, 'kun je die een beetje laten rennen in het park terwijl je wacht.'

Cesar zei dat ik naar huis moest gaan als hij er na drie kwartier nog niet was.

'En jij dan?' vroeg ik.

Hij haalde zijn schouders op. 'Je helpt me niet door daar te blijven.'

'Maar als er iets met je gebeurt, dan moet er toch iets zijn wat ik kan doen.'

'Nee,' zei Cesar met nadruk.

'Dan heeft het ook geen zin dat ik meega,' zei ik kwaad.

'Precies,' glimlachte hij, 'daarom zei ik ook dat je thuis moest blijven.'

We namen de ondergrondse tot Marble Arch; Cesar zat te lezen terwijl ik Ross probeerde te weerhouden van zijn geknaag aan mouwen en manchetten van medereizigers. Vervolgens wandelden we twintig minuten door het novemberpark omdat het nog geen tijd was. Natuurlijk wilde ik meer weten over de CIA-man die Cesar zou ontmoeten.

'Wie is het?' vroeg ik.

Cesar haalde zijn schouders op.

'Wat wil hij van je?' hield ik aan.

Cesar haalde weer zijn schouders op.

'Waar komt hij vandaan?'

Cesar stond stil. 'Ik heb hem nog niet gesproken, weet je nog?' zei hij. 'Ik weet alleen dat ze ons vanaf Italië geschaduwd hebben. Ik weet niet hoe lang, ik weet niet waarom, ik weet niet wie hij is en ik weet verdomme niet eens wie hij denkt dat ik ben.'

Het was tijd om te gaan. Ik betrok de wacht op het eilandje in het verkeer, de meest dramatisch opvallende plek in de hele omgeving zoals ik algauw besefte, terwijl Cesar zich naar het Cumberland Hotel begaf met de afscheidswoorden: 'Ik ben zo terug.'

Ross hield niet van wachten; hij was vastbesloten weg te komen van de plek die ik had uitgekozen. Als ik hem vasthield, worstelde hij verwoed om op de grond te komen, en als ik hem neerzette trok en draaide hij zich onder het lage hekje door de weg op. Ik had de grootste moeite te voorkomen dat hij onder de wielen van het aanrazende verkeer dook en hij jankte en piepte als een varken in het nauw. Automobilisten die moesten stoppen voor het rode licht, draaiden hun raampje naar beneden en schreeuwden verontwaardigd: 'Wat doe je met die hond?' en: 'Laat die hond met rust.'

Stukjes pels vlogen in het rond en bleven aan de draad van het hek hangen, niet van Ross maar van mijn bontjas die door zijn gefrustreerde klauwtjes kaal werd gekrabd. Ik werd absurd bang van die commentaren van passanten. Het leken stuk voor stuk kwade voortekens, die zeiden dat Cesar over de loper in de hal van het Cumberland Hotel voorgoed verdwenen was, en dat ik hier, als bewijs dat hij ooit had bestaan, Ross beet had, gevangen in mijn armen met als enig alternatief de dood onder de rijen autowielen, en kiezend voor de dood. En als een bevestiging van mijn paranoia bleef Cesar maar weg.

'Denk erom dat je die hond geen pijn doet!' riep een taxichauffeur.

Maar Ross deed mij pijn, hij klauwde naar mijn handen en mijn borst, inmiddels doodsbang van die kreten uit het verkeer. Ik stond er niet bij stil dat bijna elke hond, bastaard of kalf of speelgoedbeest, op steun kon rekenen van volslagen onbekenden in Engeland, ongeacht wie er gelijk had. De hondse aanwezigheid hoeft zich maar te doen voelen of het onzichtbare derde lid van het oog van de Engelsman opent zich, en de sympathie die wij elkaar onthouden wordt publiekelijk uitgestort over die uitverkoren dieren tot je er wee van wordt. Ook hier vloeide ze rijkelijk, ze werd uitgeschreeuwd en tot vuisten gebald in de rijstrook naar Bayswater; in mijn angst om Cesar meende ik dat ik zijn onwillige plaatsvervanger vasthield. Vreemden namen Cesar ook altijd in bescherming, verdedigden hem, vertroetelden hem en brachten hem weer op de been. Overal waar hij ging werd hij behandeld alsof hij op de monumentenlijst stond. Niemand kon zijn onverschilligheid weerstaan.

Er ging een halfuur voorbij en hij kwam niet. Drie kwartier ging voorbij en hij kwam nog steeds niet. Ik stelde me voor dat hij in een wasmand was gepropt en de achterdeur uitgedragen. Ik stelde me voor dat hij in de stortkoker was gegooid of vastgebonden zat aan een stoel in een van de talloze slaapkamers van het Cumberland Hotel met hun saaie moderne meubels en hun huistelefoons. En ik vroeg me af hoeveel dagen het zou kosten om hem te vinden als hij verborgen was in een kleedkamertje, zoals Coliseo in Rome. Zou de room service uiteindelijk merken waar de lucht vandaan kwam?

Een uur was voorbijgegaan sinds ik mijn wachtpost had betrokken, het motregende en Ross was bezig zijn eigen braaksel op te eten. Ik stak de weg over en ging op de rand van het gras zitten. Ik had Ross' riem vastgemaakt aan een paaltje een paar meter bij me vandaan, in de hoop dat ik daardoor niet in verband zou worden gebracht met zijn nieuwe uitbarsting van jammerkreetjes. Cesar had gezegd dat ik naar huis moest gaan als er iets fout ging. Maar nu hij zo lang weg was, voelde ik me te versuft om in beweging te komen. Ross was nog steeds supporters aan het werven.

'Arm ding,' kon ik hen horen zeggen, en 'Arme kleine stakker.'

Ik voelde aan mijn hand waar Ross me had gekrabd. Hij was dik en geschramd, ik voelde me misselijk.

'Is dat jouw hond?' vroeg een woest uitziende vrouw die op mij neerkeek.

'Ik pas op hem,' zei ik mat.

'Nou, je moet hem niet zo behandelen,' zei ze. 'Zie je niet dat hij ongelukkig is? Nee, een jonge meid als jij zou hem eens fijn moeten laten rennen.'

Ik wankelde overeind, maakte de protesterende Ross los en wandelde een paar stappen met hem verder.

'Waarom laat je hem niet van de riem?' drong de vrouw aan, terwijl ze mijn trage hielen volgde met de scherpe punt van haar plu.

'Omdat hij dan overreden wordt,' zei ik kortaf.

Deze laatste voorvechtster van Ross bleef me achtervolgen langs de weg. Ik dacht: Ik word opgejaagd als een hond, en glimlachte.

'Er valt niets te lachen,' zei ze, terwijl ze tegen mijn laarzen tikte met haar paraplu. 'Arm klein beest,' en toen zag ik uit mijn ooghoek Cesar het netwerk van wegen oversteken, naar mij toe.

'Goedendag,' zei ik, haar opzij duwend om naar hem toe te rennen, maar ik bedacht dat hij het me misschien nooit zou vergeven als ik hem omhelsde op straat, zodat ik vaart minderde en hem wat formeler begroette.

Ik vroeg niet wat hem bijna twee uur had vastgehouden. Ik wist dat ik moest afwachten tot de informatie vanzelf zou komen. Hij pakte Ross op, zwaaide hem in het rond en knuffelde hem.

'Ben je aardig voor hem geweest?' vroeg hij.

Ik gaf geen antwoord. Ik had deze hond gevoed en geborsteld en gewassen en verzorgd en ontwormd en mee uit wandelen genomen, en nu, zomaar, nog geen vijf minuten ontsnapt uit het Cumberland Hotel en de kaken des doods, had hij al gemene zaak gemaakt met alle aanstokers van mijn paranoia. Ik herhaalde voor mijzelf de woorden die Otto vaak sprak:

'O was ik maar een hond in Engeland!' Ross had gewonnen.

Ik moest tot 's avonds op de bijzonderheden wachten, en toen ze kwamen waren ze geruststellend van eenvoud. Er was die man met wie Cesar gesproken had, die uit Washington DC was overgekomen, er was ook dat schaduwen, maar Otto en Elias waren niet genoemd bij hun eigen naam en ook niet onder een van hun pseudoniemen, behalve de naam die ze hadden aangenomen bij hun terugkeer uit Zweden; als zodanig waren ze gewoon twee namen op een lijstje van vrienden.

'Ze willen gewoon mij,' zei Cesar met een bedeesde grijns.

'Wat bedoel je?'

'Ze willen dat ik voor ze ga werken.'

Enkele ogenblikken lang was het stil in de kamer; toen zei Elias: 'Hoeveel?'

'Twintigduizend per jaar om mee te beginnen.'

Ik floot onwillekeurig. Otto kneep me in mijn zij.

'Waarvoor?' vroeg Elias.

'Om een oogje in het zeil te houden als ik terug ben in Venezuela.'

'Ponden?' vroeg Otto.

'Dollars,' zei Cesar.

We waren allemaal naar het 'betrouwbare pand' gegaan waar we hadden afgesproken. Het was een leeg huis in Chiswick, waarvan iedereen de sleutels had maar dat we nooit eerder hadden gebruikt. Otto en Elias hadden er hun spullen heengebracht, maar Cesar en ik waren van plan later die avond weer naar Clapham te gaan. We dronken evenwel zoveel aquavit met cayennepeper dat Cesar en ik tot laat in de volgende morgen bij de anderen bleven. Cesars onderhoud en de ronselpoging werden als een grap behandeld, maar onder de grap voelden we allemaal de kille greep van de werkelijkheid.

'Hoe weet je dat dat het was wat hij wilde?'

Dat wist Cesar niet. Niet zeker.

'Hoe hebben ze je gevonden?'

Hij zei: 'Mijn naam dook op in Bologna, in de "zaak Lanzini", iemand merkte dat op en zodoende hebben ze een paar mannetjes op het spoor gezet van Veta en mij daar, en in Parijs, en hier.'

'Wat deed hij toen je weigerde?'

'Hij bleef het proberen en toen zei hij dat hij het me niet kwalijk kon nemen; daarna werd hij heel hartelijk.'

'Waar hebben jullie toen over gepraat?' vroeg ik bitter, terugdenkend aan die twee uur in de regen.

'Ach, we hebben een tijdje gepraat over James Bond en auto's en zo, en toen zei hij dat hij uit mijn dossier wist dat ik vruchtbomen kweekte, waarop we hebben zitten praten over wat het beste zou zijn voor zijn land in San Diego, sinaasappels of avocado's, en over het risico van phytoptera snamoma.

'Van wat?' vroeg ik.

'Een wortelschimmel,' zei Cesar.

'Wie won?' vroeg Elias.

'Ik denk dat hij wat avocado's neemt,' zei Cesar stralend, 'en ik heb hem aangeraden lid te worden van de avocadovereniging.'

'Wel, wel,' zei Otto, 'als je ooit in Californië komt, zie je hem misschien nog eens.'

Cesar haalde zijn schouders op.

Die nacht, toen we allemaal in bed lagen, Cesar in het enige echte bed 'voor zijn reumatiek', ik op een sofa, Otto en Elias met dekbedden op de grond, fluisterde Elias in het donker: 'Heeft hij echt gezegd dat je de Amerikaanse ambassade in Caracas moest bellen en vragen naar George Washington als je ooit van gedachten mocht veranderen?'

'Hmmm,' zei Cesar.

'Ik weet het niet hoor,' verklaarde Elias tegen de kamer in het algemeen, 'het is tot daaraan toe dat de efficiëntste inlichtingendienst ter wereld twee gekken als wij niet in de gaten heeft als ze er met haar neus bovenop staat, en dat een gestolen Zweedse Mercedes haar niets zegt, ja,' peinsde hij verder, 'zelfs dat ze stom genoeg zijn om te denken dat ze Cesar kunnen ronselen, maar dat hun codewoord George Washington is! Nou vraag ik je!' zei hij en ging rechtop zitten. Maar Otto was gaan slapen, of buiten westen van de aquavit, en Cesar ademde zwaar door zijn mond als gevolg van het misvormde kraakbeen in zijn neus, zodat Elias niets anders overbleef dan: 'George Washington, nou ja zeg,' te mompelen tot ook hij in slaap viel.

25

Kerstmis ging voorbij, en januari, het sneeuwde maar er kwamen geen tickets. Er kwam wel geld, telegrafisch overgemaakt uit Caracas. Maar toen ik vroeg: 'Zullen we de tickets nu kopen?' zei Cesar: 'Nee, de tickets kunnen er nu elke dag zijn.'

En we gaven het geld uit aan cadeautjes en aan wat Cesar 'het allernoodzakelijkste' noemde voor de reis en voor als we daarginds zouden zijn. Bij het allernoodzakelijkste hoorden twee dozijn paar sokken van knielengte, waar we voor naar Edinburgh gingen, zodat Cesar persoonlijk toezicht kon houden op de keuze uit de voorraad van de winkel, die hij vereerde als een deel van de herinnering aan zijn vader. Er hoorde ook een tweede beagle-pup bij. Verder genoeg scheerriemen voor een mensenleven, een antiek gouden zakhorloge, tweeduizend aspirientjes en een verzameling achttiende- en negentiende-eeuwse deurkloppers.

Eind januari was het geld op en waren de anderen klaar om naar Chili te vertrekken. Ze boekten twee passages voor eind juni, vanuit Genua.

Omstreeks midden februari had ik afscheid genomen van al mijn vrienden en de hele familie, de hutkoffers waren gepakt, geïnventariseerd en van hangsloten voorzien, en Cesar leek het wachten niet erg te vinden of zelfs niet op te merken. Ik daarentegen werd met de dag ongeduriger. Ik wilde of op de boot of terug naar Milaan. Maar Cesar wist het zeker, de tickets konden er nu elke dag zijn.

'Maar wanneer dan?' vroeg ik steeds, en dan antwoordde hij: '*Mañana*', sloeg zijn armen over elkaar op die omslachtige manier van hem en had er niets meer aan toe te voegen. Ik wist nooit wat ik daarop moest zeggen. Het deed me denken aan een diner dat mijn stiefvader had meegemaakt in Dublin; een reclameman uit Connemara had er vriendschap gesloten met een van de Zuidamerikaanse afgevaardigden, ze hadden de verschillende kneepjes van hun talen besproken en voor elkaar vertaald en de Zuidamerikaan had gevraagd: 'Hoe zou je "*mañana*" zeggen in het Engels?'

En de man uit Connemara had gezegd: 'We hebben veel woorden om tijd uit te drukken in het Engels, maar niet een dat het typisch spoedeisende heeft van "*mañana*".'

Nu miste ik dat typisch spoedeisende in mijn weerwoord. Ik dreef als Lopez de Aquirre over mij onbekende wateren in een lege droom van grandeur.

Ik deed een paar halfslachtige pogingen om het anker te lichten. Ik stelde voor dat we geld zouden lenen. Maar Cesar zei nee. Ik had voorgesteld de Mercedes te verkopen, maar Cesar had ook daarop nee gezegd, en we hadden hem achtergelaten in Hanover Terrace, twee dagen nadat Cesar de man van de CIA had gesproken.

'Wat denk je van Otto?' zei ik. 'Die kan wel voor het geld voor de reis zorgen.' Maar Cesar wilde er niet van horen.

'Zij willen niet dat we gaan, ik kan hen niet voor ons laten betalen, we moeten daar komen op eigen kracht.'

Dus peddelde ik rond, niet op eigen kracht maar wel in het lauwe water van die Londense winter, heen en weer waaiend tussen Evelyn Gardens en Clapham-Zuid als een verdwaald pluimballetje op de wind, mijn tijd verdelend tussen lezen en bij het standbeeld voor het kameelruiterskorps in de Embankment Gardens zitten op een koude bank die een pover surrogaat was voor de trein.

Terwijl ik daar zat kwam ik op het idee zelf voor die tickets te zorgen. Mijn vader had een vriend die eigenaar was van een scheepvaartmaatschappij; plotseling drong het tot me door dat ik ook een manier had om aan tickets te komen. Cesar wou dat onze passage uit de lucht kwam vallen, zijn terugkeer naar de hacienda moest vrij zijn van alle lage transacties.

Nu goed, daar zou ik voor zorgen.

Het kostte me een dag om mijn nog van niets wetende weldoener te lokaliseren en nog een om door de barrière van secretaresses, assistenten en boodschappers te breken die tussen mij en de grote man zelf in stond. En toen lukte het me niet een afspraak te maken of zelfs een woord met hem te wisselen. Mylord was niet te bereiken. Op de derde dag kon ik, door bemiddeling van weer een andere vriend van de familie, een ambassadeur die toegang had tot de binnenkamers, vragen om twee plaatsen naar La Guaira. De volgende morgen verscheen een speciale koerier bij mijn moeders flat met een betaalde boeking voor de eresuite op de *Montserrat*, die op 11 april uit Southampton zou vertrekken.

Die morgen bracht ik mijn dagelijkse bezoek aan het Zuidlondense vrouwenziekenhuis, maar alle somberheid en verveling van de laatste maand waren van mij afgevallen. De nierkwaal en de bloedingen van

Porta Ticinese waren teruggekomen en ik kreeg nu al voor de derde maand antibiotica. Ik liep door de dampige gangen naast de keukens naar de laboratoria in de kelder, waar ik mijn gewone flesje roze urine overhandigde.

'Je ziet er vandaag uit of je wel tevreden bent met jezelf,' merkte een van de analistes op.

'Ik ga naar Venezuela,' zei ik.

'Dat kan niet,' zei ze, 'je bent ziek.'

'Ik ben ziek omdat ik niet gaan kan,' zei ik. 'Ik word beter zodra ik daar ben.'

Ze pakte mijn flesje aan met een bedenkelijk gezicht en zei: 'Daar zal ik toch even met dokter Wilcox over spreken.'

Cesar stond buiten op me te wachten. Hij ging nooit een ziekenhuis binnen als hij het vermijden kon; we zouden samen de anderen van onze meevaller gaan vertellen. Hij vroeg zelfs hoe het met me was, voor hem iets heel ongewoons, want hij ging ervan uit dat iedereen die op zijn benen kon staan gezond was, en dat iedereen de morele plicht had op zijn benen te kunnen staan. Niettemin vroeg hij: 'En hoe is het vandaag met je nier?'

'Heel goed,' zei ik.

En alles voelde ook heel goed. Voorbij was de tijd dat dokter Wilcox mij de stuipen op het lijf kon jagen, zelfs het Zuidlondense ziekenhuis zelf kon geen herinneringen meer wakker maken aan de maanden die ik er had doorgebracht in een naargeestig zijkamertje naast de kinderzaal met een infuus en een catheter en een slang. Elke keer dat ik geopereerd was, hadden ze de oude snee weer opengemaakt, maar nu voeren we naar Venezuela, we waren ineens onkwetsbaar geworden, niemand had meer de macht oude wonden open te rijten, zelfs het Zuidlondense ziekenhuis niet, zelfs de aanblik van de Stewartvleugel niet met zijn groezelige gordijnen voor de ramen op de bovenste verdieping, toen we de weg overstaken naar het station.

Er gebeurde niet veel tussen dat moment en het begin van april. Cesar en ik lieten elke dag de honden uit op Clapham Common, over de bulten van de bunkers die uit de laatste oorlog waren overgebleven, langs de merktekentjes die overal in het gras verspreid lagen als de stippen op een anatomische schets voor acapunctuur, en die aangaven waar alle moorden waren gepleegd, langs de pestvijver waarin tijdens de twaalfde eeuw de lijken werden gegooid, en die nu was veranderd in een eendenvijver met een wilgeneilandje en een krans van warm ingepakte, onverbeterlijke optimisten die in de grafmodder stonden te hengelen in de hoop een vis te vangen. Elke middag werd doorgebracht bij Otto en Elias, waarbij elke verwijzing naar onze voorgenomen reizen werd vermeden, zoals je niet over de dood praat tegen een vriend met ongeneeslijke kanker. Een enkele keer gingen we naar de Royal Festival Hall, en veel vaker naar de bioscoop. Elias was de meest rusteloze van ons, hij leek het wachten op onze afvaart alleen door te kunnen komen met het verzinnen van steeds nieuwe dingen om te doen en plaatsen om naar toe te gaan. Maar meestal verveelde hij zich op een besmettelijke manier, afgewisseld door manische vlagen van georganiseerd vermaak. Ons vertrek was onvermijdelijk geworden, we wilden allemaal zo gauw mogelijk weg om van de spanning af te zijn.

Niet meer dan veertien dagen voor de vertrekdatum werd ons schip door brand beschadigd.

'Kijk eens aan,' zei Otto triomfantelijk, 'nu kunnen jullie niet weg,' terwijl hij een krant met het nieuws van de brand op de ontbijttafel gooide.

'Het is het noodlot,' voegde hij er uitgelaten aan toe, 'nu zul je bij ons moeten blijven. De *Montserrat* ligt in het dok voor reparatie. Hier staat dat...'

Otto keek naar Cesar, net als wij, en allemaal werden we getroffen door een soort stilte die over zijn gezicht was gekomen; achter de bleekheid lag een uitdrukking die aan schuivend zand deed denken, alsof hij bezig was geweest te zinken maar nu echt gezonken was.

'Hier staat dat hij gauw weer klaar zal zijn,' besloot Otto.

'Iedereen zou denken dat jullie de pest aan elkaar hebben,' zei Elias. 'Ik weet wel dat het juist niet zo is, maar ik word ziek van dat geruzie, en je weet dat ik niet graag ziek word, dus laten we vanavond ergens heengaan.' De mengeling van geestdrift en dreiging in zijn stem deed ons vergeten dat we elke avond ergens heengingen, en Otto hield met zijn plagerij op, en Cesar staarde nors door de streperige ruiten naar de droefgeestige, betonnen lente van het centrum van Londen.

'Een feestje,' zei Elias, 'er is vanavond een feestje bij een stel Venezolanen in Chelsea, we zien onze landgenoten nooit, vanavond maken we een uitzondering en gaan erheen.'

Op een normale dag zou dat het laatste zijn geweest dat een van ons zou doen. Anders dan de Engelsen, die in het buitenland bij elkaar lijken te kruipen als trekzwaluwen, meden Cesar en Otto en Elias hun landgenoten zoveel ze konden. Zelfs als het politiek 'veilig' leek, ontweken we de Venezolanen als een besmettelijke ziekte. Ik had Elias weleens gevraagd waarom dat was, en hij had gezegd: 'De fatsoenlijken blijven thuis, over het algemeen is het alleen het uitschot van de Maracucho's, de mensen uit Maracaibo, dat je tegenkomt, met hun grote mond en meer dollars in hun zak dan ze zelf kunnen tellen, en ze hebben allemaal namen als General Electric Ramirez en J. Edgar Hoover Marquez. Namen zijn lastige dingen,' zei hij, 'als jouw ouders je Trans World Airlines hadden genoemd in plaats van Lisaveta, dan had dat misschien je hele levenshouding veranderd, en als je vervolgens had gemerkt dat het leven uitsluitend een zaak was van kopen en verkopen, waarin jouw rol alleen uit kopen bestond, dan zou jij misschien ook brutaal zijn geworden. Ik neem hen ook eigenlijk niets kwalijk,' zei hij, 'ik wil ze alleen niet om me heen hebben.'

Het was een dag vol spanning, Cesar ijsbeerde door onze kamers als een dosis griep op zoek naar een slachtoffer; het was een opluchting te kunnen uitkijken naar de avond, wanneer we de stille last van zijn slechte humeur met veel mensen zouden kunnen delen.

Toen we bij het huis in Chelsea kwamen waar het feestje gehouden werd, vroeg ik Elias: 'Zijn het Maracucho's?'

Elias was geschokt.

'Natuurlijk niet. Het zijn Andino's,' zei hij, en liet ietwat geërgerd mijn arm los.

Sinds mijn eerste bezoek aan Vitaliano's flat in Parijs was ik nooit met meer dan een paar Venezolanen tegelijk geconfronteerd geweest, de aanblik van een kamer vol onbekende gezichten was te veel voor me; ik trok me terug aan een afgelegen tafeltje in een hoek van de kamer, in gezelschap van een jongen die ik mijn eigen leeftijd gaf, maar die zei dat hij dertien was.

We waren binnengekomen als nauwelijks meer dan indringers, niet onwelkom maar wel ongenood, en van de drie broers in de kamer hield Lenin, de jongste, de hele avond mijn aandacht vast met zijn kostschoolverhalen.

Voor we er waren had Elias ons kort ingelicht over het gezin Ramirez. De vader was een communistische journalist die Venezuela jaren geleden had verlaten om aan politieke vervolging te ontkomen en de vruchten te plukken van een reeks geslaagde onroerend-goed-transacties.

'Toch is hij heel aardig,' zei Elias haastig, 'ondanks alles.'

Ik wist dat Elias over communisten ongeveer zo dacht als Cesar over Fransen.

'En zijn vrouw is heel gastvrij. De jongens voeren niet veel uit. Carlos is in Moskou op de universiteit geweest, maar ik hoor dat hij eruit is gegooid wegens luiheid en rokkenjagerij; de middelste is erg muzikaal, die ken ik een beetje, hij kan goed feestvieren, en het kleintje zit hier in Engeland op kostschool.'

'Hmm,' zei Cesar afkeurend, 'en wat doen ze?'

Cesar geloofde dat mensen iets moesten doen of iets moesten zijn.

'Ze doen eigenlijk niets,' zei Elias. 'Carlos zat op de London School of Economics, ik denk dat hij daar nog zit, maar ik denk niet dat hij iets aan zijn studie doet.'

'Fietst hij soms?' vroeg Cesar achterdochtig.

'Nee,' zei Elias, 'zo erg is het niet.'

Cesar had een afschuw van fietsers, althans van het soort dat fantasiesokken en haarbanden draagt en er een racefiets op na houdt en 'in training' is. Altijd als hij er een zag riep hij hem wel een scheldwoord na en zei dan tegen ons: 'Als ik mijn zin kreeg zouden ze allemaal suikerriet moeten sjouwen.' Dat 'suikerriet sjouwen' was een remedie waarin hij bijna even sterk geloofde als in de kracht van aspirine en het belang van goede manieren.

We waren aangekomen bij de weg met de beschilderde muur waar op de hoek de familie Ramirez woonde. Cesar was steeds somberder gaan kijken.

'Hij moet toch iets doen,' zei ik.

'Nee hoor,' zei Elias, 'Carlos is een eenvoudige jongen, hij houdt van mooie vrouwen en hij houdt niet van joden. Het enige dat werkelijk opvalt aan Carlos Ramirez Iljitsj is zijn ambitie.'

We waren bij de deur en stonden op het punt aan te bellen toen Cesar zei: 'Ambitie voor wat?'

'Roem, toekomst, de schijnwerpers, macht, noem maar op.'

'En de joden?' vroeg Cesar.

'Zijn broer zegt dat de enige keer dat Carlos zich gedraagt als een menselijk wezen het moment is dat hij praat over joden. Hij zegt dat hij ze haat.'

Otto was ongeduldig geworden van al het gepraat.

'Kom, laten we die robot eens binnen gaan bekijken,' zei hij.

Cesars gelaatsuitdrukking was sinds die morgen niet wezenlijk veranderd. Toen we naar binnen gingen en naar beneden werden geleid, besefte ik dat het waarschijnlijk een vergissing was geweest om te komen. Cesar haatte feestjes met mensen die hij niet kende. Maar zeker die avond, toen er net brand was uitgebroken op zijn schip, was hij niet in de stemming voor vreemden. Hij weigerde een glas rum, stond erop zijn bontjas aan te houden en ging alleen in een hoek staan. Daar keek hij dreigend rond, als een kalkoengier op zoek naar een open wond.

Ik liet hem alleen en papte met Lenin aan, de jongste, die zich verveelde en blij was iemand te vinden met wie hij praten kon. Het soort grappen dat de ronde doet op een kostschool verandert niet erg, ze lagen er nog steeds even dik bovenop, en onze voorraad verhalen over aardrijkskundejuffrouwen en sportleraren leek sterk op elkaar. Lenin praatte zoals elke Engelse schooljongen en afgezien van zijn zwarte ogen en haar en zijn lichtbruine huid had hij er ook makkelijk een kunnen zijn. Hij stelde me voor aan zijn broers, die allebei minder welbespraakt waren dan hij.

Cesar bleef staan smeulen.

Otto kwam naar me toe en zei: 'Zo gauw het kan moeten we Cesar hier weg zien te krijgen, hij is helemaal niet in de stemming voor een feestje, hij is op ruzie uit.'

Maar tot ieders verbazing ontspande Cesar zich, accepteerde een glas hete rumgrog en ging zitten praten met mevrouw Ramirez, met wie hij veel gemeen bleek te hebben, althans geografisch gesproken. Ik hoorde hoe ze de bijzonderheden bespraken van dorpjes als Betijoque en Niquitao en Escuque. Mevrouw Ramirez leek alles te weten van Cesars familie en ze bracht hem tot rust door de lof te zingen van zijn neef de ambassadeur en zijn oom de generaal en generaal zus en kardinaal zo. Ik kwam meer te weten over zijn familie dan ooit tevoren; ik bleef met één oor naar hen luisteren en met het andere naar Lenin, met zijn streken en beproevingen en verboden heldendaden.

'U zult uw avocado's dan wel missen, don Cesar,' zei mevrouw Ramirez.

'Ja en nee,' zei Cesar, 'Israëlische avocado's zijn de beste ter wereld ziet u, en die kan ik overal krijgen.'

Het moment van de provocatie was aangebroken. Lenin stootte me onder tafel aan. 'Dat wordt lachen,' fluisterde hij, 'mijn broer heeft de pest aan Israël.'

Carlos had het gehoord, maar liet het niet merken.

'Ik hou het meest van Israëlische avocado's,' hield Cesar vol. 'Jij niet, Carlos?'

'Ik hou eigenlijk niet van avocado's,' zei hij.

'En wat vind je van Israëli's? Ik hoor dat je niet van Israëli's houdt?'

'Ik sta achter de Palestijnen,' zei Carlos een beetje geposeerd.

'En de joden?' vroeg Cesar door.

'Hoezo?' zei Carlos met een ongemakkelijke grijns.

'Ik hoor dat je ze haat.'

'Het kan me eigenlijk niet schelen,' zei Carlos, die voortdurend probeerde de spanning te verminderen, 'maar nee, ik hou niet van ze, Cesar.' Hij leek zich te beroepen op een gemeenschappelijke band. 'Ik hou niet van joden en niet van avocado's. Ze interesseren me niet, weet je.'

'Nee,' zei Cesar langzaam, 'dat weet ik niet.'

Otto, Elias en ik hielden de deur in de gaten.

Na de laatste opmerking van Carlos stond er in Cesars ogen alleen verachting te lezen. Hij verafschuwde tekenen van vertrouwelijkheid als die er niet was. Ik kon hem achter zijn frons zien denken: Ik kan me niet herinneren dat ik vroeger met die jongen heb geknikkerd, dat hij zich nu aanmatigt mij te tutoyeren.

'Bedoel je,' zei Cesar, 'dat je niet in de vrucht geïnteresseerd bent?'

'Vrucht!' zei Carlos nadrukkelijk. 'Bomen, bloemen, het kan me niet schelen of ik die ooit nog zie, en ik ga er zeker niet over twisten met iemand voor wie ik respect heb.'

'Als ik mijn zin kreeg,' zei Cesar, 'zouden mensen die dat niet kan schelen tegen de muur gezet en dood-geschoten moeten worden.'

'Maar je begrijpt me verkeerd,' (weer dat familiare 'tu'). 'Ik ben een terrorist, net als jij, Cesar, ouwe jon-gen; bovendien,' zei hij kregelig, 'je bent toch geen jood, wel?'

'Nee,' zei Cesar even langzaam als daarvoor, 'ik ben geen jood en ook geen terrorist, alleen wel oud. Maar ik heb gedaan wat ik moest doen, en nu kom ik op voor bomen.' Hij zweeg even en voegde er toen aan toe: 'Wat heb jij gedaan?'

Carlos schonk iedereen nog een cuba libre in en dronk de zijne leeg. Zijn moeder was opgelucht, maar Lenin was teleurgesteld, er was niet gevochten, geen gebroken glas, niets.

'Wat moest dat nou voorstellen?' vroeg Lenin mij.

Ik haalde mijn schouders op en stond op om te ver-trekken, de anderen stonden al afscheid te nemen van mevrouw Ramirez.

'Beloof dat je terugkomt, Lisaveta,' zei Lenin.

'Ik zal het proberen,' zei ik.

'Waar kan ik je schrijven?' vroeg hij snel.

'Ik weet het niet,' zei ik, 'poste restante misschien, waarom?'

'Ik vind je aardig,' zei hij met een glimlach, 'eerlijk gezegd, ik ben pas twaalf.'

Carlos bracht ons tot de buitendeur, hij leek slech-ter op zijn gemak nu we weggingen. Zowel hij als de middelste broer waren een beetje gladjes en te dik, ze vulden samen het gat van de deur.

'Zijn we vrienden?' riepen ze ons na.

Elias draaide zich om en riep diplomatiek: 'Er is niets gebeurd, het is goed zo.'

Later die avond zei Elias tegen Cesar: 'Waarom deed je zo lelijk tegen Carlos? Het is nog maar een jongetje, hij wordt wel wijzer.'

'Ik mag hem niet,' antwoordde Cesar.

'Hij is jong,' wierp Elias tegen.

'Hij is bijna zo oud als jij, en jou mag ik wel,' zei Cesar.

'Nou,' hield Elias vol, 'ik vind toch dat je hem te hard viel, hij is op je gesteld en hij zei dat hij het niet zo meende van de joden, het was waarschijnlijk maar een grapje.'

'Nee,' zei Cesar, 'hij zou een grapje nog niet herkennen als het er in grote letters bij stond. En ik was helemaal niet te hard tegen hem, ik was te zacht, hij heeft vooroordelen en geen principes, het gaat hem alleen om het rotzooi trappen en ik mag hem niet en daar blijft het bij.'

Maar daar bleef het niet bij, want wat volgde was de vlieghaven Lod, en Carlos Ramirez Iljitsj Sanchez werd bekend als 'de Jakhals', en Entebbe, en zijn faam als terrorist groeide tot hij de meest gezochte man ter wereld werd.

Maar de kloof zou altijd even breed blijven tussen de terroristen van de oude school en de nieuwe, de mannen met en die zonder principes, tussen eer en ambitie en beruchtheid en faam.

26

De nieuwe vertrekdatum voor de *Montserrat* werd gesteld op 4 juni en weer begon het wachten. Zo om de vijf dagen staken we Het Kanaal over en brachten dagen door in Parijs, Boulogne of Le Havre.

'Is dat wel safe?' vroeg ik Elias.

'Het is nooit safe om te lang op een plaats te blijven. En ach, naar Frankrijk gaan is goed tegen de verveling,' zei hij.

'Jullie zouden nu weg kunnen gaan,' opperde ik.

'Nee,' zei hij, 'we wachten tot het einde.'

In mei waren onze beagles door Otto verbannen, en ze krabden in ballingschap aan mijn moeders flat. Cesar was aan de honden verknocht geraakt, overdag deelde hij vrijwillig hun verbanning en sjouwde met ze heen en weer vanuit Clapham-Zuid. Ik was dankbaar voor mijn nierontsteking, die mij onverzadigbaar slaperig maakte. Otto zei dat hij weer verliefd was en Elias was rusteloos. Van de poste restante kwam een stroompje brieven van Lenin Ramirez.

Drie weken voor de vertrekdatum kondigde Elias aan: 'Ik ga ervandoor, gaat er iemand mee?'

Maar Otto was verliefd, Cesar zat aan de honden vast, ik zat vast aan mijn eigen inertie, en Elias ging er alleen vandoor, met de belofte dat hij terug zou zijn voor ons vertrek.

In de laatste week van mei zat Otto vaak rustig met

zijn hoofd uit het open achterraam geleund. Als ik hem een kop thee aanbood, zei hij: 'Ik wou dat jullie niet gingen.'

En wat ik ook zei, zijn antwoord was: 'Ik wou dat jullie niet gingen.'

Soms wist hij zich genoeg uit zijn depressie omhoog te werken om me tips te geven hoe je moest overleven in de Andes. 'Vertrouw nooit iemand,' en: 'Vriendschap bestaat daar niet, er is alleen familie,' en: 'Ga nooit ongewapend de deur uit, en neem geen mes mee voor je weet hoe je ermee om moet gaan.' Het was een vreemde mengelmoes van goede raad, en het eindigde altijd met: 'Ik wou dat jullie niet gingen.'

Maar onze scheepskisten waren al opgeslagen in Southampton, en onze handbagage stond al klaar, en Cesar had zijn Prescott en zijn levensbeschrijvingen van Napoleon voor het grijpen om aan dek te lezen.

'Dat wordt zestien dagen op zee, Veta, een hele rust,' zei hij; zoals altijd sprak hij als een man die dagelijks slaap te kort kwam. En de houten reishokken voor de honden waren afgeleverd door Harrod's en doorgestuurd naar het schip, met hun namen erop in gouden letters: Ross en Megan. En we hadden een extra sterke zak met hondebrokken voor aan boord, en zes dozijn blikjes hondevoer, voor het geval zoals Cesar uitlegde, we schipbreuk zouden lijden.

Elias kwam terug op de dag voor ons vertrek; zoals zo vaak kwam hij of hij nooit weg was geweest. We gebruikten de thee in de Ritz met mijn moeder, en van daaruit namen we een taxi naar Soho. Onderweg bracht Otto ons langs een leerwinkel, waar we stopten. 'Ogenblik,' zei hij tegen de anderen en de taxichauffeur, en nam mij mee naar binnen. 'Je hebt een tas nodig,' zei hij, 'aan die valiezen heb je niets op de hacienda. Kies uit,' zei hij en wuifde met zijn armen de winkel rond. Vervolgens ging hij terug naar de taxi.

Ik koos een mooie, lichtbruine schoudertas en ging Otto halen.

'Goed,' zei hij, 'stap jij maar in, ik zie jullie verderop wel terug.'

Hij stapte twee straten verder weer in de taxi, buiten adem en met zijn kleren in de war.

'Ik wed dat je er niet voor betaald hebt,' zei ik teleurgesteld. Om de een of andere reden had ik gehoopt dat hij dat wel had gedaan, als een soort symbolisch, wettig laatste geschenk.

'Wat moet ik er dan nu mee doen,' zei hij, 'uit het raam gooien?'

Maar ik nam de tas aan, en we gingen ergens eten, en namen mijn moeder mee terug naar de Evelyn Gardens waar ze de nacht bij ons zou doorbrengen en de rest bleef op tot halfvier om een van Otto's malle woordspelletjes te spelen met de gebruikelijke buitensporige boetes. En toen gingen ook wij naar bed.

De volgende morgen trok ik mijn Edwardiaanse jurk van crèmekleurige zijde aan met de plooitjes in het lijfje en de hoge boord en de dozijnen knoopjes op de manchetten. Ik zag dat Otto mijn nieuwe tas naast mijn kussen had gezet; binnenin had hij op het leer geschreven: 'Voor Lisaveta, opdat we elkaar terugzien, Otto.'

Ik wist dat hij niet echt Otto heette, zoals Elias niet echt Elias was, het waren zomaar namen, die ze zo lang hadden gebruikt dat ze echter leken dan hun ware naam.

Elias overtrof zichzelf in de rit naar Southampton,

hij bereikte de haven in wat niet meer dan een paar minuten leek; de honden die achterin op de vloer zaten schrokken zo dat ze een klaaglijk gehuil aanhieven bij Putney Bridge en er niet mee ophielden voor Winchester, waar we stopten om iets te drinken en waar ze allebei vreselijk moesten overgeven. Mijn moeder, die zich ook niet op haar gemak voelde bij hoge snelheden, had op de voorbank een soortgelijke reactie; ze schold Elias uit en kneep hem in zijn zij om hem minder hard te laten rijden. Ondanks alles kwamen we goed aan, vonden ons schip en laadden onszelf en onze bagage en de honden en de zes dozijn blikjes hondevoer uit.

Cesar en ik namen nogal stijfjes afscheid toen het zover was. Op het laatste moment leek alles veel te vlug te gaan, we hadden meer tijd moeten hebben, na al die maanden wachten moesten we te vlug aan boord. Maar niemand van ons hield erg van afscheidnemen, en we regelden het zo dat we eerst door de purser naar onze hut werden gebracht, waarna we naar het benedendek zouden gaan om te zwaaien. Toen we in het gedrang met andere passagiers de loopplank opliepen, trok Otto me terug en fluisterde: 'Ik hoop dat Cesar meer van je houdt dan ik.'

Alweer was er geen tijd iets te zeggen, Megan trok me voort aan haar riem en sleepte me het schip op, buiten gehoorsafstand. Onze hut was makkelijk te vinden, hij was aangegeven op alle plattegronden, er waren er maar twee zo groot op het schip. Ik kreeg nauwelijks een idee van de hele suite toen we er de eerste keer kwamen om onze handbagage neer te zetten. Een steward legde ons uit wat de voordelen waren van onze positie, liet ons de bedieningsknopjes zien en noemde de verschillende diensten waarover we konden beschikken. Daarna gingen we terug naar het benedendek, aan de kade, waar de anderen stonden te wachten. Ze leken al kleiner geworden, hun woorden waren niet meer dan mondbewegingen in de algemene verwarring. Nadat we een tijdje naar elkaar hadden staan staren, wij tweeën van boven naar beneden, zoals we allemaal over de metalen bruggen van de Naviglio Grande hadden staan leunen, starend naar de dode vissen en de stukken ledikant en het wuivende handje dat een handschoen was in het wier, begonnen we naar elkaar te zwaaien, en dat leek even onwerkelijk als die ene hand in het water, en ineens hielden we ermee op.

Elias pakte mijn moeder en Otto bij de arm en leidde hen weg; toen draaide hij zich om en riep: 'Geronimo!' en dat was heel goed te horen boven de menigte uit, en we wachtten op het dek of ze zich nog eens zouden omdraaien, nog iets zouden zeggen, maar dat deden ze niet, zelfs mijn moeder niet, die het onder normale omstandigheden zeker zou hebben gedaan. En toen ze uit het zicht waren verdwenen en wij aan onszelf waren overgelaten, wilden we niet praten en liepen we met de honden het ene rondje na het andere over het minder volle bovendek, totdat Cesar zei: 'Nu moet ik gaan liggen' en verdween, waarop ik terugliep naar de reling tegenover de kade en omlaagstaarde naar het beton en de kisten en de steekkarretjes, in de hoop waarschijnlijk dat de anderen terug zouden komen, dat er weer brand zou uitbreken op de *Montserrat*, of dat een blokkade ons het vertrek onmogelijk zou maken.

Niets daarvan gebeurde, we lichtten om twee uur het anker met als bestemming La Guaira, via La Coruña en Vigo, Tenerife en Trinidad. De beide honden waren niet gehuisvest in de reishokken van Harrod's met hun eigen naam erop, maar in twee vreemde schapehokken; de hoofdsteward verontschuldigde zich daarvoor met een glimlach, de Spanish Line hield geen rekening met honden. Ik weet nog dat de eersteklaseetzaal bijna leeg was, zelfs als iedereen present was, waren we maar met z'n zessen, met een legertje hofmeesters om ons te bedienen, en dat de kweepudding met de kaasjes heel goed was, en dat vooral het visgerecht altijd uitstekend was, en dat zelfs Cesar de wijnen waardeerde. En ik herinner me dat er verse bloemen in onze kamer stonden, ik denk van de kapitein; dat de honden de hele reis ondeugend waren, dat we in Tenerife juwelen kochten op de zwarte markt en in Trinidad allebei te lui waren om van boord te gaan. En de eerste avond liet Cesar me de namen en adressen van al onze vrienden verscheuren, maar ik kon me er niet toe brengen ze weg te gooien, zodat ik de snippers bewaarde en in elkaar paste tot dat niet meer ging, waarop ik ze over de reling in zee gooide als een spoor voor de vliegende vissen, ergens in de Caribische Zee, stukjes Oxford en Parijs en Milaan, verloren in het schuim.

Later kweekten Cesar en ik zeven jaar lang avocado's, terwijl we een feodaal leven leidden op zijn landerijen in de Andes, met zijn dienaren en zijn suikerriet, en nooit gingen we meer samen met de anderen op reis. Zo nu en dan zag ik hen wel, ofschoon niet in de eerste jaren, en altijd maar kort. De laatste keer was in Parijs, bij Pierre Goldman, een week voor hij werd vermoord. Dat waren maar twee dagen, grotendeels doorgebracht in de trein, met daarna een paar uur paranoia en jaren van herinneringen. Toen ging ik terug naar Duinkerken en Norfolk, terwijl de anderen naar Spanje gingen en Pierre Goldman achterbleef in Parijs, waar hij *Les temps modernes* redigeerde en wachtte op de geboorte van zijn kind, en neergeschoten werd toen hij uit de kraamkliniek kwam.

Ik was erg gehecht aan de tas die Otto me als afscheidsgeschenk gegeven had, ik gebruikte hem jarenlang, ook toen hij onder de krassen zat en er gehavend uitzag, er was een speciaal gevoel aan verbonden. Maar vorig jaar liet ik hem staan in een telefooncel in Wolverhampton en ik merkte het pas in Manchester, en de politie kon het niet nagaan. Toen ik het verlies aangaf, vroeg de agent zelfs: 'Wat kunnen wij daaraan doen?'

'Ik wil hem terug,' zei ik.

Hij lachte en zei: 'U maakt een grapje.'

Misschien zullen we elkaar dus niet meer zien, zoals Otto op het leer had geschreven. Misschien komt er niet eens een halve pagina in *The Times* of de *Observer* over zijn dood of de moord op hem. Ik zeg tegen mezelf dat ik op een dag terug zal gaan naar Italië (al was het maar om in de Naviglio Grande te staren), maar ik vrees dat de versleten Schotse ruit plastic is geworden, en dat de kartonnen broodjes zo zacht als watten zullen blijven in hun vacuümfolie, of, het ergste van alles, dat alle lijnen geëlektrificeerd zijn, de oude rijtuigen gesloopt en vervangen door expressewagens van aluminium, en dat niemand ooit meer zal weten van de liefde voor de stoptrein naar Milaan.